TANT QU'IL Y A DE LA VIE

RENATE DORRESTEIN

TANT QU'IL Y A DE LA VIE

Traduit du néerlandais
par Spiros Macris

belfond
12, avenue d'Italie
75013 Paris

Titre original :
ZOLANG ER LEVEN IS
publié par Contact, Amsterdam.
Édition publiée en accord avec Linda Michaels Limited,
International Literary Agents.

Si vous souhaitez recevoir notre catalogue
et être tenu au courant de nos publications,
vous pouvez consulter notre site internet :
www.belfond.fr
ou envoyer vos nom et adresse, en citant ce livre,
aux Éditions Belfond,
12, avenue d'Italie, 75013 Paris.
Et, pour le Canada,
à Interforum Canada Inc.
1055, bd René-Lévesque-Est,
Bureau 1100,
Montréal, Québec, H2L 4S5.

ISBN : 978-2-7144-4257-4

*Et l'espoir est un enfant blanc comme
la craie qui rit au brigand qui l'égorge.*

Gerrit ACHTERBERG

PREMIÈRE PARTIE

Été

Les cannibales

Au fond du jardin laissé à l'abandon, là où commençait le domaine des abeilles, les enfants s'étaient lancés dans un jeu endiablé dont ils inventaient les règles au fur et à mesure. Ils se poursuivaient, baignés de sueur, entre les arbustes s'élevant à hauteur d'homme. Armés de cuillères en bois prises dans la cuisine, ils rossaient les branches tombantes pour les écarter de leur chemin. Éraflures et piqûres d'orties leur couvraient les bras et les jambes.

Les quatre filles avaient l'avantage : elles connaissaient le terrain. Elles savaient exactement où passaient les chemins secrets et où trouver les meilleures cachettes. Les garçons de Laurens se voyaient régulièrement contraints d'interrompre la poursuite, jetant autour d'eux des regards désemparés, l'oreille tendue pour capter les fous rires réprimés derrière les buissons. Ils se tenaient par la main, hors d'haleine. Niels, le plus âgé des deux, ne cessait de rassurer son petit frère d'un ton fébrile. Nous allons gagner, tu sais. Nous allons gagner, c'est sûr.

Leurs parents s'étaient installés près de la maison, sur la terrasse où ils discutaient à bâtons rompus depuis le déjeuner, adoptant le rythme paresseux de ceux qui ont tout le temps du monde. Il faisait chaud, et les verres ne restaient jamais vides bien longtemps. Timo se contentait de boire de l'eau. Il lui fallait encore, répétait-il de temps à autre, transférer l'essaim d'une ruche panier dans une ruche à cadres avant la tombée de la nuit, et l'odeur d'alcool affolait les abeilles. Comme elle allaitait encore son bébé, Gwen, sa femme, buvait du jus de fruits. Seul Laurens s'était mis au vin blanc.

Ils étaient en short, installés sur des chaises de bois branlantes autour d'une table qui avait jadis rempli un tout autre office que celui de meuble de jardin, un office bien plus noble. Le plateau extériorisait ses protestations contre son nouvel emploi de plein air par des boursouflures et une éruption de méchants cratères. Les pieds n'étaient pas en reste : en les frôlant, les jambes nues se couvraient d'échardes. Même sous la table, la mousse apparemment si douce et veloutée qui proliférait entre les dalles présentait un caractère implacable, presque agressif. Et dans l'herbe haute, doudous oubliés et figurines en plastique formaient des colonnes menaçantes.

Mais quelle absurdité ! Il en avait toujours été ainsi chez Timo et Gwen, bien sûr : une maison tenue à la petite semaine. Le lierre poussait ici librement dans les gouttières, les bouquets se desséchaient sur le rebord des fenêtres, des magazines pendaient sur le dossier des chaises, et partout où l'on posait le pied, il y avait toujours quelque chose qui grinçait ou collait sous la semelle, du sucre répandu par accident, des miettes de gâteaux, les restes écrasés d'une boîte de raisins secs, une olive ouatinée de peluches. Gwen et Timo n'en avaient cure. Peut-être était-ce là un des secrets d'une union longue et heureuse : faire que l'accessoire demeure accessoire.

La pensée l'avait seulement effleuré, mais elle produisit chez Laurens un sentiment de solitude à lui fendre l'âme.

En face de lui, Timo dévissa une fois de plus la capsule de l'eau minérale. Il se remit à parler de ses abeilles. Il avait un débit rapide, trébuchait presque sur les mots. On aurait dit un écolier consciencieux présentant un exposé. D'ailleurs, au fond, Timo était resté un enfant. Il avait gardé l'enthousiasme inaltérable, et la capacité d'étonnement aussi, de ses six ans. Même lorsqu'il longeait le canal en vélo, luttant contre la bise, il sifflait encore un air plein d'entrain. Un homme qui siffle en pédalant le long d'une berge, les cheveux blonds flottant au vent : une publicité impeccable pour l'office du tourisme.

Laurens l'écoutait avec attention, heureux de se changer les idées. Il opinait de temps à autre pour manifester son intérêt, tout en étudiant les rhododendrons fanés, les lupins dévorés par les escargots, les taupinières criblant la pelouse. Chaque détail caractérisait l'insouciance de Timo, la placidité de Gwen. Il commençait à se sentir un peu mieux. Peut-être devrait-il reprendre un verre de vin, il serait de nouveau prêt à rire de tout. Dans le rafraîchisseur posé sur la table inondée de soleil, la bouteille n'attendait que lui. Mais l'alcool entraînait également certains risques, et l'invité se devait de surveiller son comportement. Cette prise de conscience lui remit brutalement en mémoire l'esclandre qu'il avait causé au déjeuner. Il s'était laissé démonter si facilement. Saisi par la honte et furieux contre lui-même, il bondit sur ses pieds.

13

Abritée derrière une frange de cheveux blonds et un peu gras, Gwen lui envoya un sourire hésitant.

— Qu'est-ce qui te prend, tout à coup ?

— Je vais voir ce que trafiquent les enfants.

— Sois tranquille, ils ne sont pas en porcelaine, intervint Timo.

— Allez, laisse Laurens se dégourdir un peu les jambes, rétorqua Gwen, ça va lui faire du bien. Donne-lui quartier libre. Voilà des heures que tu nous fais un cours magistral sur les abeilles.

Cette bonne Gwen. En cas de guerre, il n'y aurait pas à hésiter, c'est chez elle qu'il faudrait se mettre à couvert. Même dans les circonstances les plus difficiles, il y aurait toujours du potage en train de mijoter sur le feu ; et, quelque part dans les entrailles de Gwen, des enfants à venir qui se livreraient, avec le même calme, au pliage et au collage de papiers multicolores, en babillant et pépiant. Gwen enfantait par paires. La petite dernière était sa première œuvre unique.

Laurens s'ébroua, les muscles raidis par la longue station assise.

— Vous croyez qu'elle reviendra un jour ? demanda-t-il tout à coup. Qu'en pensez-vous ?

Timo ne dit rien, coupé dans son élan. Gwen se gratta le mollet.

— Que peut bien trouver Beatrijs à cet enquiquineur ! s'exclama Laurens, retrouvant l'irritation suscitée chez lui par l'intrus dans leur petite communauté.

Gwen protesta mollement.

— Bah, il est seulement un peu...

— Ne te fatigue pas, mon amour, intervint Timo. L'homme est un butor de première.

14

Impossible de savoir s'il pensait à Laurens ou à l'enquiquineur.

— Nous serons bientôt fixés, dit Gwen. Ils savent à quelle heure nous passons à table.

— Leurs affaires se trouvent encore ici, compléta Timo.

— Si j'ai bien compris, pas moyen d'y échapper.

Laurens enfonça les mains dans les poches et s'avança dans l'herbe, s'obligeant à fixer ailleurs ses pensées. Il réussit au dernier moment à contourner un amoncellement de Lego.

Et puisqu'il s'était mis en chemin, autant se lancer réellement sur la trace des gamins. Un but, aussi minime fût-il, donnait du sens à sa vie. Courage. Où pouvaient-ils bien se trouver, ces adorables chenapans ? Partout et nulle part. La vieille ferme où habitaient Gwen et Timo n'offrait pas des dimensions exceptionnelles, mais elle possédait de nombreuses dépendances et la terre qui l'entourait semblait immense, aux yeux d'un citadin. La propriété s'appelait depuis toujours *À l'Écluse*, et leur entreprise portait le même nom. Dans la cour, du côté du canal, se dressait un panneau où l'on avait dessiné une abeille chargée de pollen décrivant des cercles devant l'écluse. Cette œuvre naïve ne récoltait que des regards indifférents de la part des bateliers et de l'équipage des bateaux de plaisance. L'attrait exercé sur les cyclistes et les promeneurs se révélait bien plus grand. Ceux-ci interrompaient volontiers leur randonnée pour faire une incursion dans la minuscule boutique aménagée à l'avant du bâtiment principal, et acheter un petit pot de miel artisanal ou quelques bougies décorées par Gwen de fleurs sauvages, auxquelles adhéraient encore des particules de terre.

En suivant l'allée de gravier bordée d'arbustes qui n'avaient pas été taillés depuis des années, Laurens passa à côté de l'atelier où l'on fabriquait les bougies. L'odeur de la cire se répandant par la porte ouverte était si forte qu'il était inutile de pénétrer à l'intérieur pour imaginer les interminables rangées de bougies pâles séchant dans leurs cadres de bois. Par une chaude journée comme celle-ci, le bourdonnement des abeilles était clairement audible, formant une sorte de vrombissement grave et continu comme si l'on passait tranquillement l'aspirateur entre le trèfle et le thym.

Comme ils avaient été heureux ici, tous ensemble, été après été. Et voilà que débarquait un monsieur Je-sais-tout avec qui Beatrijs avait décidé de partager maintenant son existence. Juste maintenant. Comme s'ils ne faisaient pas tous de douloureux efforts pour s'habituer au vide laissé par Veronica ou, plus exactement, aux innombrables absences trahissant le vide qu'elle laissait. Chaque circonstance apportait le choc d'une privation. Son gâteau au chocolat, le dessert traditionnel de la première soirée, avait fait défaut. Ses bouts-rimés grivois au cours des repas, ses chansons qui donnaient aux enfants le courage de tenir jusqu'à la fin de l'énorme vaisselle, ses histoires irrésistibles en fin de soirée lorsque le dernier verre de vin était toujours suivi d'un autre : ils avaient dû continuer à vivre sans tout cela. Chaque instant, chaque geste, chaque regard échangé enfonçaient plus profondément le coin de son absence. En n'étant plus parmi eux, sa présence semblait, d'une certaine manière, plus forte que jamais : derrière chaque porte, on s'attendait encore à entendre sa voix ou le bruit de ses pas. Que venait donc faire là un parfait étranger qui n'avait même jamais rencontré Veronica ?

16

Un craquement se fit entendre dans les buissons, Laurens s'arrêta, détourné de ses pensées.

Les jumelles de Gwen étaient réputées pour leurs embuscades. Ce ne serait pas la première fois qu'elles se laisseraient tomber sur lui du haut d'un arbre. Il s'engagea prudemment entre les fourrés. Quelques branches cassèrent sous son poids. Creuser une fosse camouflée ne dépassait pas non plus leurs capacités. Elles étaient de vraies sauvageonnes, surtout celles de huit ans que Timo appelait les Anges, avec une ironie qui ne lui était pas coutumière. Qu'un homme aussi doux que Timo ait pu être le père de filles pareilles demeurait un mystère pour Laurens. Leur apparence physique même, avec des sourcils qui se rejoignaient au-dessus du nez, formant un seul trait épais, les désignait comme des enfants de brigand. Un seul détail les distinguait l'une de l'autre : Marleen avait une fente dans son menton volontaire et Marise une fossette.

— Où êtes-vous, bande de froussardes ? s'exclama-t-il.

Elles formaient une paire formidable. De nouveau un craquement dans les taillis. Du coin de l'œil, il crut apercevoir l'éclat rose vif d'un tee-shirt. Ce devait donc être Klaar ou Karianne, l'une des jumelles les plus jeunes. Le duo des cadettes se transformait à vue d'œil cet été, perdant le potelé de leurs petits bras et l'arrondi des genoux. Elles commençaient à grandir tout en longueur, comme de jeunes pousses, et leurs visages, aux formes pleines et couverts de tâches de rousseur, avaient perdu cet étonnement perpétuel devant l'immensité du monde : elles se préparaient à toute vitesse, pressées de mettre leurs pas dans ceux incandescents des Anges.

Laurens se hâta d'entamer la poursuite, écartant les

branches avec de grands gestes. Ici, à la lisière du rucher, le pré où les abeilles vivent et récoltent le miel, le jardin d'Éden de Gwen offrait son aspect le plus sauvage. Toute tentative de culture avait été abandonnée ou s'était heurtée à la résistance opiniâtre des vieux arbres et des halliers. On s'imaginait dans une forêt impénétrable plutôt qu'à l'arrière d'une ferme au bord d'un canal droit comme un I, creusé par la main de l'homme. Il avait l'impression que la forêt enchantée étendait son emprise, année après année, mais c'était peut-être un effet de son imagination.

Il traversa le taillis suivant en moulinant des bras. Il s'attendait à trouver une clairière où les rayons du soleil, tamisés par le feuillage, couvriraient le sol de taches lumineuses. Mais les frondaisons se firent si denses qu'il ne vit plus rien pendant quelques instants. Il dut avancer d'arbre en arbre en tâtonnant, les mains tendues devant lui. L'absence de jour rendait l'écorce des troncs vaguement poisseuse. Elle exhalait des relents d'acide et de terre. Tout à coup l'été parut bien lointain. Il s'apprêtait déjà à faire demi-tour lorsqu'il heurta un objet qui produisit un son caverneux. C'était un énorme chaudron en fer dont le bord arrivait presque au niveau de l'ourlet de son short, un de ces ustensiles utilisés par Gwen pour confectionner les bougies.

Il considéra l'objet avec étonnement, c'était pourtant typiquement Gwen que d'envoyer la vieille ferraille bouler dans les bosquets sans autre forme de procès. Il posa la main sur son rebord. Le métal était froid. Le récipient se révéla plein d'eau. On aurait pu y cuire un beau cochon de lait.

Un cri aigu retentit soudain. Oubliant le chaudron, il se précipita dans la direction d'où provenaient le bruit et l'éclat du soleil. À la frontière du domaine des abeilles, il ralentit son allure : ses deux enfants couraient de l'autre côté de la parcelle et s'approchaient dangereusement des ruches.

— Niels ! Toby ! Faites attention là-bas !

Ils ne l'entendaient pas. Hurlant à tue-tête, ils poursuivaient leur course, fascinés par le jeu ; deux petits bonshommes malingres en maillot de bain.

Il faudra d'urgence les conduire chez le coiffeur, se dit Laurens, ils ont besoin de nouvelles chaussures aussi, sans compter que les tee-shirts achetés dernièrement au marché présentaient un défaut, les coutures étaient mal faites ou un problème de ce genre ; on en vient à acheter des vêtements qui, au bout du compte, ne valent rien. Le découragement pesa sur ses épaules. Pourtant, seuls ses enfants lui donnaient l'énergie de se lever le matin de chaque misérable journée. Dans ses rêves, Veronica vivait encore, la plupart du temps. Tout s'était produit si brusquement il est vrai, ou peut-être était-ce son esprit qui refusait de toutes ses forces la fatalité. Quoi qu'il en soit, le contraste entre veille et sommeil lui paraissait si cruel qu'il n'avait, le matin, qu'un seul désir : s'étendre pour toujours à côté d'elle et oublier ce qui était arrivé.

Les deux garçons avaient disparu de son champ de vision. Les abeilles bourdonnaient obstinément.

Avait-il bien fait de venir à *L'Écluse* cette année ? Il n'apportait pas grand-chose à ses amis en ce moment. Mais les garçons s'étaient tant réjouis à la perspective du séjour. Après l'enterrement, Niels lui avait demandé, les larmes aux yeux :

— Dis papa, nous n'irons plus jamais en vacances maintenant ?

Étonnant de voir comment, à sept ans, on trouvait

les mots pour exprimer si clairement ses sentiments. Que signifiait, en effet, cette question, si ce n'était : La vie ne redeviendra-t-elle jamais normale, ne serons-nous plus jamais heureux ensemble ? Il se répétait, comme une formule magique : Mais oui, je m'en sortirai. Les trois mois écoulés représentent si peu de temps encore, il faut attendre qu'une année passe. Mais c'est alors, disait-on parfois, que les difficultés commencent vraiment. Après tout, à y réfléchir de plus près, l'absence pouvait-elle faire autrement que de s'étoffer avec le temps et croître sans fin ?

L'idée lui serra si fort le cœur qu'il reprit rapidement sa marche. Il décida de revenir par le chemin le plus long, celui qui passait par le vieux pavillon d'été. Le gravillon de l'allée était ourlé d'une mauvaise herbe jaune dont il oubliait toujours le nom. Lorsque l'on en cassait la tige, un suc orange vif s'en écoulait qui faisait des taches presque indélébiles sur les mains. Chaque année, Veronica en faisait avec verve la démonstration devant leurs enfants. Mille fois, elle avait marché sur ce gravier, perchée sur des jambes interminables, ses jambes en queues de sucettes, comme elle disait. Mille fois aussi, ils avaient marché ensemble sur ce même gravier, elle et lui, partageant rires et bavardages ou, au contraire, plongés dans leurs pensées, se réfugiant peut-être même, par une saute d'humeur, dans le silence. En gardaient-ils encore le souvenir, ces graviers, des pieds de Veronica, et des siens juste à côté, un couple, tout simplement, ce qu'une allée reconnaîtrait à coup sûr : un pas plus léger accompagné d'un pas plus lourd, regardez-moi ça, un couple. Quoi de plus normal ? dirait-on.

Il s'arrêta et fit crisser les gravillons sous ses semelles en oscillant lentement. Il s'arrêta net en prenant conscience qu'il attendait une manière de réponse, poussé par un espoir stupide. Une petite voix fluette, sans doute : Bonjour monsieur, c'est le caillou en bas à gauche qui vous parle – non, un peu plus vers la droite, oui voilà, celui-là : c'est moi –, j'ai été foulé à l'époque par votre épouse, emportez-moi donc en souvenir.

Mais arrête donc, Laurens, arrête !

Elle avait déjà marché ici sans lui. La tradition de la semaine estivale passée ensemble à la ferme est née bien avant qu'il n'en fasse partie. Veronica, Gwen et Beatrijs étaient des camarades de classe lorsqu'elles prirent l'habitude de se retrouver, chaque année, durant une semaine pour rire et bavarder ensemble, boire plus que de raison et se préparer d'énormes platées de spaghettis. Le mariage n'y avait pas mis un terme : leurs maris et, plus tard, leurs enfants étaient tout simplement devenus des éléments intégrés au séjour annuel ; on les avait glissés dans la tradition, comme Gwen mettait des petits pains au four. Et puisque les ruches ne pouvaient se passer de soins sept jours durant, *L'Écluse*, qui offrait infiniment plus d'espace que les autres domiciles respectifs, avait été, dès le début, le point de ralliement.

Sur les innombrables photographies prises été après été, les trois amies occupaient toujours le premier plan, avec une mine effrontée, les bras jetés sur les épaules l'une de l'autre, faisant des grimaces, détendues et confiantes. Gwen : la Terre Mère, sans aucun doute, pieds nus et crottés, la jupe décolorée par le soleil, une traînée sale sur le front. Beatrijs : jamais sans ses talons aiguilles, son corps trapu enserré dans les créations les plus frivoles, regardant droit devant elle avec un air stupéfait, comme si une pensée dépassant sa

21

compréhension avait soudain frappé son esprit. Veronica : des yeux étoilés à demi cachés derrière une chevelure sombre, mystérieuse, apparemment distante, mais toujours avec le coin des lèvres qui frise de plaisir. Derrière se dessinaient les contours des êtres chers. On apercevait les larges épaules d'un époux, ou la tête d'un chérubin aux joues comme des pommes qui s'était glissé entre les genoux des adultes. Mais, même sur la photographie où ils se retrouvaient tous autour d'une table comme une grande famille italienne, on voyait que les hommes et les enfants jouaient un rôle accessoire au cours de cette semaine particulière. Des figurants, de simples passants dans la vie de ces femmes.

De quoi avaient-elles parlé, les amies, au cours de toutes ces années ? Quels secrets avaient-elles échangés ? Laurens ne voulait même pas le savoir. Il reprit sa promenade à grandes foulées déterminées et tourna à l'angle du chemin.

Assise devant la porte du pavillon d'été, Bobbie, la sœur de Timo, écossait des haricots dans la lumière déclinante de la fin d'après-midi.

— Bobbie ! s'écria-t-il.

Aucune réaction. Elle continuait d'ouvrir les cosses avec de grands gestes démonstratifs.

— Ce soir, je mange mon repas à moi, tu comprends, et dans ma maison ! Je refuse de m'asseoir de nouveau à la même table que cet homme ! marmonna-t-elle avec une vigueur guerrière.

Laurens fut pris d'une hésitation. S'agissait-il de lui ou de l'enquiquineur ? Il se dirigea cependant vers Bobbie et prit place à côté d'elle sur le banc.

Elle lança une poignée de haricots dans la casserole qu'elle gardait sur ses genoux.

— J'ai travaillé dur. J'ai droit au repos.

À ce moment-là seulement, elle remarqua sa présence et lui sourit.

— Beaucoup de travail, cet après-midi ? demanda-t-il.

Bobbie était habitée par la certitude qu'elle seule gagnait le vivre et le couvert de tous grâce à la petite boutique qui donnait sur la rue. Là-bas au moins, les clients payaient avec du véritable argent, ce que l'on ne pouvait pas dire des types en camionnette qui allaient et venaient tout le temps pour charger des palettes entières de miel et de bougies. Bobbie était intimement convaincue que son frère et sa belle-sœur devaient être timbrés pour distribuer autant de marchandises sans jamais recevoir en retour le moindre euro sonnant et trébuchant. Elle apportait toujours en fin de journée, sur le coup de six heures, le contenu de la caisse pour montrer les pièces et les billets qu'elle, et seulement elle, avait gagnés ce jour-là. Ils en avaient de la chance de l'avoir, ces deux-là.

— Pas une seconde à moi. Elle gonfla ses joues et roula des yeux un instant : Trois, non *quatre* personnes dans le magasin. C'est à cause de la météo.

Laurens prit un haricot dans la casserole et le croqua.

— Mais on est samedi soir. Fini le travail. Maintenant, tu as envie de passer un moment agréable, et pas en compagnie d'un inconnu qui, pour couronner le tout…

— Laurens ! Elle lui donna une tape sur la main lorsqu'il voulut prendre un deuxième haricot : Cela va te faire du mal, dis donc, si tu les manges tout crus.

— Pas à moi. Moi, je ne souffre jamais de rien. Je suis l'homme d'acier.

Elle l'examina en fronçant les sourcils.

— Et il se trouve où alors, cet acier ?

Il se tapota la poitrine.

— Ici. À l'intérieur.

Il était son chevalier servant, il avait pris fait et cause pour elle cet après-midi lors du déjeuner. Rien qui méritait de s'en faire le reproche, au contraire, il fallait y trouver un motif de satisfaction.

— C'est impossible, reprit-elle avec conviction, je n'en crois pas un mot. Tu prends une bière ?

Elle se leva et entra dans le pavillon.

Il l'entendit se lancer dans un soliloque où perçait l'indignation : « Il me raconte des salades ; tu ne dois pas l'écouter ; bouche-toi tout bonnement les oreilles, tu m'entends ? »

Lorsqu'elle réapparut, une canette de bière à la main, il dit rapidement :

— Ah, Bobbie, je me suis palpé encore un peu, mais tu avais raison, il n'y a que des os là-dedans. Je me suis trompé tout à l'heure.

— Eh bien, c'est du joli !

Elle ouvrit la canette avant de la lui tendre, tout en repoussant de l'autre main son épaisse chevelure derrière les oreilles.

Pour attirer ses faveurs, il lui demanda :

— Mais pourquoi appelle-t-on encore cette maison le pavillon d'été ? C'est un nom qui appartient au passé, pas vrai ?

Elle se penchant vers lui avec un air entendu.

— Parce que chez moi le soleil brille toujours. Chez moi, et soudain elle éclata de rire, chez moi, quand j'allume, c'est pas pour rester dans le noir.

— Bien dit, reprit Laurens en sirotant sa bière.

24

« Bof », fit Bobbie sans y accorder plus d'importance. Elle reprit la casserole avec les haricots et la posa sur ses genoux.

Gwen était rentrée pour changer la couche de sa fille dans la chambre d'enfant. Bien que ce fût une tâche paisible, elle dut réprimer un soupir. Impossible de s'y habituer, un bébé, juste un ; il s'en dégageait une telle impression d'inachevé : une fille qui devra affronter le monde toute seule, sa vie durant. Timo jugeait cette idée absurde et son attitude la blessait. Maos pour les autres aussi, il apparaissait clairement que la situation présentait une manière de défaut. Dernièrement encore, Bobbie avait eu une formule étonnante. D'une parole lente et claire, elle avait soudain remarqué : « Un bébé n'est pas encore un être humain. Ce n'est pas non plus un animal, bien sûr. Mais c'est quoi alors ? » Elle ne s'était jamais posé la question à propos des Anges, et pas plus à propos des cadettes.

Veronica aurait certainement trouvé une réponse appropriée. Et tous se seraient accordés à reconnaître dans la boutade qu'elle aurait alors lancée une solide dose de logique et de bon sens.

Gwen fixa la couche, souleva la petite fille et déposa un baiser sur sa tête. Puis elle la coucha dans son berceau. Elle fit osciller l'élastique distendu le long duquel se dandinaient de petits canards en plastique aux couleurs vives. Puis elle tira sur le cordon de la boîte à musique. Do, do, l'enfant, do.

Elle attendit jusqu'à ce que les grands yeux si limpides se ferment. Il était plus que temps de se mettre aux fourneaux. Mais d'abord une douche. On en prendrait au moins trois par jour avec un temps pareil.

Dans la salle de bains, elle jeta ses vêtements au linge sale ; le panier débordait comme toujours. Et, sauf erreur, une lessive traînait encore dans la machine. Il faudrait sortir le linge, tout à l'heure, pour éviter qu'il ne s'imprègne d'une odeur de moisi. Elle repoussa du pied un flacon de shampoing vide, quelques éponges et un camion de pompiers, puis se glissa dans la douche. Sous la force du jet, son cuir chevelu fut parcouru de picotements. Elle se dit : La mort n'est qu'un état de l'existence, juste un état parmi beaucoup d'autres. Veronica continuait de vivre quelque part dans l'univers, quelque part dans le scintillement des étoiles, dans la respiration de la mer, ou peut-être même dans la vapeur qui s'élevait maintenant dans la cabine. Mais si elle était tout simplement restée sur terre, alors Gwen n'aurait jamais accouché d'un être aussi fragile qu'un enfant unique ; elle en avait obscurément la certitude. En mourant, on provoquait sans le vouloir toutes sortes de changements dans la vie des autres. Il suffisait d'observer Beatrijs.

Gwen se sécha. Elle releva ses cheveux mouillés en une queue-de-cheval puis se dirigea pieds nus vers la chambre. Durant tout ce temps, elle avait devant les yeux l'image de Beatrijs, amoureuse et rayonnante. Si une de vos meilleures amies meurt soudain à l'âge de trente-six ans d'une hémorragie cérébrale, alors on se regarde dans la glace et on fait le bilan, *dixit* Beatrijs. On s'interroge sur le sens de ses actions. On trouve soudain le courage de trancher dans le vif et de prendre des décisions qui auraient dû l'être depuis longtemps. Bref, on ne reste plus empêtrée dans un mariage dont la date de péremption se trouve largement dépassée. On se jette sans hésitation dans des bras inconnus.

Beatrijs avait un nouvel homme dans sa vie. Gwen savait exactement ce que Vero aurait dit. S'il y avait une personne qui méritait un peu de bonheur, c'était bien Bea. Avec une pointe de mauvaise conscience, elle pensa à Frank que Bea avait quitté sans crier gare, et qu'elle ne reverrait sans doute plus jamais, après tant d'étés passés ensemble. Frank n'avait certes jamais compté parmi les boute-en-train du groupe, mais il avait été l'un des leurs et ça, on ne pouvait l'effacer.

Bien que la journée touchât à sa fin, la température demeurait élevée. Elle ouvrit à contrecœur la penderie. Elle se décida pour une robe avec des soleils dans laquelle elle savait que Timo aimait la voir. Dire qu'eux deux formaient le seul couple restant... Ils s'y feront. On s'habitue à tout. Mais brusquement, sans transition, son humeur bascula et une irritation inhabituelle s'empara d'elle. Les gens mouraient à leur guise ou vous balançaient leur nouveau partenaire dans les pattes ! Tout le monde s'imaginait que rien ne la touchait et qu'elle était capable de tout encaisser. Qu'est-ce qui leur mettait de pareilles idées en tête ? Ils n'aspiraient à rien d'autre, tous autant qu'ils étaient, qu'à s'appuyer sur Gwen, à se reposer sur elle. Venez donc chez Gwen et tout ira bien. Venez donc chez Gwen et tout vous sera pardonné.

Elle ouvrit la fenêtre et prit plusieurs profondes inspirations pour retrouver son calme. Au-dessous d'elle, sur la terrasse, Laurens disait quelques mots à Timo. Elle se pencha en avant. « ... regardé partout, mais je ne les ai vues nulle part », comprit-elle.

Timo répondit :

— Alors je vais me mettre à leur recherche, moi aussi.

— Pour les garçons, ça va, ils se trouvaient dans le rucher, mais les...

Gwen sortit la tête.

— Laurens ! Combien de fois faudra-t-il encore te le répéter : Tu dois le leur interdire ! Même nos enfants n'ont pas le droit de s'approcher des abeilles ! Timo, je t'en prie, va immédiatement les chercher !

Les deux hommes levèrent la tête. Timo se leva de sa chaise, lui fit un petit geste de la main et s'engagea dans le jardin. Laurens la fixait avec des yeux niais, la tête renversée. « Excuse-moi, Gwen », dit-il après quelques instants. Puis il se détourna, lui aussi.

Elle observa son dos tandis qu'il allait et venait sur la terrasse, et se dit : Tu vivais jour et nuit avec elle, tu aurais dû remarquer quelque chose, un signe annonciateur, un mal de tête, un vertige. Ton travail te prenait trop de temps, sûrement ; encore une de ces crises idiotes dans ton imprimerie, n'est-ce pas ? Ne t'imagine pas que je ne sais rien de toi ! Ne te fais aucune illusion sur la manière dont des copines parlent de leurs hommes !

Arrivé au bord de la pelouse, Laurens se baissa pour ramasser un tee-shirt.

Veronica l'avait toujours reconnu avec un sourire : aucun sens des priorités. Il se faisait un monde de trois fois rien et, quand il s'agissait de passer à l'action, il restait là à rêvasser ; décidément, on se demande la moitié du temps si Laurens n'est pas dans la lune.

Il se retourna, le tee-shirt à la main. Tout à coup, l'expression de son visage attira l'attention de Gwen.

— Eh bien, Laurens ! Qu'y a-t-il ? cria-t-elle de la fenêtre.

Il la regarda comme un gamin pris en faute. Il leva le

petit vêtement qui parut minuscule dans ses grosses mains d'adulte.

— Les manches sont beaucoup trop serrées, finit-il par dire. Regarde, elles sont toutes plissées. Ça doit frotter, ce n'est pas agréable à porter, tu ne crois pas ?

Le cœur de Gwen fut soudain trop grand pour sa poitrine et elle eut un élan vers lui.

— Je vais t'arranger ça. Le problème sera vite réglé.

Elle enfila une paire de sandales et descendit quatre à quatre l'escalier en bois que Timo avait poncé, mais sur lequel il n'avait toujours pas passé le nouveau verni. Le temps faisait invariablement défaut pour mener à bien les projets qu'ils commençaient ensemble.

Laurens était installé à la table de la terrasse, le tee-shirt étendu devant lui.

— Tu vois ce que je veux dire ? demanda-t-il en tirant maladroitement sur les coutures.

— Oui, mais il suffira de quelques retouches.

— Elle leur trouvait toujours de si jolis habits. Je ne réussirai jamais à en faire autant. Grâce à elle, j'ai deux magnifiques garçons, Gwen. Mais grâce à moi, ils passeront bientôt pour des débiles. Je ne sais même pas ce qu'il faut dire au coiffeur.

Ses yeux se mouillèrent.

— Je referai rapidement les emmanchures ce soir, je te le promets.

En prononçant ces mots, elle se sentit coïncider de nouveau avec sa véritable nature, avec cette personnalité ancrée dans le concret. Elle retrouvait son univers familier et prévisible : un petit travail de couture tout à l'heure, et le monde tournerait à nouveau selon son rythme paisible.

Le soleil était descendu jusque derrière les plus

hautes branches des vieux chênes. Il était certainement plus de sept heures. Les enfants devaient encore
prendre qui un bain, qui une douche ; tout le monde
avait des choses à faire.

— Il va falloir que je file à la cuisine.

— Je viens avec toi, fit Laurens ; couper et hacher
sont mes spécialités.

Tandis qu'ils se levaient, son bras effleura le sien.
« Le mari de Vero », pensa-t-elle, embarrassée.

Arrivés dans la cuisine, ils durent constater que la
vaisselle sale du déjeuner encombrait toujours l'évier.
Elle se mit à rincer mécaniquement les couverts et les
assiettes.

— Je dois encore prendre mes marques, dit-elle. Je
crains que chaque année les débuts ne soient un peu
plus chaotiques. Je ne sais pas pourquoi, mais je
n'arrive jamais à penser plus loin que la première
soirée.

— Mais celle-là, tu l'as tenue avec maestria.

Laurens ne laissait jamais passer une occasion pour
faire un compliment : une qualité dont on ne se lassait
pas. Elle persistait néanmoins à se reprocher d'avoir
oublié hier le gâteau au chocolat.

— Où puis-je trouver un torchon ?

Probablement dans la machine à laver.

— La vaisselle séchera bien sur l'égouttoir. Tu
pourrais peut-être mettre la table en attendant.

— Pour combien de personnes ?

Elle lui jeta un regard aigu par-dessus l'épaule.

— À ton avis ?

Il consulta ostensiblement sa montre.

— Tu ne crois tout de même pas qu'à cette heure-ci
ils pourraient encore…

— Sinon, Beatrijs aurait appelé. Ou demandé à machin de nous envoyer un message télépathique.

— À Leander.

— Ah oui. Leander.

« Nez-en-l'air » pourrait peut-être lui servir de moyen mnemotechnique.

Elle posa une casserole pleine d'eau sur le feu, mais éteignit immédiatement le gaz. Une heure au moins risquait de s'écouler avant que les enfants, soigneusement briqués, soient installés à table. Commençons par la sauce, s'il faut la réduire, elle n'en sera que meilleure. Elle versa à la hâte une dose généreuse d'huile d'olive dans la poêle et s'irrita de ne trouver nulle part une cuillère en bois.

— Gwen ! Timo l'appelait de l'extérieur. Ont-elles encore le droit de s'asperger avec le tuyau d'arrosage ?

— Cinq minutes, pas plus, répondit-elle par la fenêtre en haussant la voix. Avec un peu de chance, elles n'iront pas jusqu'à la bataille rangée dans la gadoue.

Elle concentra son attention sur la sauce. Elle râpa le fromage. Elle lava la salade. Elle ouvrit une conserve de mini-saucisses à l'intention des Anges. Ses aînées avaient récemment déclaré ne plus vouloir manger que de la viande. S'opposer à ce genre de décision vous gâchait durablement la vie. Cependant, chaque bouchée de légumes avalée par les petites représentait une victoire.

Mais où se trouvaient donc ces sacrées cuillères de bois ? S'étaient-elles envolées vers le pavillon d'été ? Elle décrocha le combiné du téléphone fixé au mur à côté du réfrigérateur et composa le numéro de Bobbie. Sa belle-sœur ne décrocha pas immédiatement.

— Bobbie, aurais-tu…

31

— Je suis en train de manger !

Après un moment de stupéfaction, Gwen reprit :

— Mais nous allons bientôt passer à table.

— Eh bien alors, bon appétit !

— Que se passe-t-il ? Ne me dis pas que tu manges toute seule là-bas !

Avec une voix d'outre-tombe, Bobbie déclara :

— Cet homme est beaucoup trop bronzé pour moi.

— Écoute, ma grande…

Si tout le monde se montrait aussi déplaisant, Beatrijs perdrait bientôt tout plaisir à être ici. Il fallait accorder à ce Nez-en-l'air le bénéfice du doute. Lui aussi avait sûrement de bons côtés. Une amie que l'on connaît depuis presque toujours et dont on apprécie le bon sens, même assaisonné à sa façon, n'aurait pas fait un choix désastreux sur un coup de tête. Ne suffisait-il pas qu'il soit fou de Bea au point de la suivre des yeux dans ses moindres déplacements ? Alors, tu vois bien.

— Je m'installerai à côté de lui pour m'assurer qu'il ne recommence pas à te dire des choses affreuses.

Bobbie souffla bruyamment comme pour faire déguerpir un chat.

— Tu es trop bonne pour ce bas monde, je te l'ai déjà dit si souvent.

Et elle coupa immédiatement la communication.

Gwen raccrocha également. Elle baissa le feu sous la saucière et sortit.

Sur la pelouse à présent envahie par l'ombre, les filles hurlaient de plaisir sous le jet de la lance d'arrosage que Timo dirigeait sur elles. Toutes quatre étaient nues comme au premier jour. Leurs cheveux se collaient en torsades contre leur crâne. Elles étaient radieuses et bondissaient dans les gerbes d'eau en levant haut les genoux.

— Encore un peu, maman, encore un tout petit peu, s'écrièrent-elles en chœur en la voyant s'approcher.

Postés près de la table sur la terrasse, les deux garçonnets assistaient à la scène avec respect et envie. Laurens se tenait entre eux, les serrant contre lui, un bras autour des épaules de chacun. Il était homme à toujours câliner ses enfants, à les prendre dans ses mains, à les jeter en l'air. Le souvenir de Laurens penché sur le minuscule tee-shirt revint soudain à l'esprit de Gwen, la bouleversant au point de lui faire oublier son intention d'aller voir Bobbie pour juger de son état d'esprit.

— Alors les garçons, dit-elle, vous n'aimeriez pas aller vous amuser sous le jet, vous aussi ?

— Ils ont assez joué pour aujourd'hui, je crois, fit Laurens. Ils sont épuisés.

— Dans ce cas, passons vite à table. Elle frappa dans ses mains : Timo !

Son mari tourna vers un elle son visage rouge et brûlé par le soleil. Regarde donc, dirent ses yeux rieurs, regarde donc, Gwen, ce sacré équipage que nous avons. Eh bien ! ne grandissent-elles pas dans un paradis ? Que les gens disent ce qu'ils veulent. L'apiculture à l'ancienne mode, il n'y a que ça de vrai. Nous vivons bien, et nos enfants aussi.

Ces regards complices par-dessus les têtes de la progéniture, cette merveilleuse fierté de sa famille que l'on ne partageait réellement qu'avec son propre partenaire ; pourvu que cette entente si visible ne blesse pas Laurens.

— Ferme le robinet, Timo ! Il est beaucoup trop tard ! s'écria-t-elle. Dépêchez-vous, les filles ! On mange dans dix minutes !

Puis elle s'accroupit près des garçons et demanda :

— Alors, vous avez joué à quoi ?

Ils avaient tous deux les traits de Laurens, nets et réguliers, comme des figurines taillées dans l'ivoire. De beaux enfants.

— Ce n'est pas encore fini, répondit Niels.

— Pas encore fini ?

Laurens tapota son épaule.

— Ne faudrait-il pas rentrer les vêtements mouillés des filles ?

Le fait que tout le monde ait toujours et pour chaque chose besoin de son accord transformait, dans une certaine mesure, la prévenance de chacun en un fardeau. Mais Laurens pourrait peut-être en profiter pour sortir la lessive de la machine et la mettre dans le séchoir.

— Puisque tu as l'intention de t'occuper des vêtements…, commença-t-elle.

Des sonnettes de vélos retentirent au même moment devant la maison.

— Les voilà, constata Laurens sur un ton résigné.

Quelques instants plus tard, le trio entra dans le jardin : Beatrijs et Leander, la main dans la main ; elle, si petite et potelée, serrée dans un tailleur turquoise ; lui, si élancé, portant un pantalon de jogging gris et informe ; et, avec une veste de jean noir élimée, Yaja, la fille efflanquée de Leander, qui s'avançait derrière eux en inclinant mollement la tête sur la poitrine.

Yaja ! Gwen avait complètement oublié son existence. Ils n'accueillaient pas seulement un homme dont ils ignoraient tout, mais aussi sa fille qui était pour le moins aussi étrange et maussade, tout cela juste à cause du droit de visite. Elle se demanda, embarrassée : comment allons-nous la rendre heureuse durant toute la semaine ? Elle est trop âgée pour les

34

nôtres, mais beaucoup trop jeune pour rester tout le temps avec des adultes ; elle va s'ennuyer ferme ici. Treize ans. La guigne en chair et en os.

Un sourire aux lèvres, Beatrijs passa la salade à Timo, le vin à Laurens, les saucisses aux Anges. Elle se rendit à la cuisine pour apporter une baguette supplémentaire évitant ainsi à Gwen de se lever une fois de plus. Elle déploya une énergie inépuisable pour plaisanter avec les enfants. Durant tout l'après-midi, alors qu'ils faisaient une excursion à bicyclette, elle s'était passionnément promis de se comporter le soir comme si de rien n'était. L'affaire du déjeuner n'avait été qu'un différend anodin, ou peut-être même un simple malentendu. Revenir par la suite sur ce genre d'incident n'aurait pour résultat que d'en gonfler démesurément l'importance.

— Tes spaghettis sont délicieux, comme toujours, dit-elle à Gwen en se servant à nouveau largement.

Il était toujours bien vu de faire honneur au repas et l'enjeu de la soirée se révélait plus important que son tour de taille.

Gwen lui adressa un sourire.

— La variante cent seize !

Beatrijs se détendit un peu. Elle serait perdue sans Gwen. Tout à l'heure, en faisant la vaisselle, lorsqu'elle serait seule avec son amie pendant un instant, elle lui expliquerait que Leander était tout simplement un homme avec de grands sentiments. C'était incroyable, cela dépassait presque l'imagination, mais rien n'était plus vrai : un homme avec des émotions, un homme avec la capacité, plus encore, avec le besoin de parler sans fin de tous les sujets ; un homme prêt à se donner à vous corps et âme, sans la moindre restriction, et qui n'attend rien d'autre que d'être auprès de vous. De plus, un homme tourné vers la spiritualité. Et cette dimension représentait précisément ce qui lui avait manqué dans son mariage, bien qu'elle n'en ait jamais eu conscience.

Ses amies s'étaient sûrement posé la question, elles aussi : Mais que pouvait-elle bien lui trouver, Beatrijs, à ce Frank ? Aussi lui étaient-elles certainement intérieurement reconnaissantes de ne plus devoir supporter un garçon aussi ennuyeux. L'idée n'allait pas sans un pincement d'amour-propre, mais elle suscitait également un sentiment de fierté : Croyez-le ou non, mesdames et messieurs, mais je suis digne d'un homme comme Leander. Je suis sa déesse, son adorée, son soleil, son alpha et son oméga.

Non seulement il l'avait élue et sauvée d'une vie léthargique, mais il avait *besoin* d'elle. De ce fait, elle n'était plus un énième individu dont la présence sur terre n'avait, tout bien considéré, aucune importance. Elle était à présent une personne qui rendait une autre personne heureuse, un rôle si grandiose et si simple qu'elle s'en étonnait chaque jour de nouveau.

Pendant un moment, elle eut envie de s'étirer jusqu'à la pointe de ses orteils. La soirée promettait d'être merveilleuse. L'air était doux, l'herbe embaumait, les grenouilles enivrées par l'été coassaient dans l'étang près des rhododendrons, et elle se trouvait entourée de ses meilleurs amis. Elle sentit que, de joie, le rouge lui montait aux joues.

Elle observa Leander qui avait pris place de l'autre côté de la table. Il écoutait, les bras croisés, ce que Laurens racontait à propos d'un chaudron découvert dans les taillis. Son amant respirait la force et la sérénité. Personne ne pouvait se rendre compte des efforts qu'il devait déployer pour soutenir la compagnie de ces étrangers, plongé parmi toutes ces énergies inconnues. Des dons comme le sien constituaient un présent pour l'humanité, mais une croix lourde à porter pour l'élu.

« Tu sais, expliquerait-elle tout à l'heure à Gwen, il y a parfois des gens qui arrivent sur terre, et qui viennent de Sirius ou des Pléiades – cela peut paraître absurde, mais c'est ainsi pourtant – avec des ressources spirituelles dont tous peuvent profiter. Des inventeurs, par exemple. Ou des Mère Teresa. Ou des personnes comme Leander. Elles paraissent plus grandes que nous autres, mais sont d'une fragilité incroyable. »

Gwen faisait partie de ceux qui comprenaient de telles choses. Gwen ne *jugeait* pas.

— Un chaudron ? demanda Timo avec un air étonné à Laurens. Tu veux dire un chaudron de la cirerie ? Mais où ça ?

— Au fond, dans votre forêt vierge. Rempli d'eau.

Laurens s'empara de la bouteille de vin et lança un regard interrogateur à Timo.

— Non, merci, je dois encore m'occuper des abeilles tout à l'heure. Nom de Dieu, les Anges, arrêtez de faire des bêtises !

Timo les saisit par la peau du cou et les sépara. Les deux petites filles s'entendirent immédiatement pour hurler d'une seule voix. Beatrijs jeta un coup d'œil à Leander.

— Papa, dans la famille des Racornis, je demande : le père !

— Le Triste Sire de la Rouscaille en personne, tu sais, c'est vraiment pathétique !

La fillette secoua la tête.

Rayonnant de plaisir, Timo s'exclama :

— Quel vocabulaire, hein !

— Arrête un instant. Ce n'est pas le bébé que j'entends ?

Gwen posa la main sur son bras.

— À ton tour d'y aller.

Timo se leva.

— Je n'y comprends rien. Tu l'entends toujours avant moi.

— L'intuition maternelle, mon grand.

— Les pères n'ont donc pas d'intuition ? demanda Laurens d'une voix hésitante.

Beatrijs se dit : je dois *lui pardonner* l'incident de ce midi, comment ne pas voir à quel point il est malheureux ?

Leander se pencha en avant et, comme s'il lisait dans les pensées, ce qu'il était évidemment capable de faire, déclara :

— Tout le monde possède de l'intuition, Laurens. Toi aussi. Tout le monde peut, en effet...

Avec la circonspection qui lui était naturelle, il chercha quelques instants les mots adéquats, tout en croisant les doigts devant son nez. Pour un homme de sa taille, ses mains avaient une grâce et une éloquence remarquables. Des mains que l'on aurait crues peintes par Holbein.

Laurens reprit platement :

— Alors, tu comprends, je me dis : Que fait donc cette marmite pleine d'eau au milieu des fourrés ? Tu pourrais m'expliquer ça, Gwen ?

Beatrijs manqua de s'étouffer. S'il lui avait dit : Ce type ne représente que du vent pour moi, cela aurait été pareil. Ils ne s'étaient jamais conduits ainsi dans le groupe des amis ! Elle pensa, excédée : Leander a bien plus le droit d'être ici que toi. Lui, il est *avec moi* ; et toi, tu n'es plus avec personne d'entre nous ; tu aurais mieux fait d'y penser au lieu de continuer à t'imposer à nous, la bouche en cœur. Elle fut quelque peu décontenancée par la violence de sa propre réaction. N'avait-elle pas toujours éprouvé de l'affection pour lui ?

— Je ne vois pas du tout comment le chaudron a pu arriver là, dit Gwen. Il est possible... Ah, voilà mon trésor !

Elle tendit les bras vers le bébé que Timo apportait en le tenant à califourchon sur la hanche.

— Je peux la tenir un instant ? s'écria Yaja en s'extrayant soudain de son abattement maussade.

— Bien sûr, répondit Timo.

Il installa l'enfant sur ses genoux.

Incapable de supporter l'expression blessée qui avait envahi le visage de Leander, Beatrijs reprit de la salade. La tension qui lui avait gâché le déjeuner s'emparait à nouveau d'elle. Lui faudrait-il endurer cela à chaque repas ? Et chaque jour de la semaine à venir ? À ce prix, autant rester chez elle dans la rue Spiegel, entourée de ses gravures du XVIIe siècle.

— C'est malheureux, fit Gwen doucement, que Vero n'ait pas connu notre petite demoiselle. Et pour elle, c'est tellement dommage qu'elle ait à grandir sans tante Veronica. C'est si dommage tout cela, et si malheureux.

Durant le court moment de silence qui suivit, le regard de tous les adultes se posa un instant sur le bébé avec une sorte de commisération, comme si tout le malheur du monde se trouvait concentré dans ce petit corps d'à peine deux mois. Yaja la berçait doucement d'avant en arrière, gazouillant doucement à son oreille.

— Oui, reprit Timo, c'est malheureux, Laurens. J'aimerais pouvoir mieux l'exprimer, tu sais, mais...

— Le terme « malheureux » convient parfaitement, dit vivement Laurens.

Beatrijs lui fut reconnaissante de ne pas insister davantage. La position de Leander devait être bien inconfortable, avec ces émotions, ces réminiscences et ces réflexions qui le désignaient continuellement comme l'étranger du groupe. Il percevait si intensément toutes les émotions, il souffrait si promptement. Les attaques de migraine qui l'accablaient parfois la terrifiaient. Dans sa tête aussi, un vaisseau pouvait se rompre. Ils s'étaient cherchés toute leur vie et voilà que, juste au moment de se trouver...

— Elle me sourit, dit Yaja.

— Un vrai rayon de soleil, elle adore tout le monde, enchaîna Timo avec tendresse.

— Tu fais bien attention à sa tête ? demanda Beatrijs.

Elle suspectait depuis peu la fille de Leander d'être le siège de pouvoirs inquiétants. Elle l'avait accompagnée, quelques jours plus tôt, à son manège où la jeune fille avait maîtrisé sans le moindre effort un gigantesque cheval à l'humeur ombrageuse. La bête avait des sabots grands comme des seaux à charbon et un cou puissant où l'on voyait onduler la masse menaçante des muscles. Mais Yaja avait enjôlé le monstre comme s'il s'agissait d'un petit lapin.

Beatrijs avait toujours adoré les enfants de ses amis. Elle compensait ainsi son manque d'enfant. Tout naturellement, elle s'était attendue à établir avec Yaja des liens similaires. Que cette entreprise ait débouché sur un échec s'expliquait peut-être par l'âge. Où peut-être était-ce dû au collier de chien avec des pointes en fer que l'adolescente portait autour du cou et aux tee-shirts décorés de têtes de mort ou d'effigies de Dracula. Il s'agissait du look « gothique », avait-elle appris depuis peu. Pour compléter la panoplie, il fallait un visage blanc comme de la craie, du khôl autour des yeux, le cheveu raide, teint en noir, avec une raie au milieu, et une attitude froide et arrogante envers le reste du monde.

Sur le même ton que celui avec lequel elle avait parlé au cheval, Yaja chuchota à l'oreille du bébé :

— Tu viens ? Tu viens avec moi ?

— Ce n'est pas possible parce qu'elle est à nous, tu sais, dit la petite Klaar.

Sa sœur jumelle avait posé la tête sur la table et chantonnait, les joues rouges de sommeil. L'heure du coucher ne jouissait d'aucun respect particulier dans cette maisonnée. Autrefois, cette liberté n'avait guère dérangé Beatrijs. Mais, à l'époque, elle n'avait pas encore compris à quel point la régularité se révélait indispensable à l'harmonie intérieure. Elle observa de nouveau discrètement Leander. Il se concentrait sur ses spaghettis.

— Je l'aime, répondit sans ciller Yaja. Tu vois, petite, je l'emmènerai chez moi. Tu peux compter là-dessus.

— Maman ! Maman ! La chipie, elle dit…

Gwen la rassura.

— Elle te fait marcher, c'est tout, mon cœur.

— Plus sérieuse que moi, tu meurs ! s'exclama Yaja furieuse. Vous, vous avez tous quelqu'un et, moi, je n'ai personne. À la maison, je me retrouve toute seule avec ma mère.

— Comme la vie doit être paisible, dit Timo.

Il éclata de rire.

Yaja le toisa d'un regard glacial.

— Oui, enfin, je veux seulement dire que bien des situations présentent aussi un aspect positif.

— Dites donc, on ne va pas se mettre à positiver maintenant, n'est-ce pas ? demanda Laurens.

Son appréhension paraissait sincère. Un petit sourire avide apparut sur les lèvres rouge sang de Yaja. Elle examina Laurens comme si celui-ci – lui, un adulte – pouvait constituer un allié.

— Exactement, car si on va dans ce sens-là, vous estimerez bientôt que j'ai bien de la chance d'avoir deux mères au jour d'aujourd'hui. Merci papa, mais non !

Puis elle mobilisa son énergie au bénéfice du bébé.

Beatrijs se mordit les lèvres. Personne n'avait besoin d'une telle sortie qui, de plus, plaçait Leander dans une position très inconfortable. Ses amis s'attendaient sûrement à ce qu'il rappelle sa fille à l'ordre.

— Enfin, reprit Gwen, les choses ne nous arrivent pas toujours telles qu'on les souhaiterait.

Elle fit un clin d'œil à Beatrijs pour la réconforter. Pleine de reconnaissance, cette dernière sauta sur ses pieds et se mit à empiler les assiettes.

— Tu veux que j'aille chercher le dessert, Gwen ?

— Laisse-moi m'en charger, ma déesse.

Leander se leva calmement, lui prit les assiettes des mains et se dirigea vers la cuisine. Les autres s'en rendaient-ils compte également ? Il était tout simplement imperméable aux manipulations. Il ne se laissait pas provoquer par Yaja.

Après quelques instants, Laurens déclara :

— Voilà ce que l'on appelle une affaire.

— Elle rime à quoi, cette remarque ?

La voix de Beatrijs devint aiguë.

— Pourquoi es-tu continuellement désagréable avec lui ? Explique-nous donc ! dit Beatrijs.

— Oui, Laurens, fit Gwen. Contrairement à toi, Leander est toujours prêt à aider.

— Laurens, mon gars, prends encore un peu de vin.

Timo tendit la main vers la bouteille.

— Ou de l'eau, de préférence.

— Ne te fais pas de soucis, Gwennie, répondit Laurens. Ne te fais absolument aucun souci pour moi. Tout est sous contrôle.

Le petit Toby s'était endormi sur ses genoux.

Beatrijs se détourna de lui, furieuse. Son humeur ne s'améliora pas lorsqu'elle constata que Yaja, comme un chuchoteur de chevaux, n'avait pas cessé de marmonner dans le creux de la petite oreille rose du bébé. Les deux Anges avaient pris appui sur le bord de la table pour mieux suivre ce qu'elle disait. « Hein, tu dis quoi ? »

Yaja inspira bruyamment. Les ailes de son nez étaient délicatement dessinées. Elle aurait pu avoir l'air fraîche et jolie si elle avait voulu s'en donner la peine.

— Je dis : ça pourrait t'arriver aussi. Tu deviens du jour au lendemain la soi-disant belle-fille de quelqu'un.

— Tu es une belle-fille, alors ?

— Oui. La sienne.

Yaja tourna à peine la tête, désignant Beatrijs du menton.

Avec autant d'entrain qu'il lui était possible, celle-ci enchaîna : « Une fille en location me paraît plus juste. » Un week-end par mois et deux fois une semaine de vacances par an avec son père, tel était le régime auquel Yaja avait été soumise durant presque toute sa vie. Le hasard avait bien mal fait les choses en faisant coïncider la semaine de vacances avec la rencontre annuelle. Mais tous seraient tombés d'accord pour considérer qu'il lui était difficile de laisser Leander et son araignée à la maison. De toute façon, il avait horreur qu'elle entreprenne la moindre sortie sans lui ; il ne *supportait* tout bonnement pas qu'elle sorte de son champ de vision. Et il était hors de question qu'elle l'abandonnât avec cette enfant qu'il connaissait à peine, cette enfant qui paraissait avoir pour constante préoccupation de l'humilier et de le punir pour la simple raison qu'il l'avait engendrée.

Déjà son amant réapparaissait sur la terrasse en portant une large coupe pleine de crème à la vanille et un panier de cerises. Il posa le tout sur la table. Elle lui sourit.

— Je te remercie, heu, dit Gwen.

La concentration marqua son visage, comme si elle s'efforçait de se souvenir de quelque chose. Puis elle se mit à servir la crème et les cerises.

— Maman, c'est quoi une fille en location ?

— Ah ! mon trésor, répondit Gwen en léchant la crème sur son pouce, pourquoi faut-il que ce soit toujours moi qui aie toutes les réponses ?

— Je dois bientôt aller m'occuper des abeilles. Nous en avons pour combien de temps encore, Gwen ?

— C'est ce que je viens de dire, Timo, pourquoi faut-il toujours que j'aie toutes les réponses ?

— Mais pourquoi oncle Frank n'est pas ici ? demanda l'un des Anges, Marleen d'après la forme du menton.

— Parce qu'il n'est plus marié avec moi, dit Beatrijs patiemment.

La question avait déjà été abordée hier dans le détail, mais bon : éduquer, cela signifie répéter, ou inversement. Elle songea qu'en tout cas leur entente sexuelle avait été merveilleuse jusqu'au dernier jour. Seigneur, comment arrivait-elle à de telles pensées ?

— Bobbie n'est pas là non plus, se rendit compte Marise. Elle mit ses mains en porte-voix : Bob-bie ! hurla-t-elle en direction du pavillon d'été.

— Va voir ailleurs avec ton boucan, cria Marleen en donnant une bourrade à sa sœur qui bascula de la chaise.

Dans sa chute, celle-ci fit sauter la cuillère de la main de Leander. La traînée de crème descendait lentement le long de la chemise. Il resta un instant immobile. Son visage marqué, aux pommettes hautes, ne trahissait aucune émotion. Puis, sans dire un mot, il s'empara de sa serviette.

— Les filles ! menaça Timo.

Il semblait avoir le plus grand mal à étouffer un éclat de rire.

Avec tout ce remue-ménage, le fils de Laurens se réveilla brusquement. Toby considéra le monde avec des yeux embués de sommeil, jusqu'à ce que son regard tombe sur Klaar et Karianne occupées à se bombarder avec des noyaux de cerise. Recouvrant immédiatement tous ses esprits, il lança la main vers le bol avec les fruits. Mais Beatrijs fut plus vive que lui. Elle rafla les cerises qu'il tenait déjà, deux doubles paires, et les accrocha en un clin d'œil à ses oreilles. « Regarde un peu ! Des boucles d'oreilles ! » Pourvu que Leander ne se soit pas rendu compte qu'elle avait été le témoin de sa mésaventure.

— Bo-ob ! braillait sans arrêt Marleen. Où se cache-t-elle, cette nénette ?

Calmement, Timo suggéra .

— Vous pourriez également vous prendre par la main et aller le chercher, vous savez.

— Maman, pourquoi Bobbie n'est pas là ?

Yaja intervint à haute voix :

— Sûrement parce que mon père s'est conduit comme un débile avec elle cet après-midi.

Du fond des orbites cernées de khôl, son regard allait de l'un vers l'autre.

Beatrijs eut soudain le sentiment étrange de devenir entièrement poreuse et qu'il lui serait impossible de préserver l'unité de l'ensemble. Une seule chose pourrait peut-être encore la sauver : frapper sur la table avec ses deux poings, cogner très fort et très longtemps.

Gwen dit :

— Bobbie voulait manger tranquillement pour une fois, au lieu d'être toujours obligée de se trouver à table avec une bande d'excités. Allez ouste, hors de ma vue ! Vous en avez assez fait pour aujourd'hui.

Les enfants bondirent de leurs chaises. Ils se précipitèrent dans le jardin, pinaillant, caquetant et poussant des cris de Sioux, et disparurent derrière la végétation.

Alors seulement Beatrijs osa de nouveau se tourner vers Leander. Il laissait courir ses longs doigts sensibles sur des objets devant lui. Il palpa le bord d'une assiette, l'ourlet d'une serviette, la courbure d'une fourchette. Dieu seul savait ce qu'il lisait dans toutes ces formes et quelles terribles informations il en déduisait sur ses amis.

— Était-ce vraiment une bonne idée, Gwen, de leur faire quitter la table ? demanda Laurens déconcerté. Il ne nous reste plus qu'à recommencer depuis le début, les rassembler, les nettoyer.

— Écoute, j'essaie seulement de préserver un peu l'ambiance !

Gwen se leva. Elle avait soudain l'air irritée. Elle prit le bébé des genoux de Yaja, marmonna quelques mots concernant les petits pots et entra dans la maison.

— Désolé les amis, mais si je ne m'occupe pas des abeilles maintenant... Et Timo disparut également.

Beatrijs se tortillait sur sa chaise. Les voilà ensemble, avec Laurens. Elle avait beau se torturer les méninges, il lui fut impossible de trouver le moindre sujet de conversation.

Ce qui ne fut pas le cas de Yaja.

— Laurens, dit-elle en traînant la voix, presque en flirtant, du moins pour autant qu'une personne dont l'apparence suggérait que son seul plaisir était de visiter des tombes fraîchement creusées pouvait se révéler capable de flirter, tu es bien d'accord avec moi, pas vrai, pour dire que mon père, ce raté, s'est très mal comporté cet après-midi ?

Laurens entreprit de rouler sa serviette avec le plus grand soin.

Beatrijs lui fut si reconnaissante de ne pas suivre Yaja sur ce terrain, qu'elle lui trouva sur-le-champ toutes sortes de qualités : sa nature affectueuse, l'intérêt sincère dont il savait faire preuve, sa manière d'être toujours prêt à vous aider, son art de tourner les compliments et la générosité avec laquelle il les dispensait, l'amour aussi vif qu'au premier jour qu'il portait à Veronica, sa fierté et sa joie devant les réussites de celle-ci, sa compréhension lorsqu'elle rencontrait une déconvenue.

— Tu sais..., commença-t-elle en tendant sa main vers lui.

Leander la devança.

47

— Il faut mettre les choses à plat, Laurens, dit-il, sa voix était chaude et profonde. D'après moi, nous sommes en présence d'un malentendu.

Yaja eut un petit rire.

— Quand il se la joue grave, il suffit de le tourner en bouffon.

Comme garce, tu te poses là, pensa Beatrijs. Elle en fut pour un instant profondément soulagée. La môme s'imaginait peut-être qu'elle allait faire passer son père pour un imbécile ; tout ce qu'elle a réussi, c'est à se ridiculiser.

— Laurens ? Leander étendit ses mains ouvertes devant lui sur la table. Est-ce que nous pourrions...

— Je vais battre le rassemblement du troupeau, dit Laurens, le regard flou, en évitant de le fixer. Les enfants auraient dû être au lit depuis longtemps.

Il se leva et partit dans le jardin. Avec un sentiment de vacuité, Beatrijs se rendit compte qu'elle portait encore les cerises accrochées aux oreilles. Elle les retira. Un long silence s'instaura maintenant qu'elle se trouvait seule avec Leander et Yaja. Une abeille égarée au fond du bol escaladait péniblement les dernières cerises. Elle tentait de temps à autre de s'envoler et l'on entendait alors le vrombissement impuissant de ses ailes poisseuses. Être si minuscule et insignifiante, être à un tel point incapable d'influencer son propre destin. Beatrijs avait envie de poser la tête sur la table et de pleurer sur la création tout entière.

En face d'elle, Yaja étudiait la pointe de ses cheveux. La jeune fille inspecta une mèche par-ci, puis une par-là, tirant dessus avec de petites secousses affectées.

— Cool de chez Raoul, l'atmosphère, déclara-t-elle après un long moment.

— Je voulais seulement parler avec lui.

Leander paraissait perplexe.

— Mais lui ne voulait pas parler avec toi. Pourquoi est-ce que tu flippes toujours lorsque tu n'obtiens pas ce que tu veux, papa ? Laurens a autre chose à faire que d'écouter ton baratin, je t'assure.

— Je suis certaine que tu peux aider Gwen à faire la vaisselle, fit Beatrijs avec raideur.

La sueur s'était accumulée sur sa lèvre supérieure.

— Lâche-moi la grappe.

Leander redressa les épaules.

— Tu veux faire quoi alors, Yaja ?

— Quelque chose avec le bébé. Lui, il sourit au moins quand il me voit.

— Mais il est au lit maintenant. Tu sais quoi, prends un livre. Ou va regarder la télé. Ou demande si tu as le droit d'utiliser l'ordinateur.

— T'as qu'une idée, c'est me jeter. Parce que tu préfères rester seule avec elle.

— Ou alors nous allons essayer de trouver un set de badminton. Ça te dirait ?

— Du badminton ? Va sucer un cactus, le ramollo. J'ai l'air d'un chiard, peut-être, ou d'une vieille peau ?

Yaja repoussa sa chaise en arrière et s'éloigna en traînant les pieds d'un air vexé.

Beatrijs sentit chaque muscle de son corps pousser sept soupirs de soulagement. L'expérience enseigne qu'il ne faut jamais s'occuper de l'éducation des enfants d'autrui. On ne peut que *penser* : Donne-lui donc un coup de pied au derrière à cette peste, au lieu de te couper en quatre pour elle.

Elle se rapprocha de Leander. Enfin seuls. Dès que les autres étaient partis, il se montrait beaucoup plus détendu. Ce n'était pas Leander qui lui communiquait cette tension qui la minait intérieurement, c'étaient les gens autour d'eux, des gens comme Laurens, comme Yaja... comme tout le monde, en fait ? Juste avant les vacances, alors qu'ils étaient rapidement passés dans une boutique pour acheter des vêtements d'été, Leander avait eu une terrible dispute avec une vendeuse qui la conseillait depuis des années. Il *voyait* en effet ce qui lui allait, mais il était difficile de déclarer tout de go : « Désolé, madame, je me suis certes reposée sur vous durant tout ce temps, mais j'ai un mari maintenant et ce mari est un voyant. Je vous remercie. »

Elle lui prit la main et serra ses doigts entre les siens.

— Tu veux faire encore une petite promenade ?

— Tu trouves aussi que je me suis mal comporté envers Bobbie cet après-midi ?

Elle hésita. Bobbie. Bobbie l'homme, disaient-ils tous autrefois. Ou Bobbie l'ourse. Ils la connaissaient depuis l'école, au moment où Gwen avait commencé sa relation avec Timo. Bobbie avait été de toutes les occasions, les fêtes, les sorties, les anniversaires. La grande ambition de Bobbie fut d'apprendre à coudre, tricoter et à faire du crochet. Lorsque l'on maîtrisait une activité manuelle, on avait le droit d'entrer dans un centre d'aide par le travail. Mais le fil de coton devenait dur comme de la pierre entre ses mains moites, et ses doigts courts s'étaient révélés trop maladroits pour la minutie des travaux d'aiguille. Elle avait pleuré à chaudes larmes lorsqu'il lui avait fallu abandonner son rêve. Pour la consoler, Veronica et elle l'avaient invitée à venir choisir ensemble une robe pour le mariage de Gwen. Bobbie était tombée en pâmoison devant une bizarrerie de soie bleue dans laquelle elle ressemblait, rayonnante de bonheur, à un abat-jour.

Chez le fleuriste, toutes trois avaient fait provision de pétales de roses que Bobbie, concentrée sur son rôle, déverserait plus tard sur elle-même au lieu de les répandre sur son frère et sa belle-sœur.

Mais il ne faut pas s'y tromper, à sa manière, Bobbie se montrait parfaitement consciente de son entourage. Tout comme elle savait faire comprendre sans la moindre ambiguïté la cause de ses émotions (« Sais-tu ce que j'aimerais un jour, Beatrijs ? Avoir beaucoup de connaissances, moi aussi, sur un sujet. »).

Elle répondit à Leander, avec le sentiment de trahir Bobbie :

— Je ne crois pas qu'elle ait tout à fait compris ce que tu voulais dire.

Elle tendit la main pour la passer dans les cheveux de Leander. Son amant recula la tête d'un mouvement rétif, restant hors de portée.

— J'étais pourtant suffisamment clair, il me semble. Bobbie est une personne rare avec une mission exceptionnelle, c'est la seule chose que je lui ai dite cet après-midi.

Niels courait dans les taillis, entraînant Toby derrière lui. Le jeu interrompu occupait son esprit, et, avec un peu de chance, les adultes passeraient encore des heures à discuter après le dîner. L'obscurité était déjà complète sous les arbres. Le jeu, semblait-il, en devenait plus sombre lui aussi, plus fascinant, plus étrange et plus inquiétant.

Niels se mit à rassembler aussi vite qu'il put le bois mort éparpillé sous les buissons. Toby l'aidait en haletant sous l'effort. Ils empilaient les branches mortes autour du chaudron de fer. Puis ils reculèrent pour contempler le résultat de leur travail. C'était exactement ce qu'il fallait.

Tout n'était plus qu'une affaire de temps, à présent. Et de hasard, naturellement. Ce serait peut-être Marleen puisqu'elle voulait toujours être la première. Ou sinon Marise, ou l'une des taches de rousseur ambulantes. Le sort allait désigner qui se risquerait le premier dans les parages. Le sort n'avait pas pour but d'être juste ou équitable, ou même simplement logique. Il frappait avec indifférence et sans tenir compte de la personne. À un moment donné, il n'y avait pas le moindre nuage à l'horizon et, le moment d'après, on se trouvait plongé dans une tragédie que les mots ne suffisaient pas à décrire. On ne pouvait compter que sur une chose : le sort affectionnait la surprise totale.

Le pique-nique

Laurens écarquilla les yeux, pris de panique. Son cœur cognait dans sa poitrine. Il suait comme un bœuf. De longues et éprouvantes minutes passèrent avant qu'il reconnût de nouveau les poutres du plafond, les teintes passées du papier mural et le petit ouvrage de crochet évoquant une toile d'araignée que Gwen avait fixé devant la fenêtre de la lucarne au moyen de punaises. Il se redressa. Il ne se trouvait pas le moins du monde aux soins intensifs. Le bruit qui l'avait réveillé n'était pas le signal du moniteur cardiaque, mais le premier chant des oiseaux pépiant avec insouciance dans la gouttière. Veronica aurait dit : Vraiment, tu n'entends pas la différence ? Twi-it ! dit la grisette. Pripiri ! dit la mésange. Et le pouillot chante toujours tjif-tjaf ! C'est si simple, mon amour. Vas-tu prétendre ne même pas reconnaître le chant du merle ? Laurens ! Viens ici, je vais te le siffler dans l'oreille, d'un souffle je te renverserai, tu es fou, arrive avec ton oreille.

— Veer, mon amour, murmura-t-il. Où es-tu ?

Oui, bien sûr, il le savait : profondément enfouie sous terre.

Debout maintenant, sous peine de garder durant ces

heures blanches les yeux brûlant de larmes fixés tour à tour sur elle et sur ce satané moniteur.

Installés dans des lits superposés qui occupaient le mur le plus long de la chambre, ses deux garçons se retournaient dans leur sommeil. Toby avec les bras dépassant du matelas ; Niels, renversé sur le dos, sans défense, ronflant légèrement. L'amour et l'angoisse inondèrent si brutalement son cœur qu'il dut détourner son regard.

Quatre heures et demie ? Cinq heures ?

Il enfila ses sandales. C'était étrange. Très étrange même que l'on puisse paraître diriger avec compétence une entreprise le jour, mener des négociations et signer des contrats, gérer des stocks de papier et commander de nouvelles presses, embaucher ou licencier du personnel, alors que l'on se demandait chaque nuit, au fond d'un désespoir absolu, sans la moindre lueur : qui se soucie de moi, qui prend soin de moi ?

Ce sentiment l'irrita. Il pensa : Moi-même, bien sûr, qui d'autre ?

Mécontent de lui, il descendit l'escalier. Dans la cuisine, il ouvrit la huche et prit une tranche de pain. Il sortit de la maison en mastiquant lentement et s'arrêta un moment sur la terrasse.

L'odeur des plantes couvertes de rosée l'enveloppa. Il ne distinguait peut-être pas un chêne d'un orme, mais il aimait être à l'extérieur. Il venait de s'engager sur le gazon afin de gonfler d'air frais ses poumons de citadin, la tête renversée en arrière, lorsqu'il aperçut dans le ciel encore pâle un phénomène mystérieux. À grande vitesse, et avec force vrombissements, une substance légère comme un essaim approchait. Se méfiant des abeilles de Timo, lesquelles manifestaient une vitalité particulière au lever et au coucher du soleil, il s'apprêtait à battre en retraite ; mais non, ce n'étaient pas des abeilles, elles ne volaient pas si haut. Tout en scrutant le ciel, il ne put s'empêcher de penser aux ovnis ou même aux cercles de culture qui leur sont associés. Jamais on ne l'entendrait affirmer qu'il n'existait aucun rapport entre la terre et le ciel. C'était peut-être cela, son problème.

Le nuage effectua un large virage et perdit de l'altitude. Avec stupéfaction, il se rendait compte à présent que le vol se composait de particules indéfinissables, aux couleurs joyeuses. Les taches bleues, vertes, jaunes se mêlaient en virevoltant. C'était une vision stupéfiante. L'être suprême avait-il décidé de répandre de sa main omnipotente des confettis, rien que pour lui ?

Ce n'étaient pas des papillons, ils auraient formé une masse moins dense et ne se seraient pas déplacés aussi rapidement.

L'essaim merveilleux passa en tournoyant au-dessus de sa tête avec un étrange babil pour disparaître, en suivant une trajectoire toujours plus précise, derrière un grand arbre, chêne ou orme. Laurens n'hésita pas une seconde. Il courut dans la même direction. Il sentit l'excitation le gagner, comme si le neurone le plus sage de son cerveau, celui dont il oubliait le plus souvent l'existence, avait immédiatement perçu le lien unissant ce phénomène féerique et inexplicable à sa propre vie. Comme si là, dans le jardin de Gwen, une nouvelle inspiration allait lui être donnée, une nouvelle motivation, peut-être même l'aperçu d'un avenir nouveau.

Il fila au pas de course devant les rhododendrons puis continua sous l'enfilade des arbres, non pas en tournant à gauche vers la cirerie, mais en empruntant l'autre allée. Le nuage de confettis s'était élevé de ce côté, vers le pavillon d'été.

Vêtue d'une chemise de nuit blanche, Bobbie se tenait immobile, les bras écartés, au milieu de la pelouse devant sa maison, un sourire béat éclairant son visage en pleine lune. Autour d'elle voletaient des dizaines de perruches, il lui fallut s'approcher pour les distinguer, des perruches ou alors de petits perroquets. Ils picoraient en battant des ailes la nourriture que Bobbie tenait au creux de ses mains. Quelques rares audacieux s'étaient posés sur ses épaules, et l'un d'eux arpentait son crâne avec des mimiques énervées. Le soleil se trouvait juste assez haut dans le ciel pour couronner le toit d'un frêle ruban de lumière. Contrastant avec l'arrière-plan d'arbres et de fourrés encore plongés dans la nuit, la scène semblait éclairée par un projecteur.

Laurens resta rivé au sol. Le monde ne valait rien, la vie ne représentait qu'une longue épreuve, l'homme était mortel et souvent d'un égoïsme révoltant de surcroît, puis soudain il vous arrivait ceci : un matin d'été avec une femme en chemise de nuit blanche et une nuée de perruches.

Bobbie se rendit compte de sa présence : elle lui sourit en silence. Elle leva avec précaution une main et agita les doigts pour le saluer.

En un éclair, il vit le temps qui lui restait à vivre se dérouler devant ses yeux, ici, dans le pavillon d'été où l'on n'allumait jamais l'obscurité. Il pleuvrait des confettis chaque matin et chaque soir Bobbie et lui videraient le tiroir-caisse sur la table de la cuisine pour compter l'argent qu'elle aurait gagné dans la journée. Toby et Niels pourraient construire toute l'année des cabanes dans les arbres, et plus jamais il ne serait obligé de se dire : Rien ne doit m'arriver, ni aujourd'hui ni jamais, car alors mes enfants seraient perdus.

— Bobbie ! dit-il en s'avançant vers elle.

Les oiseaux s'envolèrent immédiatement dans un tourbillon de couleurs et de cris.

— Andouille ! s'exclama Bobbie du fond du cœur.

Elle suivit des yeux la volée des perruches qui s'éloignait puis se tourna vers lui.

— Alors ça. Et ben non, Laurens. Non, vraiment.

Il se sentit dans ses petits souliers.

— Zut ! Et voilà, je les ai fait partir.

— Bah… Toujours aussi laconique, elle haussa les épaules : Ils reviendront demain.

— Ils reviennent chaque jour ?

— Je mets même mon réveil pour cela. J'ai un réveil, tu sais.

— Mais d'où viennent-elles ? Et depuis quand…

Elle l'examina avec un mélange de consternation et d'amusement.

— Je vais faire du café. Tu en veux aussi, ou tu en as déjà pris ?

— Non. Volontiers. Mais… Il la vit s'activer pieds nus, avec sa simple chemise de nuit tire-bouchonnée, et fut ému par tant d'ingénuité.

— Finalement, tu veux dire quoi ? Non ou volontiers ? Elle se mit à rire comme une petite fille : Tu es obligé de choisir, Laurens, nous n'avancerons pas, sinon.

— Bon, alors du café.

Peut-être n'avait-on pas besoin de tout savoir, de tout comprendre. C'était une idée agréable, toute légère. Avec l'image des oiseaux encore imprimée sur la rétine, il la suivit dans le pavillon.

Il s'installa à la table de la cuisine que protégeait une toile cirée à carreaux rouges et blancs. Le hasard n'avait aucune part dans ce choix, car sur l'étagère au-dessus de l'évier la rangée des bols rouges et blancs observait la même alternance. Le motif revenait sous forme de rayures sur les maniques et les torchons accrochés à côté de la cuisinière. Même la bouilloire à sifflet était rouge.

— Je parie qu'un architecte d'intérieur est venu te rendre visite, s'exclama-t-il.

Bobbie partit d'un énorme éclat de rire.

Un pot de verre rempli de graines était posé sur l'appui de la fenêtre. Bobbie sur son vélo, le panier sur le porte-bagages devant le guidon, en route vers l'animalerie pour acheter de la nourriture pour les perruches. Bobbie, la bonne fée des oiseaux, qui croyait avec une foi aveugle que ces petites bêtes reviendraient jour après jour, éternellement. Bobbie pour qui le miracle faisait partie de l'ordinaire et l'ordinaire, justement, se montrait miraculeux.

Elle faisait le café à l'ancienne, en utilisant la bouilloire et un filtre. Tout en s'affairant, elle se lançait dans mille commentaires à propos d'une plaisanterie que les Anges avaient récemment concoctée à ses dépens.

— Et bien sûr, je suis tombée une fois de plus dans le panneau, pouffa-t-elle.

— Tu es tout simplement une super-tante. Grâce à toi...

Tout à coup les lèvres de Bobbie se mirent à trembler. Puis elle explosa :

— Mais c'est beaucoup plus amusant, évidemment, quand ce sont tes propres enfants !

Il ne sut comment réagir.

— Flûte, je crois que je suis devenue rouge comme une tomate avec ces idées, dit Bobbie en posant les deux mains sur ses joues.

— Cela ne change rien, non ? fit-il avec maladresse.

Elle entreprit de disposer les tasses, lui tournant le dos. Le col de sa chemise de nuit était rentré. Une petite plume jaune y adhérait encore. C'en fut trop pour Laurens : les larmes jaillirent. Ce que l'on ne possédait pas, et que l'on n'aurait jamais, faisait autant souffrir que ce qui nous avait été donné un jour et que l'on avait perdu. Chaque vie comportait sa part de douleur à cause d'un manque, peu importe lequel.

— Quelle histoire ! dit Bobbie pour s'armer contre ce moment de faiblesse.

Puis elle se retourna avec une tasse de café dans chaque main.

— Je n'ai pas de lait, mais il y a du sucre. Ben quoi, tu as quelque chose dans l'œil ?

Elle se pencha en avant, pleine d'attention. Sous le mince tissu blanc de son vêtement, ses seins bougeaient librement.

Il se redressa : « C'est déjà fini. »

— Et maintenant, il ne faut plus qu'un petit gâteau.

Elle prit une boîte en fer-blanc dans le placard sous l'évier, ôta son couvercle et la posa sur la table. La boîte était rouge à pois blancs.

— Tu veux bien t'asseoir enfin.

— Je sais travailler comme un cheval, déclara-t-elle fièrement ; c'est Timo qui le dit.

— Et c'est aussi ce que pense Gwen.

Elle esquissa de la main un mouvement de rejet.

— Gwen est beaucoup trop bonne pour ce monde.

— Cette famille n'est composée que de gens exceptionnels.

Il pensa : Peut-être pourront-ils nous adopter, les enfants et moi ! L'absurdité de cette pensée lui fit de nouveau comprendre à quel point il se sentait désespéré. Sa vie le conduirait-elle à cela dorénavant : frôler à chaque pas l'abîme du désespoir ?

— J'ai aidé Gwen avec chaque bébé, dit Bobbie avec un air rêveur. Les baigner, les habiller, moi et Gwen avons tout fait ensemble.

— Les baigner ? Moi, j'ai toujours eu la frousse de les noyer.

Continuer à aligner les phrases, continuer à respirer, continuer à s'abrutir, rien d'autre.

— Oh ! là, là ! mais ils savent nager, tu sais. C'est une qualité qu'ils ne perdent qu'à un an.

Elle l'examina avec un regard quelque peu dubitatif, comme si elle se demandait tout à coup si ses enfants à lui étaient bien normaux et, dans le cas contraire, à qui en attribuer la faute. Puis elle ajouta avec douceur :

— Mais nous, bien entendu, nous leur donnons aussi de la gelée royale.

Le charme était rompu. La magie s'était évaporée et appartenait désormais au passé. Même une deuxième volée de perruches ne le sortirait plus de son accablement. Il lui fallait partir avant qu'elle ne se rende compte de son état et ne se mette dans l'idée qu'elle en portait la responsabilité. Il finit rapidement son café.

— Je vais voir si Toby et Niels ont déjà rejoint le monde des vivants.

— Ils sont sûrement sortis du lit depuis longtemps. Les deux veulent recommencer à jouer avec les filles au Mangeur d'homme. Surtout par une journée aussi belle qu'aujourd'hui.

— Au Mangeur d'homme ?

— Oui, Marleen a dit que cela s'appelle ainsi.

— Et comment fait-on ?

Elle haussa les épaules.

— De toute façon, nous n'y comprendrons rien, Laurens. Pour saisir, il faut de l'imagination.

Elle prononça ce dernier mot avec un certain respect.

« Mangeur d'homme », dit-il de nouveau, abasourdi. Fallait-il en rire ou commencer à se mettre martel en tête ? Mon Dieu, cette incapacité à prendre une décision, ces doutes à propos de tout et de rien, ce besoin de gonfler la moindre incertitude. Allons, les garçons, le moment est venu d'avoir une conversation sérieuse avec papa. Expliquez-moi donc un peu ce que vous fabriquez ici toute la journée, comme ça, c'est juste pour être sûr... car je n'ai personne d'autre que vous.

Ils le voyaient déjà arriver avec ses gros sabots.

À partir du moment où l'on recherche le soutien de ses enfants, on devient vraiment un salaud.

Ils avaient répondu avec docilité à ses appels, hier soir, le rejoignant les pieds alourdis de fatigue, puis il avait juché Toby sur ses épaules et pris Niels par la main, sentant la tête aux cheveux raides contre son bras nu, les deux garçons avaient surtout paru soulagés d'être enfin conduits au lit, il n'y avait rien eu d'autre. Ils étaient à bout de forces, mais ici la fatigue se transformait toujours en un état de surexcitation parce qu'ils devaient se battre contre les Anges, et contre toutes ces incompréhensibles histoires de filles. « Les meufs », disait Niels depuis peu, avec un dégoût de sept ans d'âge, la lèvre supérieure retroussée d'un côté et le nez froncé.

— Allez, c'est de bon cœur, dit Bobbie, je te sers un deuxième café. Il faut deux jambes pour marcher.

Au réveil, Beatrijs s'était découverte d'une humeur particulière, déterminée. Cette journée avait un *but*, toutes ses perceptions le confirmaient. Il y avait des matins, la plupart en vérité, où la seule pensée qui vous venait, c'était de se laisser porter par le courant, mais parfois, très rarement, tout paraissait différent et l'on savait alors dès la première minute qu'il fallait faire avancer sa barque à contre-courant pour obtenir un résultat. Dans ces moments-là, les grandes décisions se trouvaient comme gravées dans le marbre : perdre cinq kilos, ou dire à quelqu'un ses quatre vérités ; enfin, ce genre d'exploits qui, en temps normal, n'appartenaient pas au domaine du possible.

Sans faire plus de bruit qu'une petite souris pour ne pas réveiller Leander, elle se glissa hors du lit et se dirigea sur la pointe des pieds vers la cabine de douche.

Ils étaient hébergés ensemble avec Yaja dans l'ancienne maisonnette des ouvriers agricoles, à l'arrière de l'exploitation. Timo et Gwen l'avaient rénovée avec leur insouciance coutumière afin de la transformer en maison de vacances : on avait installé un modeste équipement sanitaire ainsi qu'un bloc-cuisine Ikea et, dans les rangements, tout était prévu en quatre exemplaires – quatre verres, quatre assiettes, quatre cuillères, quatre coquetiers. Par-dessus le marché, ils réussissaient en général à louer le petit nid. Il est vrai que la situation se révélait idéale : tous ceux qui empruntaient le « chemin de Pieter » passaient devant, et n'avaient plus qu'à décider de revenir plus tard passer une semaine dans cet endroit idyllique.

Frank avait répété chaque été qu'ils devaient dédommager Gwen et Timo pour leur séjour dans la maisonnette. Et elle répondait alors, en regardant ailleurs, qu'elle avait viré la somme depuis longtemps. Frank se montrait animé des meilleures intentions, mais, d'un autre côté, c'était tellement déplacé. L'argent ne devait jouer aucun rôle lorsqu'il s'agissait d'amitié. Mieux valait alors apporter quelques caisses de vin et on s'arrangeait bien sûr pour accompagner Gwen au supermarché de manière à pouvoir s'emparer de la facture avec un geste vif comme l'éclair : voilà qui apparaissait mille fois moins condescendant qu'un simple virement. *Pauvre Frank !*

Ses pensées se tournaient vers lui, et elle en fut contrariée. Elle ouvrit le robinet de la douche et s'efforça de retrouver son état d'esprit combatif. Elle avait envie de tout faire aujourd'hui pour gâter Gwen et lui montrer ainsi combien son amitié comptait pour elle. Sur ce point, elle s'était laissée aller quelque peu ces derniers mois, depuis sa rencontre avec Leander. Même à l'occasion de la naissance de Babette, elle avait à peine fait preuve d'un véritable intérêt. Mais on pouvait espérer que Gwen ait décidé de justifier le faux pas avec sa bienveillance coutumière. Oui, elle l'avait sûrement excusée par avance.

Après la première fausse couche, elle avait déclaré : « Commence par pleurer un bon coup, Bea, et après tu recommences tout simplement. » Après la deuxième, elles avaient chialé ensemble. Et après l'échec suivant, Gwen s'était excusée, avec une petite mine défaite, pour sa propre fécondité. Aussi absurde que sa démarche ait pu paraître, c'était exactement ce qu'il fallait dire.

Beatrijs avait répondu d'une voix sourde : « Je te pique ton prochain bébé, c'est tout. »

Mais avec le temps chaque chose trouve sa place. On avançait, quoi qu'il puisse arriver. On adaptait ses projets et tirait le meilleur parti de ce qui restait. Il y avait toujours pire. C'est comme ça. Veronica lui avait alors offert un abonnement à un centre de cure thermale avec obligation d'aller s'y faire dorloter chaque mois. Comment survivre sans amies à la vie qui est la nôtre ? Voilà le grand mystère. Surtout lorsque l'on avait épousé un homme comme Frank. Maintenant, avec Leander, tout prenait un autre visage. Maintenant, elle avait un homme avec lequel elle pouvait parler des sentiments qui l'animaient. Un homme sachant que tout avait un sens et que jamais rien ne se perdait dans l'univers, pas même des enfants mort-nés. Son pauvre trio d'enfants existait encore quelque part. Cela, il se trouvait en mesure de le lui assurer, la main sur le cœur.

Elle se rendit compte que, crispée, elle avait remonté les épaules, et les laissa retomber en corrigeant sa position, respirant de nouveau paisiblement.

Elle ne prit pas la peine de s'habiller. Vêtue d'une simple robe de chambre, elle sortit dans le jardin et fila vers la cuisine de Gwen. Un petit déjeuner au lit, voilà une bonne idée, avec un jus de fruits pressés tout frais, une omelette légère comme un nuage et ces petits pains rigolos, cuits à la vapeur, sur lesquels elle avait récemment lu un article.

Dans un des placards, elle trouva la farine et la levure. En plaçant la préparation pendant quelques instants dans le four chauffé à basse température, la pâte aurait tôt fait de lever. Sans attendre, elle se mit au travail. Tout le monde la prenait pour une tête de linotte dénuée de sens pratique, mais, en attendant, c'était tout de même elle qui se retrouvait dans la cuisine pour cuire le pain quotidien. Elle mélangeait et pétrissait. Et, à cent mètres d'ici, Leander se retournait dans son sommeil. Peut-être aurait-elle dû laisser un message sur son oreiller ? Il se montrait si prompt à s'inquiéter pour elle. Heureuse et soucieuse tout à la fois, elle se mit à couper les fruits en morceaux pour en faire du jus avec le mixer. Pour son amant, l'état dans lequel elle se trouvait était important.

— Tu es bien matinale aujourd'hui.

Elle se retourna. Le sourire de contentement s'évanouit sur ses lèvres.

— Toi aussi, on dirait.

Laurens demeura un moment immobile dans l'embrasure de la porte, comme s'il sentait que son arrivée n'était pas souhaitée. Il avait l'air malheureux et tendu.

Elle se ressaisit.

— Je suis en train de faire du jus de fruits. Tu en veux ?

— Tu es déjà la deuxième à vouloir me requinquer. La vie me sourit de tous les côtés.

Il n'était pas facile de garder une attitude chaleureuse envers quelqu'un se montrant aussi désabusé, pourtant elle remplit un verre à son intention.

— Si tu attends encore quelques minutes, il y aura des pains à la vapeur.

— Tu ne fais pas les choses à moitié, à ce que je vois. Je peux apporter ma contribution ?

— Mais non, mais non, je préfère m'en occuper...

Il éclata d'un rire sans joie.

— Toute seule ? Ou sans moi, du moins ?

Elle se sentit repoussée dans ses retranchements.

— Allons, Laurens. Ne saute pas toujours aux conclusions extrêmes. On ne pourrait pas tout simplement...

Il ouvrit la bouche pour lui répondre, mais changea d'avis comme si tout à coup son attitude l'embarrassait. À sa stupéfaction, il se dirigea soudain vers elle, entoura son visage de ses deux mains et déposa sans crier gare un baiser sur le bout de son nez.

— Un grand bonhomme comme ça contre une si petite fille, désolé Beatrijs, voilà qui ne fait pas partie de nos habitudes.

Un doux frôlement le long de sa joue et, du coin de l'œil, elle vit une minuscule plume jaune entre les doigts de Laurens.

— Quelle est cette fantaisie ? demanda-t-elle pour dissimuler le désordre de ses sentiments : cela ressemblait bien à Laurens de jeter ses manières de séducteur dans la balance, et cela lui ressemblait bien à elle, de lui montrer immédiatement de la reconnaissance parce qu'il retrouvait un abord un peu plus agréable.

Il leva la plume qu'il tenait entre le pouce et l'index. Il lui chatouilla un instant la joue avec, puis la passa sur la sienne.

— Tu crois aux signes ?

— Et comment ! s'exclama-t-elle du fond du cœur. La tournure que prenait la conversation lui donnait l'occasion de le réconcilier avec Leander. C'était un don de la providence, cela ne représentait rien de moins qu'un miracle, ce qui prouvait déjà en soi que les signes existaient, car le fait relevait à l'évidence de la même catégorie.

— Bonjour, dit Leander à ce moment précis d'un ton sec.

Elle fit presque un bond de frayeur.

Il se tenait dans l'embrasure de la porte de la même manière que Laurens, un instant plus tôt. Il suffisait d'un regard pour comprendre qu'il avait surpris le baiser et la gesticulation avec la plume. Elle ressentit le besoin irrépressible de resserrer la ceinture de sa robe

de chambre. Et, en plus, elle ne portait pas de vêtements convenables.

— Chéri ! Nous disions justement...

— Je suis heureux de te trouver en bonne santé
dans ces lieux, dit son amant sans se presser. Aussi
bien, tu aurais pu te retrouver dans de beaux draps,
Beatrijs.

Il fit demi-tour et rejoignit le jardin.

— En bonne santé ? s'étonna Laurens. Tu couves
quelque chose ?

À tout bien considérer, elle devait faire deux choses.
Lui envoyer une énorme claque en plein visage et
ensuite filer sur les traces de Leander. Mais elle
demeura rivée sur place, désespérée, sous le choc de la
douleur inutile qu'elle avait infligée et effrayée par les
répercussions qui n'allaient pas manquer de l'accabler.
Une odeur de brûlé commença à monter du four.

Gwen se laissa mollement rouler du corps de Timo.
Elle laissa sa jambe gauche, prise dans les plis du drap,
reposer sur la hanche de son mari. Elle attendit jusqu'à
ce que sa respiration ait retrouvé un rythme normal et
que la sueur se soit mise à sécher sur sa peau.

Timo lui saisit la cheville. Il rit doucement.

— Quoi ?

— Rien, Mop.

Gwen pensa : À la maison, je m'appelle Mop. Elle
réprima un sourire.

— Allez, vas-y.

— Je me suis tout à coup représenté l'un de tes amis
se précipitant dans notre chambre avec le petit
déjeuner dominical à prendre au lit, tandis que nous...

— Un de *mes* amis ?

— Oui, qui d'autre ?

Elle cala sa tête avec la main.

— Tiem ? Ça te dérange qu'ils soient ici ?

— Du moment que leur présence te fait plaisir.

Il lâcha sa cheville et dégagea la jambe, puis il se leva.

Le lit oscilla légèrement. Il n'avait que trois pieds. Depuis des années, une pile de vieux annuaires remplaçait le quatrième.

— La journée nous appelle.

— Il lui en manque déjà un bout, fit-elle.

— Et comment...

Il se baissa vers elle pour l'embrasser.

— C'est Babette que j'entends ? Va la chercher, s'il te plaît, je vais lui donner le sein tout de suite.

Elle avait voulu nommer la benjamine Victoria, un nom solide comme un château fort, un nom avec de larges douves autour, mais c'était au tour de Timo d'avoir le dernier mot.

Elle laissa la somnolence la gagner un peu plus, mais comme Timo avait laissé la porte de leur chambre grande ouverte, il lui fut impossible de retrouver le sommeil. La voix des enfants de Laurens lui parvenait depuis la chambre d'amis. Des bruits montant d'en bas, comme si quelqu'un se débattait avec une grille du four. Elle était tellement compliquée cette cuisinière, que l'on ne savait jamais ce qu'il fallait faire pour... Tout à coup lucide, elle pensa : Vero, attention à tes mains, ne te brûle pas ! Inquiète, elle se redressa sur son séant. D'où lui venait cette idée stupide ? Veronica ne se trouvait pas dans la cuisine, elle était morte.

Des pas retentirent dans l'escalier. Elle replongea illico sous le drap.

— Ah, Gwen ! dit Laurens, emprunté, restant dans le couloir.

C'était à cause de sa présence dans la maison, bien sûr, qu'elle avait revu son amie devant elle, aussi présente que de son vivant ; jamais pareille chose ne lui arrivait en temps ordinaire. Lorsqu'il approchait, on s'attendait à la voir surgir à tout moment. Non pas que Veronica ait été une épouse tellement docile et popote. Pas de son vivant du moins.

— Je viens voir si les garçons sont déjà levés.

— Oui. Pour sûr, ils sont réveillés.

— Parfait, alors je vais aller leur dire deux mots.

Elle redressa un peu son buste en serrant le drap contre sa poitrine.

— Laurens ? Écoute-moi...

Ne disait-on pas qu'une mort brutale pouvait faire s'égarer une âme ? N'avait-elle pas lu un article à ce sujet ? Le savait-elle vraiment, Veronica, qu'elle était morte ? Essayait-elle, en restant avec Laurens, de s'accrocher à la vie ?

Il s'appuya contre le chambranle, prenant une pose expectative.

Elle fut incapable de mettre des mots sur ses pensées.

— Je veux dire, tout va bien pour toi ?

— Mais, oui. Tout va bien. Je me demandais à l'instant ce que j'allais faire aujourd'hui avec Toby et Niels.

— Laisse-les donc faire les quatre cents coups avec les filles. Ils inventent les jeux les plus extravagants quand ils sont ensemble et tous...

Il se raidit.

— J'aimerais bien, de temps en temps, avoir une activité en famille...

Pour une raison qui lui échappait, elle sentit que sa réponse n'était qu'un prétexte. N'importe quel parent serait fou de joie avec des enfants qui manifestaient autant de plaisir à jouer avec d'autres.

— Oh, si tu le dis ! Vous pourriez aller faire un tour en barque. Si vous prenez les vélos, il vous suffira de longer le canal et vous trouverez à gauche, pas très loin après le village, des bateaux à louer. Tu te rappelles, c'est chez l'homme qui zézaye.

— Super, ton idée. Un grand merci, Gwen.

Il décolla du chambranle et disparut dans le couloir. Peu après, elle l'entendit parler avec ses enfants.

Ses pensées revinrent vers Veronica. Elle allait fabriquer une bougie spéciale rien que pour Vero, et pas plus tard qu'aujourd'hui. Une bougie pour l'accompagner vers la lumière. Cela ne pouvait que lui faire du tort, si elle restait attachée à sa vie sur terre. L'explication venait peut-être de ce que même les morts ressentent l'absence. Parce qu'eux aussi connaissaient la douleur de faire le deuil de ce qu'ils avaient perdu. Parce qu'il leur fallait du temps, à eux aussi, pour se détacher de l'être aimé. Ce devait être une torture insupportable que de prendre conscience que vos enfants allaient grandir sans vous, que votre mari embrasserait un jour une autre femme, que la vie continuerait, continuerait, continuerait jusqu'à ce que l'on vous oublie.

— À quoi penses-tu ? demanda Timo tandis qu'il déposait Babette dans les bras de sa femme.

— À rien de spécial.

Elle aimait beaucoup son mari, mais il n'était pas homme à entendre des considérations sur la vie après la mort. Du compost, proclamait Timo, voilà tout ce qui restera de nous.

Pendant qu'il enfilait ses vêtements et descendait à la cuisine, elle donna le sein à Babette qui, en même temps qu'une couche propre, avait retrouvé toute sa bonne humeur. On avait peine à se l'imaginer, mais même cette petite vie à peine éclose trouverait inéluctablement au bout de sa route la mort et l'oubli. Un jour Babette irait là où Veronica était déjà arrivée. On pouvait évidemment puiser une forme de consolation dans l'idée que Vero l'attendrait pour l'accueillir, heureuse de faire enfin la connaissance du bébé. Mais non, quelle pensée morbide. Le jour où Veronica tendrait ses bras vers elle, Babette serait une petite vieille toute fripée ; elle avait encore toute la vie devant elle.

Ces inquiétudes autour du bébé : décidément, les hormones la travaillaient.

Elle eut soudain hâte de confectionner un modèle de bougie pour Veronica. Elle fit faire au bébé son rot et le coucha dans le berceau. Elle descendit après avoir pris une douche. Il n'y avait personne dans le salon. Franchissant les portes-fenêtres ouvertes en grand, elle sortit dans le jardin.

Les Anges jouaient au badminton sur la pelouse en poussant de grands cris. Yaja passait un vernis noir sur ses ongles en prenant appui sur la table de jardin avec un air fâché. Au loin, on entendait siffloter Timo qui se dirigeait vers le rucher. Une autre matinée radieuse.

Gwen traversa la terrasse pour se rendre à la cuisine.

— Ah, vous êtes ici ! s'exclama-t-elle en voyant Klaar et Karianne.

Ses deux filles étaient assises côte à côte sur le plan de travail, les jambes pleines d'égratignures pendant dans le vide, aussi blonde l'une que l'autre et aussi cracra ; elles mangeaient des tartines de Nutella prélevées sur une pile que Beatrijs reconstituait tranche après tranche en étalant généreusement la pâte à tartiner. Le visage des filles se fendit d'un large sourire lorsqu'elles aperçurent leur mère, mais le petit déjeuner les accaparait trop pour qu'elles lui fassent la faveur d'une véritable attention.

Cinq ans, et déjà si grandes. Si assurées et indépendantes. C'était le cas souvent, il est vrai, avec des jumeaux.

— Tu prends une tartine, toi aussi ? demanda Beatrijs.

— Oui, avec plaisir. Tu as bien dormi ? C'est quoi cette odeur ?

— Une expérience qui a mal tourné.

Mieux valait ne pas en demander plus. Les augures se montraient rarement favorables lorsque Beatrijs se lançait dans une préparation culinaire ; tout se passait comme si sa relation à la nourriture recelait une part d'ombre, une force qui interdisait aux ingrédients de se comporter selon les règles. Entre ses mains, la crème tournait sans crier gare, les puddings s'effondraient et même d'innocentes cuisses de poulet se transformaient en massues caoutchouteuses. Tout autre qu'elle aurait déjà abandonné cent fois, mais Beatrijs persévérait. Elle découpait des recettes quatre étoiles dans les magazines et étudiait les livres de cuisine, forte d'un enthousiasme inaltérable. Gwen pensa avec attendrissement : courageuse Dodo. Quant à elle, il lui suffisait de regarder un chou-fleur et, déjà, il était cuit à point. Elle proposa :

— Et si nous nous organisions un joli programme pour l'après-midi ? D'accord ?

Son amie passa un coin du torchon sous le robinet puis procéda à un nettoyage attentif des frimousses barbouillées de chocolat des jumelles.

— On fait une promenade, insista Gwen. Et après, on s'installe sur une terrasse.

Klaar leva vivement les yeux. Son regard se mit à briller avec convoitise.

— Quelle terrasse ?

— Avec des glaces ? Ça, c'était Karianne.

— Eh bien, les filles, enchaîna Beatrijs, vous avez touché le gros lot.

— Holà, Bea ! Je voulais dire : nous deux. Pendant ce temps, Timo trouvera bien un moyen d'occuper la jeunesse.

Beatrijs étendit le torchon sur la barre de la cuisinière. Les yeux baissés, elle répondit :

— Je préfère rester ici. Il faut que je m'occupe un peu de Leander…

Elle fit un geste vague de la main. La bague voyante qu'elle portait depuis peu étincela sous l'éclat du soleil.

La déception prit Gwen à la gorge comme un renvoi de bile. Mais qu'est-ce qu'il leur prend ? D'abord Laurens, qui refusait visiblement que ses enfants jouent avec les siens, et maintenant Beatrijs, qui ne voulait pas l'accompagner. La moutarde lui monta soudain au nez, si bien qu'elle jeta le reste de son pain dans l'évier et sortit à grands pas.

Prendre un café chez Bobbie, voilà le remède idéal pour se remonter le moral. Mais, juste au moment de s'engager dans l'allée menant au pavillon d'été, elle tomba nez à nez avec Leander. Bienvenu au club. Il y avait encore de la place pour une personne ayant déclaré à sa belle-sœur qu'elle était une réincarnation ratée. Malgré les effets de manche et les grandes phrases, c'était bien là le triste résumé de ses propos, le fond de la pensée de monsieur le psychométricien – Dieu sait en quoi cela consistait d'ailleurs. Et de monter ensuite sur son vélo avec un air dégagé pour s'embarquer dans une randonnée d'au moins cinq heures, ce qui revenait à faire, là encore, une déclaration publique : Je préfère être partout sauf chez Gwen et Timo et leur ramassis d'inadaptés. Elle croisa fermement les bras, prête à en découdre.

— Ah, Gwen, bonjour, dit-il d'une voix chaleureuse. Justement, je te cherchais.

Prise de court, elle le dévisagea.

— Tu as entendu le bulletin de la météo ? Ce sera probablement la dernière belle journée aujourd'hui. Alors je me suis dit : Pourquoi ne pas faire un pique-nique tous ensemble ?

Elle n'en crut pas ses oreilles. Ne voulait-il pas préserver son intimité avec Beatrijs et organiser quelque chose à deux ? Bea comptait là-dessus, non ?

— Ça veut dire quoi, tous ensemble ?

Il se pencha légèrement en avant. Pour une personne de sa taille, les autres humains devaient avoir l'air de nains.

— Pourquoi pas ?

Elle ne sut que dire. Il désirait renouer avec le groupe, voilà sans doute l'explication. Il devait se sentir comme la cinquième roue du carrosse. Et elle avait l'impression qu'il n'était pas de nature à se satisfaire de si peu.

— Mais d'après moi, Beatrijs aurait préféré…

— Tu sais, j'ai déjà Beatrijs toute à moi. Vous devez vous en rendre compte, vous tous, non ? Ce n'est plus la peine de se bagarrer à ce sujet, le résultat des courses est connu.

Le tour inattendu que prenait la conversation la décontenança un peu plus. Ces paroles, prononcées avec tant de calme, lui donnaient presque la chair de poule.

— Quel mal y aurait-il à dire de la femme que l'on aime qu'elle vous appartient ?

Il eut un petit rire.

Gwen ne voulait rien de spécial, juste que la vie soit simple et sereine. L'essentiel était d'avoir plaisir à être les uns avec les autres. La meilleure solution serait de consentir au pique-nique.

— Quelle bonne idée ! fit-elle. Puis elle ajouta après une pause : Et cela fera aussi plaisir à Yaja.

Il se pencha de nouveau en avant.

— Comme c'est aimable de penser à elle.

— Elle est dans un âge tellement difficile. Où, du coup, on se crée encore plus de difficultés.

Il leva ses mains qui, malgré le temps splendide des dernières semaines, avaient gardé leur pâleur extrême et étaient dépourvues de toute pilosité.

— Exactement, c'est ce que je voulais te dire, Gwen. Toi, tu prêtes vraiment attention aux autres. Timo sait-il à quel point il a de la chance ?

Excités comme des puces, les enfants traînaient plaids et glacières jusqu'au pré, à côté de l'étang. L'endroit était merveilleux : de l'eau, du soleil à souhait et pourtant suffisamment d'ombre. Des vaches noir et blanc ruminaient paisiblement au loin.

Les jumelles avaient, toutes les quatre, consacré la matinée aux préparatifs. Elles avaient cueilli des fraises qu'elles avaient ensuite lavées, garni les tartines de pâté de foie, cuit les œufs, ressemblé les assiettes et les gobelets en plastique et rempli les bouteilles de thé glacé. Elles tenaient entre leurs mains la réussite ou l'échec de l'entreprise, et la conscience qu'elles en avaient se lisait sur leur visage.

Niels faisait de son mieux pour étaler tout le mépris que lui inspiraient ces agitations de bonne femme. Mais il était ravi, lui aussi. Le pique-nique présentait infiniment plus d'attraits que la perspective de passer l'après-midi coincé dans une barque avec son petit frère et un père apathique.

Ce n'était pas encore la foule des grands jours dans le pré. Quelques familles s'étaient installées au bord de l'eau, et les premiers frisbees traversaient l'air. Rien de plus. Les endroits les plus recherchés, ceux abrités du soleil par les arbres, étaient libres. Une piste cyclable très fréquentée passait tout près de là, sans doute, mais l'air y était plus frais qu'ailleurs. Ils décidèrent de prendre leurs quartiers sous le feuillage protecteur d'un vénérable marronnier et étendirent les plaids à son pied.

Les aboiements aigus d'un chien effrayé retentirent plus loin. La bête avait peut-être glissé dans l'eau en s'imaginant qu'il n'y avait pas de différence entre l'herbe et le cresson. On distinguait à peine l'un de l'autre au bord de l'étang. Un peloton de coureurs passa à toute vitesse sur la piste cyclable, collés les uns aux autres, le dos rond, les jambes moulinant tels des pistons.

Comme il ne trouvait pas à s'occuper, Niels songea à son cimetière de voitures. Il en avait commencé la constitution au début de l'été, chez lui, dans le jardin derrière la maison. Il ne savait pas bien pourquoi. Souvent, il se réveillait dès le lever du soleil, tandis que Toby et son père dormaient encore ; le moment se révélait alors parfait pour s'échapper un instant et aller enterrer une petite voiture. La longue rangée de Dinky

Toys occupait une tablette au-dessus de son lit. Toutes avaient leur propre histoire. Il savait pour chaque exemplaire à quelle occasion il l'avait reçu : lors de ses cinq ans, lorsqu'il était tombé sur la tête et qu'on avait dû le conduire à l'hôpital pour des points de suture ; lors de la naissance de Toby ; lorsqu'il s'était rendu pour la première fois chez le dentiste. Ce n'étaient pas n'importe quelles voitures, elles lui appartenaient, à lui et à personne d'autre.

Il se mit debout devant l'étagère, ferma les yeux, tendit le bras et referma au hasard la main sur une voiture. À ce moment précis, il avait toujours le sentiment de percevoir les choses avec plus d'acuité qu'en temps normal : le relief de la natte en jonc lui piquait la plante des pieds, les premiers rayons du soleil caressaient son cou et le réchauffaient. Le sort tombait parfois sur une vieille ruine qu'il allait immédiatement enterrer, mais parfois aussi le destin frappait avant l'heure un modèle tout neuf, brillant de mille feux, sans la moindre rayure, une voiture qui avait encore cent mille kilomètres devant elle, lustrée, digne d'une salle d'exposition, comme sa Mustang préférée, celle qu'il devait à son diplôme de natation. Un sort aveugle décidait de la prise sur laquelle sa main se refermerait, et donc du véhicule condamné à rater un virage quelques instants plus tard, à finir contre le rail de sécurité, à rencontrer un véhicule à contresens ou à subir quelque autre accident fatal. La manière importait peu. Le désastre s'était déjà accompli au moment où il ouvrait de nouveau les yeux et contemplait l'étendue des dégâts avec un mélange d'horreur et de commisération.

Il sortit par la porte donnant sur l'arrière en serrant l'épave contre lui. Le jardin présentait des dimensions modestes, mais il était agrémenté d'un lilas dont les branches retombaient jusqu'à terre. Niels n'avait qu'à se glisser dessous pour se soustraire à la vue de tous. Il s'agenouilla sur le sol encore humide et se mit à creuser en s'aidant avec la petite pelle de Toby. Le trou devait être bien profond, si profond que l'on ne pourrait plus jamais retrouver l'objet.

Posée au bord de la fosse, la voiture était prête.

Il sentit sa gorge se serrer à la vue de l'auto qui, ce matin encore, n'avait eu conscience d'aucun danger, alors que sa seule perspective maintenant était de disparaître à jamais sous terre. Il lui en coûta de prononcer les paroles requises : « Voici le moment venu de nous dire adieu pour toujours. » Les formes étaient respectées. Une chandelle se forma sous son nez. Il essuya l'écoulement d'un geste énervé et les larmes aussi d'un même mouvement. Si on commence à se laisser aller, j'te dis pas ! Et pour quelle autre raison se rendre dans un cimetière de voitures ?

Le pépiement bref et assuré d'un oiseau retentit au-dessus de sa tête, tout là-haut, dans la cime du lilas.

Tu entends, Niels ? Twi-it ! dit la grisette. C'est à son chant qu'on la reconnaît.

Il passa de nouveau la main sur son nez qui ne cessait de couler. D'une poussée, il précipita la voiture au fond du trou. Il ne restait plus qu'à refermer la tombe en repoussant la terre dedans et à poser un caillou dessus. Il en avait de bien jolis dans sa poche ; il ramassait partout de petites pierres rien que pour cette occasion.

Niels fut brutalement arraché à ses pensées parce que Klaar, qui était assise à côté de lui sur un plaid, siffla tout à coup : « Voilà la zinzin. »

Et en effet, Yaja apparut, jouant les éclaireurs

devant le groupe des grands ; elle s'approcha du lieu choisi pour le pique-nique en traînant les pieds avec indolence.

Il vit que les Anges se mettaient immédiatement en ordre de bataille : la voilà, celle qui s'imaginait pouvoir piquer la petite sœur d'un autre. On lisait sur leur visage l'envie de passer à l'action, ce qui lui remit en mémoire leur jeu de la veille, le jeu qu'ils devaient absolument terminer, quoi qu'il arrive. À cette seule pensée, il se sentit devenir moite.

Yaja s'installa au beau milieu du plaid sans dire un mot et ouvrit la glacière.

— Pas de chapardage, gronda Marleen qui réagit comme d'habitude la première. On attend que tout le monde soit arrivé. Fiche la paix au couvercle et remets-le à sa place.

— C'était l'idée de mon père, je te signale. Alors faites pas semblant d'avoir trouvé ça toutes seules. J'ai tellement les crocs qu'ils vont me servir de béquilles si je me cale pas.

Yaja se mit à peler un œuf en prenant ses aises. Un squelette argenté qui descendait jusqu'à l'épaule ornait aujourd'hui une de ses oreilles. Son visage plâtré de blanc n'exprimait pour seul sentiment que l'ennui, un ennui si vaste qu'à le contempler on se sentait gagné par l'envie de se laisser tomber en arrière, bras et jambes en croix, et de rester immobile jusqu'à ce que des temps meilleurs fassent leur entrée.

L'accablement de Niels était si intense qu'il en ressentait un picotement dans les cheveux. Mais que faisait-il donc à traîner avec ces meufs ?

— C'est bien une stupide idée de vieil abruti, ce pique-nique, lança-t-il furieux.

— Que veux-tu ! C'est vraiment un vieux con, fit Yaja.

Elle enfonça ses petites dents aiguisées dans l'œuf et le décapita d'un coup. Elle mastiqua mollement, remuant à peine les mandibules.

Juste à ce moment-là, son père traversa la piste cyclable pour venir vers eux. Son dos était légèrement voûté. Ses genoux s'entrechoquaient tandis qu'il marchait. Quelque chose dans son aspect évoquait un dromadaire.

— Voyez-vous ça, s'écria Yaja pleine de dégoût : un Alzheimer sur pattes avec le blabla en état de marche ! Dire que quelqu'un a envie de le faire avec un cadavre ambulant comme celui-là, rien que d'y penser...

— Faire quoi ? demanda Karianne.

Niels se rapprocha davantage de Toby. Voilà qui présageait des histoires de meufs, il le sentait venir gros comme une maison. La certitude qu'il n'y comprendrait rien, une fois de plus, le remplissait de fureur.

La main devant la bouche, Yaja enchaîna.

— Mais quoi, sa chipolata sur le retour n'a pas non plus les moyens de s'offrir quelque chose de mieux.

Les Anges hurlèrent de rire. Karianne et Klaar se mirent à brailler à l'unisson, roulant l'une sur l'autre. La joie gondolait les traits de leurs visages piqués de taches de rousseur.

— Eh bien, fit le père de Yaja en manière de salut, s'accroupissant devant eux. En voilà une hilarité !

Yaja jeta un regard autour d'elle comme pour dire : Attention, on va rigoler et pas qu'un peu.

— Papa, c'est parce que nous parlions des champs morphologiques.

« Quelle moule ! », ricana à voix basse Niels en se tournant vers Toby. On aurait pu dire chatte aussi.

C'est ce qu'ils disaient dans la cour de l'école, les grands, en enfonçant leurs mains dans leurs poches.

— Voyez-vous ça...

Leander sourit, étonné.

Yaja claqua des doigts.

— Tu es en meilleure position que moi pour l'expliquer. L'histoire des hamsters et tout le tintouin. Vas-y. Accouche.

Niels tendit l'oreille dans l'espoir d'apprendre enfin quelque chose de vraiment intéressant. Mais il perdit bientôt le fil. Et d'ailleurs, il n'y avait pas non plus de quoi s'amuser. Un étrange phénomène, le champ morphologique, déclara Leander. Il était constitué de forces énergétiques qui disposaient de potentialités créatrices et causales par la vertu d'une synchronie dont on ne sait encore rien. De petites bulles de salive apparurent aux commissures de sa bouche pendant qu'il parlait. Il avait des lèvres particulièrement fines, comme si sa peau était trop ajustée.

— Mets-y du rythme, dit Yaja qui agitait son poignet d'avant en arrière.

— Par exemple, reprit Leander en doublant son débit, lorsque quelque part sur terre – disons à Amsterdam – un hamster dans sa cage apprend à boire l'eau d'une bouteille au goulot ; cette connaissance ne sera pas seulement acquise par ses propres descendants qui feront dorénavant la même chose sans y penser, mais aussi tous les hamsters du Veluwe, plus ceux de Tokyo ou de Milan. C'était une de ces manifestations inexplicables qui...

Minée par un rire incontrôlable, Yaja s'effondra.

— Mondieu mondieu mondieu ! T'imagines le truc ?

Tous ces stupides hamsters qui tétaient leur

bouteille partout dans le monde et se prenaient en plus pour des êtres exceptionnels. Il n'en fallait pas tant pour déclencher un fou rire, et Niels ne put s'y soustraire. Il rit de concert. Avec un regard incertain, il épia son petit frère. Le moustique ne comprenait rien de rien.

— Mais, oyez, oyez, le plus beau est encore à venir, lança Yaja en hoquetant. Ça ne vaut pas seulement... Ça ne vaut pas seulement... pas seulement pour les hamsters !

— Dois-je attendre que vous ayez fini de rire ? voulut savoir Leander.

— Non, continue, continue !

Les traits noirs autour des yeux de Yaja avaient coulé sur toute leur longueur. Elle ressemblait à une grotte tapissée de stalactites.

Juste à ce moment-là, Beatrijs fit son apparition. À chaque pas, ses talons hauts s'enfonçaient dans le sol. De loin déjà, elle cria avec une voix inquiète en direction de Leander :

— Ah bon, tu étais déjà là ? Je te cherchais partout !

Sans la juger digne du moindre regard, le père de Yaja reprit le cours de son exposé. Pas croyable, il avait le grelot bien attaché, le client. On pouvait aussi bien dire le keum, ça revenait du pareil au même. Mais au moins, il l'ouvrait. Il ne passait pas son temps à bafouiller qu'il n'y comprenait plus rien, lui non plus. Au contraire, il avait tout compris. Et, de plus, il n'était pas assailli par le doute, à l'entendre.

— Ah ! le champ morphologique, saisit tante Beatrijs.

Elle s'était posée délicatement sur un des plaids en étendant les jambes avec réticence. Sa robe était troussée si haut qu'elle dévoilait ses cuisses épaisses avec leurs capitons.

— Oui, cela se situe au-delà de toute logique.

— La vérité se manifeste seulement à ce stade, Beatrijs, lui rétorqua froidement Leander.

— Holà, vous tous ! On va pas y arriver là, se lamenta Yaja. Elle se pencha en avant et pointa un index menaçant vers Niels : Toi-là, crâne d'œuf ! Oui, même toi, tu pourrais déjà donner un petit coup de main à l'évolution et porter l'humanité à un niveau supérieur ! Il suffit de capter la bonne longueur d'onde et te caler sur un champ morphologique.

Ses épaules se remirent à sautiller au rythme de ses gloussements.

— Cela fonctionne uniquement, continua Leander, à condition de s'engager corps et âme pour réaliser son but. Pour s'entraîner, on peut commencer par accomplir un petit souhait. Cela s'appelle piloter l'action de l'intérieur. On découvre alors que...

— On rêve les yeux ouverts, fit Yaja.

Riant encore, elle s'empara d'un deuxième œuf.

C'était super-impressionnant, cette histoire du souhait, Niels en convenait. Et que Yaja n'y voyait que matière à rigoler était une évidence. Mais bon, avec les moules, c'était toujours la même chose, elles n'avaient aucun sens de la logique. On pouvait aussi dire pétasse. Ou chatte. Ou traînée. « Traînée » était un mot que papa utilisait tout le temps, à une époque.

— Salut !

Voilà les autres qui arrivaient. Oncle Timo et tante Gwen ouvraient la marche, en short et débardeur qui, à force d'avoir été lavés mille fois ensemble, présentaient la même couleur passée. Bobbie les suivait, avançant fièrement avec Babette dans un sac kangourou sur son ventre ; elle arborait des lunettes de soleil absolument démodées. Le père de Niels fermait la colonne. Ses cheveux lui pendaient devant les yeux. Il était grand temps qu'il aille se les faire couper.

— Niels ! s'exclama tante Gwen, légèrement hors d'haleine. Toby-chéri ! Comme nous sommes bien tous ensemble, non ?

Elle s'assit dans l'herbe et croisa ses jambes bronzées. Des auréoles sombres apparaissaient sous ses aisselles.

Niels l'observa avec circonspection. Ses pensées papillonnaient encore sous l'effet des champs morphologiques. L'apparition banalement quotidienne de sa tante constituait, pour une raison mal définie, un changement trop important. Ce visage toujours un peu moite lui avait déjà souri alors qu'il était encore dans son berceau. Gwen existait déjà alors que lui et Toby n'étaient pas encore venus au monde : elle avait été à l'école avec sa mère, autrefois. Une fois de plus, la rage le prit. Tout était si cruel. Si horriblement, si irrémédiablement, si impardonnablement cruel. Avoir l'occasion de faire payer quelqu'un. Pouvoir saisir cette occasion. Être capable de *faire* quelque chose.

Elle poursuivait en babillant.

— Tous ensemble, voilà ce que j'aime par-dessus tout. Tiem, nous avons bien pensé à apporter de quoi remplir le verre des grands ?

Tous ensemble ? Cela s'appelle : loin des yeux, loin du cœur. Tante Gwen avait le cœur endurci. Elle avait déjà oublié que sa mère à lui aurait dû se trouver avec eux.

Son oncle commença de sortir le contenu du sac à dos. Des verres, une bouteille embuée, un tire-bouchon.

— Super, dit papa.

Il se tenait encore debout. Heureusement, il avait aussi gardé ses lunettes de soleil, ainsi on ne voyait pas ses yeux tristes, au moins.

— Ils vont picoler, dit Marleen à Marise.

Les benjamines se mirent immédiatement à produire des borborygmes imitant un haut-le-cœur.

— Tu prends aussi du vin, Yaja ? demanda tante Gwen.

La grotte à stalactites détourna le regard d'un air maussade.

Il fallait au moins lui accorder une chose, elle ne se laissait pas manipuler. La fille se disait bien sûr : qu'elle aille se faire voir, la grognasse avec ses taches de sueur ! Que quelqu'un ose penser ça de leur tante Gwen, il y avait de quoi se remonter le moral. Cette Gwen qui essayait toujours de t'avoir avec sa prétendue gentillesse, mais qui, en réalité, était intraitable et avait la sensibilité d'un pavé. À présent, le constat avait le mérite de la clarté.

— Yaja, ma fille ? Tu n'as pas envie d'un verre de vin ? s'enquit Leander.

— Moi, j'aimerais bien, Gwen, dit Beatrijs.

Soudain, elle donna l'impression de s'énerver terriblement à propos de quelque chose. Elle se mit à farfouiller dans l'une des glacières avec des gestes brusques.

— Chipolata sur le retour, chuchota Niels à l'oreille de Toby.

Il s'effraya de cette audace impromptue, mais commença bientôt de rire, étourdi par son triomphe. Ravi, le petit frère rit également.

— Y en a plus, brailla Klaar, c'est Yaja qui les a tous mangés, les œufs.

— Nom d'une crotte de bique, fit Yaja sans élever la voix, je suis en train de me ratatiner le cerveau d'ennui, et il faudrait en plus que je meure de faim ? D'ailleurs, il n'y en avait que deux.

Tante Beatrijs tourna vivement la tête et s'inquiéta :

— Vous avez bien pensé à prendre vos maillots de bain, les garçons ?

On lisait à présent comme une supplique dans ses yeux. Les adultes avaient toujours ce regard lorsque les événements ne se déroulaient pas selon leurs prévisions. Tout se passait alors comme s'ils comptaient sur vous, qui n'aviez pas la moindre idée du but à atteindre, en présumant que vous alliez inventer un moyen pour que les choses rentrent dans l'ordre. Ils s'imaginaient probablement que vous constituiez un champ morphologique. Niels secoua la tête avec un mouvement rancunier.

— Nager ! s'écria Toby plein d'entrain.

— Enfin bref, on peut toujours aller les chercher.

— Mais d'abord, le vin, dit oncle Timo. Et il remplit les verres.

Bobbie et papa avaient fini par s'asseoir eux aussi. Ils avaient extrait le bébé du sac kangourou. Couchée sur le dos, Babette agitait devant elle ses petits poings en gazouillant. Bobbie la coiffa d'un chapeau de soleil vert cru puis, en coulant un regard inquisiteur par-dessus ses lunettes, observa Leander.

— C'est d'un ridicule, déclara-t-elle à haute voix, décidément, on rencontre ce type partout.

Elle ajusta encore avec de petits gestes nerveux le chapeau de Babette.

— Coucou Babette, roucoula Yaja. Elle s'avança à genoux vers le bébé : Salut, ma toute belle.

— Elle n'est pas à toi, intervint immédiatement Karianne.

— Ne te laisse pas avoir à chaque fois, bébête, dit oncle Timo. Il but une gorgée dans son verre puis s'étendit de tout son long sur l'herbe : Comme c'est agréable, marmonna-t-il en fermant ses yeux ensommeillés.

Yaja attrapa la menotte du bébé et fit semblant de lui grignoter les doigts.

— Mmm, on en mangerait. Je vais te dévorer toute crue, ma tendre petite !

À la vue de la scène, Niels se décomposa. La sueur inonda sa nuque et les cheveux se dressèrent sur sa tête. Et si Yaja, qui ne reculait devant rien, allait se mêler à leur jeu, ce jeu qui attendait son achèvement avec une patience sadique ? Ce qui risquait alors de se produire serait d'une horreur innommable. La situation s'était déjà révélée assez périlleuse avec les jumelles pour seules proies possibles. Mais Babette, qui n'était même pas une meuf, ni une moule, ni une chatte, ni une traînée, mais seulement un bébé... ce serait trop cruel, trop horriblement, irrémédiablement, impardonnablement cruel.

En quête de secours, il regarda son père. Mais le peu de courage qui lui restait s'évapora aussitôt : papa n'avait aucune aptitude à prévenir les catastrophes. Il restait les bras ballants au moment décisif.

Babette poussa un petit cri et tous se mirent à rire. La Gwen au cœur de pierre encore plus fort que les autres.

Mais Yaja se mettrait bientôt à mordre vraiment. Elle goberait le petit poing du bébé comme un œuf et alors, il serait trop tard. Et lui n'aurait été qu'un spectateur impuissant, au lieu de protéger Babette. Il serait une cloche du même acabit que son père, qui n'avait rien fait pour empêcher maman de mourir. Et une andouille à la vue basse comme tante Gwen qui se révélait trop égoïste pour prendre conscience du danger que courait son enfant. En fait, elle méritait que Yaja dévore Babette. Elle comprendrait à son tour ce que l'on ressentait lorsqu'on perdait quelqu'un.

Ne se trouvait-il donc personne ici qui puisse l'aider, quelqu'un avec des muscles, quelqu'un avec du courage, du bon sens ou des idées claires ? Oui, oncle Timo, mais il dormait, les bras croisés sur la poitrine et une épaule trempée par le contenu d'un verre de vin renversé malencontreusement.

Et Leander. Il ne fallait pas oublier Leander. Il contemplait le lointain, les jambes croisées et les mains sur les cuisses.

Niels s'efforça de suivre son regard. Leander scrutait un objet précis, cela paraissait évident. Et il n'était pas né de la dernière pluie, il *savait* des choses. Il savait qu'il suffisait de former un souhait, un souhait dans la réalisation duquel on s'engageait corps et âme, pour acquérir tout de suite une puissance si grande que le monde obtempérait à votre désir. Que ne pouvait-on demander avec un peu d'entraînement ? Pendant un instant, Niels se recroquevilla d'espérance. Mais la mort, c'était pour toujours. Aucun champ morphologique ne pouvait s'y opposer.

— Il ne faudra pas oublier de noter ce soir tous les événements de la journée dans notre journal des vacances, dit Gwen tandis qu'elle se servait un nouveau verre. Qu'en dis-tu, Niels ? C'est ce que nous faisons toujours.

Il inspira profondément l'air dans ses poumons. Le journal des vacances était une idée de sa mère, pas de

Gwen. Elle ne se souvenait apparemment même plus que sa mère ait jamais existé. Sa décision fut prise sans attendre. Il allait lui donner une petite leçon.

Gwen aurait pu s'arracher mille fois les cheveux en y repensant. Si seulement elle avait pris ses pressentiments au sérieux. Si seulement elle avait écouté son cœur. Mais lorsqu'elle s'en était ouverte à l'un des inspecteurs, il s'était contenté de la regarder d'un drôle d'air.

Il s'était par ailleurs montré si gentil, de même que son collègue à qui manquait une canine ; elle ne pouvait s'empêcher de penser à chaque fois au sympathique zozoteur qui louait des barques sur la berge du canal. Elle avait relaté aux deux inspecteurs le déroulement de l'après-midi en fournissant autant de détails que possible, dans la mesure où elle s'en souvenait. Les soucis ne manquaient pas lorsqu'on sortait avec autant de monde. À chaque instant, une dispute éclatait entre les enfants qu'il fallait apaiser, un ballon que l'on avait pris soin d'emporter disparaissait, un verre à vin finissait en morceaux. En tout cas, il semblait établi qu'une fois les glacières soulagées de leurs victuailles, Timo s'était rendu à l'étang avec les Anges pour se baigner. Bobbie et les benjamines avaient déployé des trésors d'énergie dans un jeu qui avait pour but de jeter l'autre à terre le plus souvent possible. Laurens avait exploré le pré en traînant des pieds, l'âme en peine et l'esprit torturé. Ses fils avaient grimpé dans un des grands marronniers, disparaissant à la vue sous le couvert du feuillage. Beatrijs s'était endormie en plein soleil. Yaja, un casque sur les oreilles, écoutait les ululements d'une femme à la voix stridente. Elle-même avait fait quelques pas avec Leander en direction de l'eau pour se dégourdir les jambes. Personne ne se souciait de lui, ce qui manquait vraiment de délicatesse.

Entre-temps, la foule avait grossi sur l'aire de loisirs, bien sûr, car c'était un dimanche après-midi. Il fallait se frayer un chemin parmi les estivants qui paressaient et les enfants courant de tous côtés. Timo et les filles ne se trouvaient plus dans l'eau, ils s'étaient probablement ratés de peu.

La raison pour laquelle Leander et elle avaient tant tardé à revenir lui échappait totalement. Elle ne s'était tout simplement pas rendu compte du temps qui passait. Peut-être était-ce parce qu'il lui avait longuement parlé de son travail et que, de manière inattendue, le sujet s'était montré fort intéressant. Ou peut-être ressentait-elle tout simplement la satisfaction d'être libérée pour une fois de la horde habituelle.

Au moment où Leander et elle étaient enfin revenus sur leurs pas, il ne restait plus de toute la compagnie que Laurens. Il fut à même de les informer que Yaja était partie la première, bâillant d'ennui à se décrocher la mâchoire. Les benjamines s'étaient lassées, elles aussi, et avaient convaincu Bobbie de rentrer pour faire des crêpes. La proposition n'avait pas échappé aux oreilles intéressées de Toby et Niels. Peu de temps après, Beatrijs s'était réveillée en sursaut et avait filé comme une flèche, car elle pensait, apprit-on par la suite, que Leander l'attendait déjà à la maison. Et une demi-heure plus tard, Timo s'en était retourné avec les Anges mouillées parce que les nuages commençaient à s'amonceler. Ce qui laissait Laurens seul derrière.

Elle aurait dû se méfier, bien sûr. Mais elle n'eut pas l'occasion de rassembler ses pensées avec Leander et Laurens si près l'un de l'autre. Pour éviter que ces deux-là n'en viennent aux mains, elle avait parlé des cours de judo de Marleen et de Marise sans s'interrompre tout au long du trajet jusqu'à la maison. Combien il se révélait utile pour les petites filles d'apprendre à se défendre, mais quel dommage que cela soit nécessaire.

La vérité n'apparut qu'une fois tout le monde rentré, lorsque l'heure vint de préparer le repas du bébé. Elle était partie du principe, ce qui allait de soi, que Timo l'avait emporté dans le sac kangourou. Ou Bobbie. Ou Beatrijs. Ou Yaja, qui avait tourné les talons la première.

Mais avec le même sentiment d'évidence, chacun de son côté avait supposé que Babette était restée avec elle durant tout l'après-midi.

Trois est un nombre sacré

Les poings pressés contre ses yeux, Laurens se trouvait dans le salon rarement utilisé, assis sur un canapé préhistorique qui venait des parents de Timo, obsédé par la certitude qu'il avait été le dernier à voir Babette gazouillant joyeusement sur le plaid, protégée du soleil par un petit chapeau vert comme un bouquet de persil.

Il avait encore entendu Gwen adresser quelques paroles au bébé avant de commencer sa promenade vers l'étang. « Maman revient tout de suite », une phrase de ce style. La chose a donc dû se produire peu de temps après, en tout cas avant que Timo et les Anges ne soient revenus à l'endroit où ils avaient pris le pique-nique et aient admis comme une évidence l'idée de Gwen emportant Babette pour se promener. Anéanti, il se dit : Comment est-il possible que je ne me sois pas rendu compte de l'absence du bout de chou, comment n'ai-je pas ressenti son absence ?

On lisait parfois dans le journal qu'un bébé avait été enlevé en plein jour, arraché de son landau laissé trente secondes sans surveillance à l'entrée d'un magasin, ou même de la couveuse dans un hôpital. Un pré encombré par des vacanciers tout à leurs jeux et à leurs activités sportives, et que bordait fort à propos

92

une piste cyclable, ne devait donc guère poser de problèmes.

Dans le rôle du malfaiteur, on trouvait la plupart du temps de pauvres êtres déboussolés.

Que faisaient ces laissés-pour-compte d'un bébé qui ne leur appartenait pas ? Jouer avec comme s'il s'agissait d'une poupée vivante ? Peigner ses petits cheveux, l'habiller et le déshabiller, lui donner le biberon, et puis se décourager lorsque l'enfant ne cessait de pleurer et de brailler, de couiner, de hurler ? Et alors quoi ? Le rapporter à l'endroit où on l'avait soi-disant trouvé ? Une personne assez dérangée pour s'emparer de l'enfant d'un autre s'en montrerait-elle capable ?

Mais il y avait d'autres scénarios. Les malades mentaux dépressifs n'étaient pas les seuls à battre le pavé des rues, les réseaux de la pornographie enfantine existaient également, opérant avec autant de ruse que d'efficacité à partir de la cave d'une villa cossue ou d'un immeuble dans une ville nouvelle, juste sous votre nez et pourtant invisibles. Et il ne fallait pas oublier le trafic d'organes, peut-être pas dans ce pays, mais on franchissait les frontières comme on voulait avec un bébé, avec un bébé au complet, avec son cœur battant vaillamment, son foie précieux et en bonne santé, sa peau parfaite et ses petites cornées. De plus, ils avaient la réputation, en Afrique, d'être le remède ultime contre le sida. Qui avait là-bas des relations sexuelles avec un bébé, se souvenait-il avoir vu à la télévision, se considérait comme instantanément purifié et indemne de toute contamination. Et s'ils réussissaient, à six ou à sept, à mettre la main sur un enfant, on pouvait.

Stop.

Interpol et les pays de l'espace Schengen étaient déjà

alertés. La police avait emporté dès le début une taie et un bavoir de Babette afin d'établir son empreinte génétique grâce à l'ADN. Les inspecteurs, des spécialistes donnant le sentiment de savoir ce qu'ils faisaient, leur avaient assuré que ces mesures constituaient la première étape de la procédure standard en cas de disparition d'un nouveau-né. Ils se trouvaient également bien placés pour savoir que de telles précautions n'avaient rien de superflu. Eux qui connaissaient le mal de ce bas monde comme le fond de leur poche.

Il s'agissait à présent d'attendre la brigade canine et les plongeurs, car on ne pouvait exclure une noyade dans l'étang. Il regarda sa montre. Presque sept heures et demie. Quelque part dans la maison, il entendit la voix de Gwen qui s'emportait contre Timo et lui lançait des reproches. Il en fut très affecté.

Les Anges passaient sans doute les alentours au peigne fin, armées de javelots et de haches, entraînant dans leur sillage Klaar et Karianne. Ramener les filles à la maison, les calmer et les mettre au lit, c'était bien le moins qu'il puisse faire. Il en profiterait pour border ses deux garçons. Tandis qu'il se levait du canapé, il aperçut sur le manteau de la cheminée une rangée de photographies.

Voilà Babette, à peine âgée d'une heure, le visage encore informe juste après la naissance. Elle avait le crâne pointu et beaucoup trop de peau, comme une poire fripée. Les formes s'affirmaient ensuite d'elles-mêmes, même si les parents ne pouvaient pas s'empêcher de presser et modeler en cachette la petite tête. Voici le premier sourire de Babette, une expérience inoubliable pour elle aussi, à voir son expression. Et là, en plein cadre, son minois aux yeux clairs et éveillés, juste sous le bord d'un bonnet en laine.

Elle le fit penser à Veronica. Cela ne l'avait jamais frappé jusqu'à présent, mais elle jouait du regard comme Veronica : elle observait le monde en rayonnant d'une joie contenue.

Il se laissa retomber sur le canapé. Maintenant il reconnaissait sa femme sous les traits d'un nourrisson. Il ne faudrait pas aller beaucoup plus loin. La vérité n'était-elle pas qu'il n'avait prêté attention à rien durant tout l'après-midi passé aux abords de l'étang, parce que toutes ses pensées allaient vers elle ?

La porte s'ouvrit brusquement. Beatrijs entra dans la pièce. Elle ne se rendit pas compte de sa présence. Concentrée sur le but de sa venue, elle se dirigea vers la cheminée et prit les photos de Babette. Puis, ne regardant ni à droite, ni à gauche, elle quitta de nouveau la pièce.

Laurens cligna des yeux. Il se sentit invisible, une sensation étrange et déplaisante. Ou peut-être se sentait-il tout simplement vulnérable. Il se leva et sortit du salon sur les pas de Beatrijs.

La maison était redevenue silencieuse. Nulle voix accusatrice ou désespérée ne se faisait entendre. Le téléphone sonna une fois et quelqu'un décrocha immédiatement.

Arrivé dans la cuisine, Laurens trouva seulement Timo qui venait de raccrocher le combiné.

— Ce n'est rien. Une amie de Marleen.

Il avait la voix enrouée. Ses paupières étaient gonflées. Plus rien en lui ne rappelait l'insouciance du gamin d'autrefois.

— Je n'ai toujours pas compris pourquoi ils ne font pas venir les hélicoptères.

Laurens répondit avec un air misérable :

— Parce que ça a dû se produire il y a des heures.

L'un de ces types avait bien dit qu'ils n'en feraient usage que si...

— Laurens, je t'en prie, réfléchis bien, une fois encore !

Il déplaçait son poids d'une jambe sur l'autre avant de répondre.

— Cela grouillait de gens partout là-bas, des enfants jouaient dans tous les coins ; tu ne t'en es peut-être pas rendu compte en étant dans l'eau, on se marchait dessus, et partout un boucan insupportable, et des cris et des rires et de la musique, des mobylettes ; de quoi être sonné, je t'assure.

— Désolé, dit Timo après un silence. Sa bouche se crispa sous les efforts qu'il devait déployer pour se maîtriser. Personne ne t'avait désigné pour faire le baby-sitter, ne te méprends pas sur mes intentions. Malgré tout, une nouvelle fois, il est possible que tu aies remarqué un détail inhabituel, qui sorte de l'ordinaire, une personne traînant depuis un certain temps près de là, je ne sais pas moi.

Il porta une main à ses yeux.

Timo, mon vieux, tu verras, dans pas longtemps, c'est ainsi que cela se passe, ne pensons pas tout de suite au pire, pensons plutôt... Il cherchait vainement ses mots. Été après été, c'étaient les femmes qui abordaient les sujets délicats, tard le soir, tandis que Timo, Frank et lui allaient chercher à la cuisine la suite des amuse-gueules pour l'apéritif, garnissaient les toasts d'une tranche de saumon, surveillaient le niveau des verres ou, tout simplement, se laissaient confortablement aller en arrière. Pas un sujet, pratiquement, n'avait été laissé de côté dans cette maison, mais eux, les hommes, avaient pour l'essentiel écouté avec bienveillance, non sans une pointe d'inquiétude toutefois, craignant la question qui menaçait à tout instant : « Et toi ? t'en penses quoi ? Hé ! Ne reste pas muet comme une carpe ! » Que savait-il vraiment de Timo, après toutes ces années ? Peut-être désirait-il surtout qu'on le laissât tranquille dans un moment pareil.

Laurens n'osa pas aller vers lui et passer un bras autour de ses épaules. Après un temps qui parut durer une éternité, il demanda gauchement :

— Tu as mangé quelque chose ?

Comme Timo ne manifestait aucune réaction, il se dirigea, tout aussi silencieux, vers le réfrigérateur où il prit du beurre et du fromage. Il prépara une double tartine, comme celles que ses fils préféraient. Il la coupa en deux puis, après une légère hésitation, une seconde fois, dans l'autre sens. Une fois l'assiette posée sur la table, il plaça à côté un verre de lait.

Le silence profond dans lequel se trouvait plongée la maison le frappa de nouveau. Plus encore, aucun bruit ne lui parvenait du jardin. Non seulement la souriante Babette semblait avoir disparu de la surface de la terre, mais tous les autres avec elle. Il sortit pour prendre la mesure de la situation.

Leander avait étalé les photographies de Babette devant lui, sur la terrasse. Debout à côté de lui, Beatrijs et Gwen se tenaient la main et écarquillaient les yeux. Bobbie était également présente, mais elle gardait une distance prudente, se réfugiant dans un piétinement indécis. Laurens s'immobilisa et observa la scène bouche bée.

Leander effleura les photos avec l'extrémité de ses doigts. Il était d'une pâleur de cire. Une grosse goutte de sueur perlait sur une tempe. Sa concentration se révélait si grande qu'il paraissait avoir cessé de respirer. Il avait fixé son regard sur un point éloigné et n'en déviait pas.

Le silence était si complet sur la terrasse que l'on entendait même le vrombissement des abeilles de Timo ; un bruit qui prenait des airs de défi, comme si les abeilles cherchaient à leur signifier qu'elles seraient toujours présentes et ne cesseraient de distiller le miel et produire de la cire, quoi qu'il puisse arriver.

Soudain, Leander dit d'une voix légèrement enrouée :

— Je vois de l'eau.

— De l'eau ? reprit Gwen sur un ton assourdi. Tu parles de l'étang ?

Leander secoua la tête. Il palpa la photographie représentant Babette à la naissance.

Beatrijs chuchota :

— Quelle eau alors ?

— Ils nagent très bien, en tout cas, affirma Bobbie en élevant la voix. Elle croisa les bras et les observa en fronçant les sourcils, son regard allait de l'un à l'autre : Ce n'est pas un peu d'eau qui risque de les...

— Chut, Bobbie, dit Beatrijs.

Mais la transe de Leander, ou quel que soit le terme approprié, était déjà rompue. Il considéra Bobbie avec un regard légèrement trouble : « Nager ? »

Les bras de Bobbie retombèrent mollement le long de son corps. Elle fixa le sol avec une mine craintive.

Laurens fit un pas en avant, luttant contre l'envie de renverser la table avec les photos et tout le reste. L'escroc. Le charlatan.

— Pour sûr qu'ils savent nager, gronda-t-il.

— Ne dis pas de bêtises, fit Beatrijs, inquiète. Nous nous livrons ici à une tentative sérieuse pour donner un coup de main.

— Gwennie, dit Laurens en faisant comme s'il n'avait rien entendu, ne rentre pas dans ce jeu, je t'en prie. Avec ce genre d'expériences, on ne peut s'attendre qu'à des ennuis et de la paranoïa et...

Gwen le regarda comme s'il était un étranger. Sa bouche large et généreuse tremblait. Une traînée verdâtre lui souillait la joue. Elle lui dit avec un air hébété : « Où est Timo ? Il doit entendre ça, lui aussi. » Sur ces mots, elle entra dans la maison, passant tout près de lui.

Durant ce bref instant, il sentit l'odeur salée de son corps. Toute sa combativité l'abandonna. Il voulait simplement l'aider. Comment pourrait-il jamais réparer l'inattention qui l'avait empêché de remarquer l'absence de Babette ? Combien de temps précieux n'avait-on pas perdu à cause de lui ?

Leander essuya la sueur de ses tempes.

— Que voulais-tu dire, Laurens, avec ta remarque sur les bébés qui nagent ?

Il respira profondément.

— C'est quand ils viennent de naître, tout le monde sait ça à propos des nourrissons ; je ne saurais t'en dire plus, mais on lit ça souvent ; c'est pourquoi on fait les accouchements dans l'eau ; sinon, comment serait-il possible...

Il nota le pli d'autosatisfaction qui se formait progressivement autour de la bouche de Leander. L'enquiquineur l'avait manœuvré. Il avait fait en sorte qu'il lui tienne tout un discours.

— Hmm, fit Leander en réfléchissant, tu mets le doigt sur une lacune dans mes connaissances. D'après toi, est-il possible que j'aie vu de l'eau à cause de la photographie prise juste après la naissance ? Quoi qu'il en soit, c'est un apport constructif, Laurens. Il est parfois difficile, en effet, de déterminer si l'on voit le présent ou le passé du sujet. Je pense que tu as raison, il vaut mieux que j'essaie avec une image plus récente. Merci.

Il prit sur la table le portrait avec le bonnet en laine et se tourna vers Bobbie.

— Celle-ci serait la plus récente, pour autant que tu saches ?

Bobbie rougit comme une tomate. Son visage traduisit la succession rapide de ses émotions.

— Pour autant que je sache, déclara-t-elle en se fâchant, tous les bébés sont d'abord des poissons, avant de devenir des humains.

Elle s'éclaircit la gorge avec une moue dédaigneuse devant tant de sottise, puis elle pivota sur ses talons et disparut en courant. L'audace dont elle venait de faire preuve l'avait sans doute épouvantée.

Laurens se révéla incapable de trouver les mots pour la rassurer, étant lui-même comme paralysé par les manières onctueuses par lesquelles Leander l'avait rendu complice de cette... de cette séance, puisqu'il faut bien l'appeler ainsi.

— Mais enfin, Bobbie, s'il te plaît ! s'exclama Beatrijs en pure perte. Je trouve ça tellement dommage ! dit-elle à Laurens.

— Laisse-la, enfin. C'est normal, ce genre de situation l'angoisse en général.

— Qui ne réagirait pas ainsi ?

Leander étendit ses mains devant lui sur la table.

— Dieu sait ce qu'il faudra bientôt annoncer à Gwen et Timo.

Il inclina la tête et s'abîma dans ses pensées.

Beatrijs vint près de lui et s'accroupit à côté de sa chaise. Des larmes se mirent à couler sur ses joues.

Sans réfléchir, Laurens demanda :

— Comment ça ? Pourquoi envisager tout de suite le pire scénario ? Tu ne disposes d'aucune preuve, pas vrai ?

Il perdit contenance en entendant ses propres paroles. Peut-être était-ce la vérité. Peut-être le destin de Babette se trouvait-il entre les mains de cet homme. Peut-être même pourrait-il effacer, pour ainsi dire, l'inattention dont lui, Laurens, avait fait preuve durant le pique-nique en déterminant l'endroit mystérieux où se trouvait Babette, absolument indemne, prête à se fendre d'un de ses sourires éclatants, les grands yeux rayonnant d'une joie contenue, car personne n'apprendrait jamais quelle fabuleuse aventure elle avait vécue. Une petite fille ayant déjà un secret, un secret qui se dissiperait lentement, même pour elle ; tous les secrets ne se comportaient-ils pas ainsi, avec le temps, lorsqu'on ne les partageait avec personne ?

Beatrijs passa la main sur ses joues.

— Tu entends quoi par « preuve » ? Qu'est-ce que Leander doit encore *prouver* ?

Des taches rouges apparurent sur son cou. Laurens l'avait embrassée un jour à cet endroit, au creux de ce cou moelleux, il y a bien longtemps ; c'était par une soirée d'été, dans le verger qui n'existe plus, moins par désir, en réalité, que par galanterie, car il avait eu le sentiment que l'on perdait beaucoup, en étant femme, à rester avec un comptable un peu racorni comme Frank. Enfin, c'est vrai, engagés sur une si bonne voie, ils avaient développé un enthousiasme certain. Ils s'étaient même mis à tirailler sur leurs vêtements. Elle avait une odeur délicieuse, saine, fraîche, fleurie.

Elle continua sur le même ton désespéré.

— Toi, tu as la profondeur spirituelle... d'une

assiette creuse, tu es au courant ? Une sagesse vieille de plusieurs siècles est ici à l'œuvre, avec des connaissances et une pratique, sur laquelle tu ne trouves rien de mieux à faire que de cracher, n'essaye pas de nier, tu craches dessus, et je vais te dire pourquoi !

Il pensa : « Elle se bat tout simplement pour son bonheur. Comme tout un chacun. » Il se sentit soudain étrangement ému, et lié à elle.

— Parce que t'as la trouille, Laurens !

— Tu sais, Laurens, je pourrais t'aider également, ajouta doucement Leander, presque comme si cela n'avait aucune importance.

Il s'éclaircit la gorge.

— C'est sérieux ?

— Tu souffres.

Afin de se donner une contenance, Laurens passa la main dans ses cheveux.

— Mais tu souffres inutilement.

— Évidemment, c'est facile à dire pour nous, ajouta vivement Beatrijs. Nous nous en rendons bien compte, évidemment, Laurens.

Elle lui lança un pauvre petit sourire noyé en guise d'encouragement, puis tourna de nouveau son regard vers Leander, qui reprit d'un ton solennel :

— Pas une vie ne vient à son terme sans que cette fin ait un sens. Toutes les personnes que nous perdons, nous les perdons uniquement parce qu'on a besoin d'elles ailleurs. Tu dois voir les choses ainsi : cette personne avait accompli la tâche qui était la sienne sur terre et a été appelée là-haut pour se préparer à une nouvelle mission. Tu me suis ? Aucun être humain ne part avant que son heure ne soit arrivée.

Un frisson monta le long de sa colonne vertébrale. Il eut l'impression que les ongles mutins de Veronica venaient lui agacer les vertèbres l'une après l'autre. Cette femme majuscule qui était sienne, cette femme qui n'avait pas son égale, la seule à côté de laquelle il aurait voulu se réveiller chaque matin, car telle avait été leur promesse mutuelle nom de Dieu, Veer, c'était ça notre pacte !

Mal à l'aise, Beatrijs reprit :

— Tu comprends ? Même Babette peut déjà avoir accompli sa tâche ici-bas. Et ensuite elle reviendra parmi nous avec une nouvelle mission et sous une autre apparence. Telle est la consolation qui nous reste dans le pire des cas. C'est ce que Leander dit toujours : jamais une âme ne se perd.

— Tu parles d'une consolation, fit Laurens, les mâchoires serrées. Gwen et Timo ne sont pas au bout de leur bonheur.

Sans plus réfléchir, il quitta la terrasse. Allongeant le pas, il emprunta l'allée gravillonnée qui longeait la maison. Quelques secondes après, il avait quitté le domaine. Le canal s'étendait tout droit devant lui. La nuit n'était toujours pas tombée, mais on sentait la pluie menacer.

Il fallait agir au lieu de se contenter de bavardages et de philosophie à la petite semaine. La réincarnation, c'était bon pour les vacances. Intéressante certes, mais pas lorsqu'une catastrophe se présentait. Il était prêt à tout croire, même que le bénéficiaire d'une vie antérieure avait toujours été un noble chevalier de la Table ronde ou une herboriste pleine de sagesse, jetée sur le bûcher suite à une cabale, et jamais un M. Tartempion qui n'avait pas inventé l'eau chaude. D'accord, d'accord, il n'y avait donc pas, dans les vies antérieures, d'êtres humains normalement constitués ; mais le ton sur lequel tout cela se pratiquait, cette science divine, alors qu'on ne disposait d'aucune connaissance certaine, ni d'aucune connaissance tout court : voilà précisément ce avec quoi on devait trouver un accommodement. Et d'ailleurs, que votre femme ou votre enfant revienne sous une autre apparence, qu'est-ce que cela change ? Qui pourrait trouver là le moindre réconfort ?

Il ne ralentit le pas qu'en atteignant la piste cyclable. L'aire de loisirs se dessinait déjà au loin. Du ruban rouge et blanc barrait l'accès à l'ensemble du pré. Quelques adolescents juchés sur leur vélo observaient le terrain. Laurens se souvint qu'il avait eu l'intention de mettre au lit ses propres enfants ainsi que les jumelles. Yaja se trouvait peut-être avec eux en ce moment et leur lisait une page du *Retour du vampire*.

En s'approchant, il reconnut Bobbie qui s'était mêlée aux ados. Elle était lancée dans une vive discussion avec un des policiers postés de l'autre côté du ruban. Il s'avança rapidement et posa la main sur son épaule. Elle le regarda comme si elle s'était attendue à le voir sur les lieux bien plus tôt. « Explique-leur, toi ! » lui dit-elle.

— Quel est le problème ? demanda-t-il à l'agent, une jeune femme au visage rond et vulnérable.

Elle semblait avoir eu ses seize ans la veille.

— L'accès est interdit pour la famille aussi, répondit-elle. On a dû vous prévenir, je suppose ?

— Mais vous ne connaissez même pas Babette, s'écria Bobbie. Le moment venu, vous ne saurez pas si c'est elle ou pas. Elle portait une petite couverture molletonnée pliée sur son bras.

Il répondit assez niaisement à l'agent : « Cela nous a été dit, en effet. » Ils ne voulaient pas être gênés dans leurs déplacements, ou que l'on efface les traces. Ils ne voulaient pas que l'on voie ce que les plongeurs remonteraient. Ils voulaient tout simplement faire leur travail.

— Mais on ne voit rien d'ici, insista Bobbie. Regarde donc, tout le monde se trouve près de l'étang. Tous ces hommes avec leur...

— Les chiens vont bientôt arriver, dit-il afin de détourner son attention. C'est bien ça, n'est-ce pas ? demanda-t-il à la jeune fille en uniforme.

Au fait, pourquoi n'étaient-ils pas encore sur place, les chiens ? Ne risquait-on pas que les pistes se brouillent, si c'est bien le terme, très vite ? Où donc étaient passés ces deux inspecteurs si raisonnables ? Qui dirigeait les opérations ici ? Au fait, y avait-il bien un chef ? L'équipe se composait-elle seulement d'une bande de blancs becs qui avaient à peine quitté les jupes de leurs mères ?

— Monsieur, nous faisons tout ce que nous pouvons. Vous feriez mieux de rentrer chez vous, je vous assure.

Bobbie prit un ton ironique :

— Tu te rends compte, elle ne me connaît même pas, moi. Elle n'est pas d'ici. Comment veux-tu qu'elle reconnaisse Babette ?

— Nous avons un signalement, madame, répondit la fille gravement.

Laurens considéra la fille sous un jour plus favorable. Elle aurait pu donner une autre réponse : « Il n'y a sûrement pas vingt bébés qui traînent ici, les gens ne sont pas aussi stupides que vous, en général. » Il prit Bobbie par le bras.

— Nous ferions mieux de partir, Bob.

Elle demeura immobile, serrant la couverture contre elle avec un air buté.

105

— Nous appellerons dès que nous aurons du nouveau, je vous le promets, monsieur, dit la fille.

Elle pensait peut-être qu'il était le père.

— Je reste ici, déclara Bobbie et elle se laissa tomber dans l'herbe.

— Du moment que vous restez derrière le ruban.

Laurens imita Bobbie et s'assit.

Bobbie replia les jambes et saisit des deux mains ses orteils.

— Quand je verrai la môme, grommela-t-elle, je risque à coup sûr de l'étouffer entre mes bras. Il vaudrait mieux, je pense, que ce soit toi qui la portes tout à l'heure quand nous rentrerons.

Pour ne pas l'alarmer davantage, il opina du chef.

Tous deux se turent pendant un long moment. On ne distinguait rien de ce qui se passait près de l'eau. Le talkie-walkie de l'agent, qui restait imperturbablement à son poste, crachotait de temps à autre, mais apparemment le bruit ne débouchait jamais sur un message. Les adolescents du début avaient repris leur route depuis longtemps. Un cycliste passait de loin en loin, ou un promeneur avec son chien. Aucun d'eux ne faisait preuve de la moindre curiosité. D'ailleurs, les abords du drame n'avaient rien de spectaculaire. Il n'y avait même pas de voiture avec un gyrophare. Visiblement, le but était de créer le moins de remous possibles. Sinon, on attirait les foules.

— Elle va sûrement refaire surface, dit Laurens.

— Oui, c'est bien la moindre des choses, ça ! Bobbie était indignée. Puis elle eut un rire dédaigneux : Tu t'en es rendu compte aussi, à l'instant ? L'affreux ne connaît strictement rien aux bébés. Même pas qu'ils commencent par être des poissons.

— Seuls les plus malins savent ce genre de choses.

— J'étais peut-être un poisson rouge. Quel dommage, hein, que l'on oublie tout par la suite. Et c'est bizarre, parfois, on garde malgré tout une grosse nostalgie de ce moment.

Il la regarda.

— Ça t'est arrivé aussi ?

— Oh, oui.

Une expression rêveuse apparut sur son visage, comme si elle s'imaginait avant la naissance, flottant béatement dans la tiédeur du liquide maternel.

Lentement, il lui dit :

— Bobbie, est-ce que tu saurais, par hasard, ce que les gens deviennent... après... ?

— Après quoi ?

— Je veux dire, après leur vie d'êtres humains.

Elle réfléchit un instant.

— Un cadavre, pas vrai ?

— Oui, mais après ?

— Ah, après. Après, ils se décomposent, puis ils se retrouvent dans plein d'arbres et d'animaux, et alors ils sont pour ainsi dire partout.

— Pour ainsi dire partout. Sa gorge devint sèche : Oui, c'est un peu ce que je pensais.

— Timo m'a expliqué ces choses un jour. Dis, tu crois que je peux avoir un morceau de ce ruban ?

Il voyait les yeux de Veronica devant lui, rayonnant d'une joie contenue. On ne savait jamais si elle vous prenait tout à fait au sérieux.

Bobbie le tira par la manche.

— Laurens ! Tu as un canif sur toi ?

— Oui.

Il l'avait enterrée lui-même. Du moins, avait-il porté le cercueil et lancé une poignée de terre dans la fosse. Viens, Toby, jette un peu de terre toi aussi, oh là là !

mon ouistiti, n'en mets pas dans tes cheveux, donne-moi ta main, je te tiens bien fort, papa et toi nous allons dire adieu à maman. Adieu. Telle avait été exactement sa pensée.

— Je garderai le ruban pour Babette, comme souvenir. Bobbie écarta les mains et délimita une longueur d'un mètre : Un morceau comme ça, regarde, ça me paraît suffisant.

Babette. Il se leva promptement.

Le ruban était tendu entre des piquets de fer plantés à la hâte dans le sol. Non loin de l'endroit où il se trouvait, une extrémité pendait mollement et effleurait l'herbe. La jeune fille en uniforme se tenait juste à côté, le regard irrité braqué droit devant elle.

— Est-ce que je pourrais…? Il fit un geste avec son canif.

Les joues de l'agent s'empourprèrent.

— Non, monsieur, vous n'avez vraiment pas le droit de passer.

— Un morceau de ruban.

C'était le comble du ridicule, il avait l'air d'un de ces charognards attirés par le spectacle des catastrophes. Il fut sur le point d'ajouter, par manière d'explication, qu'il s'agissait d'un souvenir pour Babette, mais il réussit à tenir sa langue. Il coupa rapidement une section de la bande de plastique.

L'agent ne dit mot, mais ses yeux s'arrondirent en le regardant faire.

— Merci, marmonna Laurens.

Il referma si rapidement le couteau qu'il manqua se couper. Puis il déguerpit comme un voleur.

Bobbie accepta le ruban sans effusion particulière. Elle l'enroula et l'enfouit dans la poche de sa veste.

Il resta immobile.

— Nous devrions partir à présent.

— Crois-moi, il est hors de question que je rentre sans Babette.

— Mais ils ne recherchent ici que des indices, en réalité. Ce qu'ils veulent trouver ici, c'est... l'endroit où ils doivent faire des recherches.

— Quels ballots !

— La nuit va bientôt tomber. Et tu vas te retrouver toute seule.

Mon Dieu, comme c'était méchant. Mais efficace : elle se mit à tripoter nerveusement l'ourlet de la couverture et, la tête basse, se leva presque immédiatement. On lisait sur son visage comme à livre ouvert : même au nom de Babette, la perspective de rester dans l'obscurité lui parut insupportable.

Il lui prit le bras et le passa dans le sien, refusant de voir la honte qui accablait la jeune femme.

— Nous allons rentrer ensemble à la maison et rester à côté du téléphone. Nous attendrons la nuit entière sans nous coucher, avec toutes les lumières allumées. D'accord ?

Elle maugréa sans répondre, puis, à contrecœur, se mit en chemin. Tous les quelques mètres, elle lançait un regard par-dessus son épaule. Si seulement nous étions plus courageux. Si seulement nous étions parfaits. Oh oui, il savait exactement comment elle se sentait : si seulement nous n'étions pas de misérables mortels.

Sur la route longeant le canal, deux voitures bleues, d'aspect identique, vinrent à leur rencontre. Voilà qu'enfin les chiens arrivaient. Une bruine légère se mit à tomber juste à ce moment-là.

Assise à côté du berceau vide aux ganses jaune pâle, Gwen était épuisée. Elle tenait un lange en coton appuyé contre ses seins douloureux. Elle avait deux tétées de retard et perdait du lait comme une fontaine, mais cela ne représentait rien à côté des coliques dont souffrirait son enfant après avoir été nourrie au biberon. Du moins, si quelqu'un lui donnait à manger. Si...

Quel genre de mère était-elle donc pour laisser sa petite fille sans surveillance alors que la foule se pressait sur le terrain de jeux ?

Babette avait aussi un papa, heureusement. Timo trouvait une solution pour chaque problème ; il était comme ça, Tiem. Il avait fait preuve de tant de bon sens dans sa description des caméras à infrarouge et des hélicoptères. Il lui manquait terriblement, mais elle l'avait elle-même envoyé à la pharmacie de garde pour acheter un de ces petits appareils commodes permettant de tirer le lait maternel.

On finissait toujours par se retrouver bien seule.

Tout son corps était sous tension. La moindre fibre, la moindre cellule réclamait Babette. Babette à qui elle aurait dû donner le nom de Victoria. Où se trouvait-elle, sa petite fille ? Et avec qui ?

Du calme, mon cœur qui bat la chamade, du calme. Nous attendons, nous ne bougeons pas. Nous attendons sans bouger.

Cette impossibilité d'entreprendre la moindre action !

Elle pensa dans un élan impétueux, sans savoir à qui elle s'adressait : Aie pitié de nous, accorde-nous ta miséricorde.

Attendre. S'il était question d'une rançon, Beatrijs n'hésiterait pas à les aider. Elle gagnait des mille et des cents avec sa galerie et pas l'ombre d'une personne à charge. Oui, elle pourrait compter sur Bea. Allait-on seulement leur demander de l'argent ? Était-ce même probable ? Cela n'arrivait-il pas que chez les gens riches à millions ?

Elle fixa ses ongles dont le bord était encore friable à cause de la grossesse. Babette lui avait pris tout son calcium pour dresser une colonne vertébrale bien droite et des os solides. Comme tu es gaillarde, ma fille.

Sa fille pourrait être morte et le monde ne cesserait pas de tourner.

Non, pensa-t-elle, je l'aurais senti, je l'aurais su. Leander, n'en avait-il pas donné la confirmation ? Il avait affirmé qu'elle vivait encore, il l'avait vue de ses propres yeux aussi distinctement qu'il était possible de voir. Ses orteils qui se recroquevillaient toujours de joie. Ses petits poings qui s'ouvraient et se refermaient. « Elle est encore parmi nous », avait-il dit ; il l'avait dit à elle et à Timo sans marquer la moindre hésitation. Sa voix posée retentissait encore dans sa tête. Elle est encore parmi nous.

Ils lui avaient donné l'élastique avec les canards de plastique et le lapin en peluche qui ne quittait jamais Babette lorsqu'elle était dans son berceau. Il emporterait ces pauvres choses dans la nuit, comme il disait, car telle était sa façon de procéder. La nuit porte conseil. Elle est encore parmi nous.

Des pas précipités dans l'escalier la firent sursauter. Ce devait être Timo, avec le tire-lait. Son débardeur avait absorbé tant de lait durant l'attente qu'il était trempé.

Mais ce fut Yaja qui entra dans la chambre d'enfant, les yeux brillants.

— Babette est passée à la télévision.

Gwen se leva d'un bond.

— Ils l'ont trouvée ? Elle est avec eux ?

— Non, bien sûr que non, c'était juste sa photo. Ils ont montré la photo pendant un de ces flashs spéciaux de la police. T'imagines ! Juste avant la diffusion de *Costa* !

Gwen dut prendre appui sur le bord du berceau, tant le passage du désespoir à un soulagement immense puis de nouveau à la détresse s'était opéré rapidement. Un voile se forma devant ses yeux. Durant un bref instant, elle pensa s'évanouir.

Les lèvres rouge sang de Yaja bougeaient toujours.

— ... heure de grande écoute, donc ne t'en fais pas que tout le pays a vu passer l'info. Ça m'a fait halluciner, je te jure, halluciner ! En moins de temps qu'il ne faut pour le dire, nous aurons les journalistes à la porte.

Gwen porta la main à son front moite.

— Des journalistes ?

— À cause des fuites bien sûr, tout le monde aura votre adresse.

— Mais je ne veux rien de tout cela, bredouilla-t-elle.

— Il vaut mieux accepter de parler à la presse, tu sais, ce serait dommage de la monter contre soi.

Toute la nonchalance de Yaja s'était évaporée, plus de mauvaise humeur. Elle crépitait d'énergie de la tête aux pieds.

Gwen se mit à trembler. Elle serra ses mains l'une dans l'autre pour ne pas envoyer une gifle sur le visage avide et blafard de l'adolescente. Seule l'excitation comptait pour Yaja. Enfin il se produisait quelque chose. Enfin de l'action. Qui sait ce qu'une gamine exclusivement intéressée par sa petite personne ne ferait pas pour se changer les idées. Elle aurait pu décider de voler Babette rien que pour créer un peu d'animation autour d'elle ! N'avait-elle pas multiplié les allusions, suggéré que le bébé, elle l'aurait... Bon sang ! Elle avait été la première à quitter le terrain du pique-nique, elle avait emporté Babette et pris tout son temps pour la dissimuler quelque part ! Pour rien, juste pour rigoler ! Pour le vacarme des sirènes, les photographes de presse et le journal télévisé.

Elle attrapa la fille par les épaules et, hors d'elle, se mit à la secouer comme un prunier.

— Qu'est-ce que tu as fait de Babette ? Où est-elle ?

Yaja hurla. Ses cheveux fouettaient l'air de gauche à droite, son unique boucle d'oreille vola.

— On n'est pas en train de jouer, nom de Dieu ! Où l'as-tu cachée ?

Yaja réussit à se dégager.

— Lâche-moi ! glapit-elle. Va te faire soigner, espèce de folle !

Elle rafla sa pendeloque tombée à terre, ouvrit la porte d'une poussée et s'enfuit de la chambre.

Hors d'haleine, Gwen s'appuya contre la commode. Son cœur cognait douloureusement dans sa poitrine. Il lui fallut plusieurs minutes avant de se ressaisir. Lorsque la colère eut reflué, elle s'assit de nouveau près du berceau, sous la fenêtre. D'une main mal assurée, elle redressa la couette décorée d'oursons. Pourvu que Yaja ne se rende pas directement auprès de Leander pour se plaindre. Il comprendrait son emportement, espérait-elle. La tension. L'épouvantable incertitude. Mais n'avait-il pas précisément apaisé celle-ci par un message réconfortant ? Il finirait par penser qu'elle ne l'avait pas cru. Elle enfouit son visage entre ses mains et se berça d'avant en arrière. Elle ne pouvait pas se permettre de s'en faire un ennemi. Elle dépendait de lui pour retrouver son enfant.

« Elle est encore parmi nous. » Il avait une voix qui vous calmait rien qu'à l'entendre. Et de belles mains également. Des mains sensibles.

Soudain, son désir de voir Timo revenir décupla. Mais où diable se trouvait donc cette pharmacie pour que cela dure ainsi ? À son encontre aussi, elle s'était montrée excessive. Personne ne la reconnaissait dans de telles attitudes, et elle encore moins que les autres. Elle n'avait jamais compris pourquoi les gens en arrivaient à se disputer.

— Tu veux une nouvelle tasse de thé ? demanda Beatrijs en passant la tête par l'entrebâillement de la porte.

— Oh, Bea ! Dieu merci. Non, viens plutôt t'asseoir à côté de moi un moment.

Beatrijs s'installa sur l'appui de la fenêtre et, sans ambages, se mit à masser les épaules de Gwen d'une main ferme et calme.

— Quel cauchemar, fit-elle doucement, quel cauchemar, Gwen.

— Tu as entendu lorsque je me suis énervée, à l'instant ? marmonna-t-elle en fermant les yeux.

— Non. La pression était trop forte et tu as dû crier pour lâcher de la vapeur ?

— Oui, on peut présenter les choses ainsi.

— Personne ne te fera le moindre reproche pour ça. En pilotage automatique, elle demanda :

— Tu as réussi à coucher les enfants ?

— Il a fallu se bagarrer. Rien n'a pu les convaincre d'aller au lit, jusqu'à ce que l'idée me soit venue de les mettre tous les six dans la chambre de Marleen et Marise. Des bravades et des mensonges à la pelle évidemment, mais, en attendant, ce sont juste de petits poussins effrayés. J'ai donc déménagé pas mal de matelas.

— Toi, au moins, tu rends service à ton prochain. Surtout quand le prochain est en bas âge.

— Tu veux que je m'occupe aussi de tes pieds ?

Sans ouvrir les yeux, Gwen se retourna. Elle se débarrassa de ses pantoufles d'un mouvement de cheville et posa les pieds sur les genoux de Beatrijs. Celle-ci commença par exercer de petites tractions soigneusement dosées sur chaque orteil, en les prenant un par un. L'effet se révéla si bienfaisant qu'elle en gémit presque de plaisir.

— Tu ne veux pas prendre le temps de t'étendre ? Essayer de faire un somme ?

— Je n'arriverai pas malgré tout à dormir.

— Tu sais ce que Veronica dirait maintenant ?

— Oui. À défaut de dormir, au moins tu te seras reposée.

Toutes deux partirent d'un rire à demi étouffé.

— Ne te rends jamais à la cuisine les mains vides ! cita Beatrijs. Elle adorait toutes ces maximes du bon vieux temps.

— Et les théories qu'elle développait. À son corps défendant, Gwen sentit son attention se divertir : Tu te rappelles celle concernant les enfants ? Selon Vero, les bébés ressemblent toujours le plus à leur père, juste après la naissance. Ce serait dû à un stratagème de la nature dont le but est de convaincre les hommes de leur paternité. Les enfants ne prennent leur véritable visage qu'une fois sortis des langes.

— Eh bien, cela ne s'est pas avéré pour les siens. Niels et Toby sont encore le portrait tout craché de leur père.

— De quoi rassurer Laurens. Une femme solide comme un roc, notre Vero.

— Mmm…, fit Beatrijs.

Gwen ouvrit les yeux.

— Qu'est-ce que tu caches ! Raconte-moi.

— Rien, répondit Beatrijs, mais son attitude montrait qu'il aurait suffi de pas grand-chose pour la décider.

Allons-nous vraiment faire les commères, pensa Gwen, en de pareilles circonstances et aux dépens de Vero par-dessus le marché ? Effrayée par sa propre réaction, elle retira ses pieds des mains de Beatrijs. Elle se leva. Elle alla vers la commode et se mit à plier de nouveau une pile de petits bodies.

— S'ils exigent une rançon, dit-elle sans oser regarder son amie, nous serons peut-être obligés de faire appel à toi.

— Cela va de soi. J'y avais déjà pensé. Ne te fais donc pas de soucis pour ces détails.

— C'est vrai ? Elle se retourna. Tu y avais déjà pensé ?

L'hypothèse comptait donc réellement parmi les possibilités. À tout instant, il pouvait arriver une lettre composée de mots épars, découpés dans des titres de journaux. Ou on les appellerait au téléphone à partir un numéro impossible à identifier. C'était possible. C'était vraiment possible.

Elle pressa les mains contre son débardeur mouillé et se mit à pleurer.

Niels et Toby étaient étendus sur leur matelas à côté du lit de Marleen. Klaar et Karianne se trouvaient installées près de celui de Marise. Couchés sur le ventre, ils travaillaient dur, très dur même, les doigts crispés sur leurs feutres.

Dès que Niels levait les yeux et voyait les joues inondées de larmes des jumelles, son estomac se nouait et, en même temps, une excitation s'emparait de lui qui le rendait à moitié fou. Il ne comprenait pas tous les tenants et les aboutissants, mais il avait réussi. Réussi d'une certaine manière en tout cas, puisque, à bien y regarder, il s'était donné pour but, en s'engageant avec toute la force de son âme, de mettre Babette hors de portée de Yaja. Il aurait fallu les entendre, ces idiotes, si Yaja avait dévoré Babette comme une côtelette d'agneau ! Il avait sauvé la vie de Babette. Il serait dorénavant célèbre pour être ce garçon si exceptionnel qui a su prendre la bonne décision face au danger. Ces gamines stupides n'avaient vraiment aucune raison de pleurnicher ainsi. Une sœur envolée, pas de quoi en faire une histoire. Fallait-il donc que Toby et lui soient les seuls à avoir perdu quelqu'un ?

Mais il n'avait pas été dans ses intentions que Babette reste introuvable, vraiment pas. À un moment ou à un autre, il avait dû faire une erreur. Il envoya un coup de poing dans son oreiller. L'âme en peine, il se remit au travail.

L'idée de faire des affichettes venait des Anges. Un an plus tôt, cette méthode avait permis de retrouver leur chat. Avant demain matin, leur appel serait placardé sur tous les arbres et tous les lampadaires bordant le canal. La lampe de poche était prête. Et les imperméables aussi, car la pluie tombait en trombes à présent, de vraies cataractes.

Les tâches avaient été réparties après mûre réflexion, de même que les feutres. Marleen et Marise écrivaient aussi gros que possible « Qui a vu notre petite sœur ? », en haut de chaque feuille. Dessous, Klaar et Karianne dessinaient le portrait de Babette, dont la physionomie fluctuait d'un exemplaire à l'autre. Niels ajoutait enfin le numéro de téléphone et laissait à Toby, qui n'avait pas encore appris à écrire, le soin de placer un trait épais dessous.

— C'est beau, hein ? demandait à chaque fois le petit frère.

— Magnifique, répondait alors l'aîné, distrait et anxieux.

— Mince, dit Marleen, il n'y a plus de papier.

— Nous en avons déjà tout plein, fit Marise.

À peine les filles avaient-elles commencé de ranger les dessins terminés dans une pochette en plastique que la porte de la chambre parut exploser. Yaja fit son entrée. D'un pas lent et étudié, elle s'avança entre les matelas. Elle les surplombait comme une tour. Elle portait des bottines noires à bout pointu, aux talons abîmés. Le genre de chaussures qui donnait, une fois de plus, toute la mesure de ce dont elle était capable. Elle ressemblait à ces ombres que Niels ne rencontrait que dans ces rêves qu'il s'efforçait d'oublier, le plus vite possible de préférence, ces rêves dans lesquels un agresseur se cachait derrière chaque porte entrouverte, derrière chaque fenêtre rendue opaque par la buée.

— Qu'est-ce que tu fais ici ? demanda Marleen d'un ton combatif.

Yaja s'immobilisa au milieu de la chambre, les mains sur les hanches.

— Votre mère est siphonnée grave. Elle m'a crié après comme si j'avais assassiné Babette.

De fureur, elle planta la pointe de sa botte dans le premier matelas à sa portée, celui de Karianne.

— Et elle a arraché ma boucle d'oreille ! Regardez-moi ça !

Marleen bascula les jambes par-dessus le rebord de son lit et fonça vers elle.

— Ah oui ? Ah oui ? Et qui nous dit que tu es aussi innocente que tu le prétends ? C'est bien toi qui voulais emmener Babette chez toi ?

Marise se leva d'un bond, elle aussi.

— Et comme tu n'avais pas de droit de la prendre, tu en as bien sûr profité pour...

— Nom d'un chien ! Vous n'allez pas vous y mettre, vous aussi ?

— Tu n'as pas de petite sœur, pas vrai ? C'est pour ça que tu voulais piquer la nôtre !

Yaja regarda ses ongles.

— À quoi cela m'avancerait de la bousiller, c'te mioche ? Relax, ma vieille. On peut trouver des choses plus amusantes à faire avec un bébé.

Les Anges échangèrent des regards farouches en arrondissant les sourcils.

— Alors prouve-le !

— Prouver quoi ?

— Que tu n'as pas zigouillé Babette.

L'ombre d'un sourire apparut sur le visage de Yaja.

— Redescends sur terre. Zigouiller, ça, c'est bon pour les Yougos. Avec des cagoules, tu vois le genre. Elle forma de ses mains un carré qu'elle plaça devant ses yeux. Puis, déjà saisie par un ennui abyssal, elle reprit : « D'accord, je le prouverai. C'est pas un problème. » Elle tourna la tête et parcourut la chambre avec un regard interrogateur.

Niels tira Toby contre lui. N'osant même plus respirer, il attendit le moment où les yeux tapis au fond des grottes à stalactites se poseraient sur lui ; ils s'éclaireraient alors d'une lueur mauvaise : Lui, là-bas. Il a tout manigancé.

Mais, tout en cherchant autour d'elle, Yaja demanda :

— Il n'y a pas un verre par ici ?

Les Anges étaient visiblement prises dans un dilemme. Ne devaient-elles pas donner une bonne correction à cette chipie ? Apparemment, la curiosité l'emporta car Marleen répondit en maugréant :

— Là, près du lavabo.

Les bottines de Yaja passèrent si près de ses mains, que Niels dû replier ses doigts. On entendit des cliquetis et un bruit d'éclaboussures. Lorsqu'il osa de nouveau lever les yeux, Yaja était revenue avec un verre soigneusement rincé.

— Faites donc de la place sur cette table, dit-elle sans hausser la voix.

Pour une raison mystérieuse, ces mots scellèrent de manière irrémédiable la position de Yaja qui devint le chef incontesté du groupe.

À contrecœur, Niels aida à tirer les matelas de côté. Puis ils traînèrent la table pleine de marques de coups, d'autocollants et de taches de colle, au milieu de la chambre.

Yaja fit un mouvement circulaire avec son index.

— Tous autour. Oui, vous aussi, les zozos.

Avec les jambes comme du coton, Niels vint se placer à côté des sœurs tout en serrant fort la main de Toby.

Yaja posa le verre sur la table, tête en bas.

— Si tu essaies de nous mener en bateau, t'es morte, dit Marleen.

Yaja passa la pointe de sa langue sur ses lèvres pour les humecter. Elle lissa ses cheveux raides derrière ses oreilles. Et recommença. D'une voix aiguë, elle s'écria enfin :

— Qu'est-ce que je viens de dire ? Comme si j'étais capable de faire du mal à Babette ! Au contraire, je me serais superbien occupée d'elle. J'en connais un rayon côté biberons et tout ça, vous pouvez me croire. Seulement là, personne me demande de prouver quoi que ce soit. Bande d'abrutis. Vous avez le cerveau en compote ou quoi ?

Puis elle disparut du cercle sans prévenir. La lumière s'éteignit aussitôt.

Dans l'obscurité soudain totale, la voix de Klaar s'éleva :

— Yaja, où est-elle pass...

— Chut ! intima Marise.

Ses yeux avaient commencé à s'habituer à la nuit et Niels réussit maintenant à discerner les visages blêmes de Toby et des jumelles. Le verre renversé était aisément repérable grâce à son reflet.

Quelque chose bougea dans un coin de la chambre. Un crâne luisant émergea lentement et flotta vers lui dans l'espace, avec, dans la ténèbre des orbites creuses, un scintillement. Avant même qu'il pût crier d'effroi, Karianne hurla.

— Fermez-la ! lança le crâne d'une voix irrité, sinon on arrivera à que dalle ici. Je me suis juste éclairée pour que vous puissiez voir où je me trouve, d'accord ? Donc, je bouge pas d'ici, d'accord ? Comme ça, vous saurez que je ne suis pas en train de secouer la table en cachette. Sinon vous allez encore vous mettre à râler.

Yaja baissa la lampe de poche et l'éteignit. Son visage blême se balançait toujours dans l'ombre comme une tache fantomatique. Elle sembla marmonner encore quelques propos acerbes. Puis elle déclara : « On y go. Et surveillez bien le verre. »

Le silence s'installa pendant quelques minutes. Un silence si profond que l'on entendait craquer la maison, comme si cette dernière se lamentait à sa manière sur l'absence de Babette qui aurait dû dormir bien en sécurité dans son berceau, avec le lapin en peluche à côté d'elle.

— Babette ? demanda Yaja d'une voix aussi douce qu'un souffle. M'entends-tu ?

— Je n'y comprends rien, chuchota Klaar.

Quelqu'un lui donna une bourrade.

— Babette ! Cette fois, la voix de Yaja se fit impérieuse : M'entends-tu ?

Niels fixait le verre avec une attention si soutenue que ses yeux se mirent à lui piquer. Peut-être allait-il se remplir d'un tourbillon de fumée ou de brouillard, comme faisaient les boules de cristal à la télévision. Et dans cette fumée on verrait alors... mais il ne vit rien. Rien du tout. Seul leur parvenait le bruissement persistant de la pluie, comme si le monde entier pleurait une petite fille qui, par sa faute à lui, avait disparu dans un champ morphologique.

— Babette ! Pour la troisième et dernière fois : M'entends-tu ? Entre en communication avec nous et fais-toi connaître !

Saisi par l'ambiance, Niels se mit à mordiller la manche de son pyjama. Rien ne se produisit dans le verre, mais, dans ses pensées, il vit Babette progresser

122

sur les mains et les genoux à travers un champ envahi par le brouillard. Au-dessus de sa tête, où les cheveux n'avaient pas encore poussé, pendait un hochet en forme de larme où des lettres tremblantes formaient les mots : « Au secours ! »

La détresse noua ses viscères. Il devait demander à Leander comment annuler son souhait. Peu lui importait que tout soit révélé. Peu lui importait que tous soient furieux contre lui.

La lumière fut rétablie aussi brutalement que la pièce s'était trouvée plongée dans la pénombre quelques instants auparavant.

— Vous voyez bien ! s'exclama une Yaja satisfaite.

— Quoi ?

Yaja frappa du plat de la main sur sa cuisse.

— Il a bougé, le verre ?

— Non.

— Ben voilà, elle vit encore. Les morts se manifestent toujours lorsqu'on les appelle trois fois. Ils sont obligés, même si c'est contre leur volonté. Elle observa avec mépris les mines interdites : Évidemment, trois est un nom-bre sa-cré !

— Ah oui, j'y avais pas pensé, marmonna Marise.

— Je l'ai vu comme je vous vois, le verre se mettait alors à tambouriner sur la table et à sauter dans tous les sens ! Impossible de l'arrêter. Du coup, on est certain qu'ils sont aussi morts qu'on peut l'être. Conclusion, une chose est sûre, et vous pouvez l'annoncer à votre mère : Babette est en pleine forme.

Après un long silence, Marleen dit :

— Mazette, j'aimerais pouvoir en faire autant.

— Tout ce que je suis capable de faire, tu peux même pas l'imaginer.

Niels lâcha son frère. Il étudia de nouveau le verre.

Non, vraiment, il ne s'était pas déplacé d'un milli-mètre. Il reprit courage. Où qu'elle puisse se trouver, Babette s'y plaisait peut-être vraiment. Un champ morphologique de ce genre était peuplé d'une foule de hamsters, et les petites filles adorent les hamsters. Avec un peu de chance, il aura offert au bébé le meilleur moment de son existence, rien que ça.

DEUXIÈME PARTIE

Automne

Soupçons

Jamais auparavant, Gwen n'avait considéré avec une telle gratitude cette institution que l'on appelle l'école. Le matin, une fois les filles et leur tumulte hors de la maison, grâce à l'école elle pouvait retourner se coucher et se laisser envahir de nouveau par un état de semi-conscience crépusculaire. Durant cinq ou six heures, on n'exigerait plus de sa part la moindre attention, pas d'efforts, pas d'initiatives. Dans son lit, elle était taraudée par le sentiment de négliger ses enfants et même de les abandonner, mais elle n'avait plus rien à donner, tout simplement, plus rien du tout ; elle n'était qu'un trou, un abîme béant, elle était un long cri silencieux, et pas même cela ; elle ne ressentait plus rien, tant l'attente l'avait épuisée, une attente qui durait depuis plus de sept semaines. Même lorsque, l'autre jour, Karianne lui avait demandé les lèvres tremblantes : « Mais tu n'es pas heureuse que nous soyons là ? », ses yeux étaient restés secs.

Elle se tourna sur le côté en tirant sur les draps trempés de sueur, pour lancer un regard circonspect en direction du réveil ennemi. Plus qu'une heure et demie. Cet engin de malheur avançait, évidemment.

Pourquoi ferait-elle l'effort de se lever ? Après tout,

les filles avaient également un père. Voyez ça avec papa.

La loque avait fait son apparition parmi les abeilles, et Timo déclarait chaque soir, tandis qu'il se lavait les mains dans la cuisine pour se débarrasser de l'odeur fétide de la maladie, qu'il devrait détruire les essaims contaminés avant que l'inspection sanitaire ne dresse un constat. Mais déjà l'une des Anges s'accrochait à son bras, ou une des deux benjamines venait s'appuyer contre lui avec des larmes résistant à tous les câlins. Il se penchait alors avec autant d'amour que de patience sur leurs doléances et leurs interrogations, suivait leurs activités, s'absorbait dans leur agitation. La plus jeune était absente, disparue (« C'est l'une des choses les plus graves qui puissent arriver, madame. Il vaudrait mieux, façon de parler, avoir une tombe. Nous observons toujours la même réaction chez les gens, l'incertitude est pire que la mort. »), mais il descendait le jeu de galets du grenier, ce jeu-là et pas un autre, et pendant des heures il jouait avec la petite troupe au milieu des cris et des rires. Un peu de distraction, disait-il. C'était la vérité, tout le monde avait besoin de se distraire. Elle n'avait qu'à s'en prendre à elle-même si le moindre événement lui faisait perdre son sang-froid, si l'unique sentiment qui l'habitait encore se résumait à la morsure d'une irritation lancinante. Il fallait, au contraire, qu'elle soit reconnaissante à Timo de se montrer si solide.

Avec Marleen et Marise, il avait dessiné un calendrier. Un petit cercle rouge entourait chaque jour que durait l'attente. Avant même de prendre le petit déjeuner, les deux filles s'emparaient du crayon de couleur.

Elle balaya d'un geste nerveux les mèches qui lui couvraient les yeux afin de consulter de nouveau le réveil. Même ses propres cheveux lui mettaient les nerfs à vif.

Et que dire de tous ces appels téléphoniques ! De toute évidence, rares étaient les gens qui avaient conscience de l'effet que la sonnerie produisait dans la maisonnée. Que l'on bondissait des toilettes avec le pantalon sur les chevilles, prêt à ramper s'il le fallait, que l'on aurait préféré se casser une jambe pour arriver avant que le timbre ne retourne au silence. Tous téléphonaient et téléphonaient encore, en quête de nouvelles. Seule Beatrijs avait la sagesse d'appeler à une heure convenue d'avance. Gwen l'avait au bout du fil chaque jour, à cinq heures pile, un point de repère, une bénédiction. Elle ne gaspillait pas une seconde en questions ou en préliminaires. « Oui, c'est moi, Gwen. Leander l'a vue de nouveau. Elle est saine et sauve, et d'humeur joyeuse. »

Aucune trace de négligence. Aucune trace de violence. Mais aucune trace non plus trahissant l'endroit où elle se trouvait. Il n'a pas obtenu de précisions suggérant un lieu particulier, pas la moindre image d'une maison, d'une chambre ni même d'un lit. Elle vivait encore, voilà la seule chose qu'il percevait.

« Ne t'y accroche pas trop, Mop », lui avait dit un jour Timo.

Le simple fait de penser à ces vagues indications déclencha une telle poussée d'adrénaline qu'elle se redressa. Au même instant, Bobbie passa la tête par l'entrebâillement de la porte.

— Ah, très bien, tu es réveillée.

Elle entra avec une mine affairée.

— Toujours, pour toi, répondit Gwen en insufflant autant de chaleur que possible dans ces mots. Mais rien n'y fit : les terribles accusations qu'elle avait proférées formaient encore une barrière palpable. Une mémoire d'éléphant, voilà ce qu'elle avait, Bobbie. Toute honteuse, elle pensa : j'étais folle, j'étais complètement folle d'angoisse, et alors on dit de telles horreurs, Seigneur, quelle misère.

— J'ai pensé à quelque chose, fit sa belle-sœur.

Elle fixa d'un air timide ses mains, puis les croisa d'abord sur son ventre, et ensuite derrière son dos.

— Raconte-moi.

— Ah, mais non, ça gâcherait la surprise. Tu dois venir avec moi.

Une surprise, rien de moins, et uniquement pour Gwen. Bobbie avait visiblement le sentiment qu'il lui revenait de faire amende honorable. Tout dans son attitude proclamait le besoin d'être pardonnée. Elle n'avait jamais été capable de dissimuler ses sentiments, l'idée même que l'on pût avoir des raisons de le faire lui demeurait parfaitement étrangère.

— Nous allons sortir, alors pense à mettre un pull.

Gwen poussa un soupir.

— Bob, il m'est impossible de quitter la maison. Je dois rester près du téléphone.

— Timo prendra la communication ; il n'est pas dans les champs aujourd'hui, comme tu le sais, il reste à l'atelier.

Et maintenant, elle commençait à avoir mauvaise conscience parce qu'elle laissait Timo faire tout le travail. À contrecœur, elle pivota et bascula les jambes hors du lit.

— J'ai fermé le magasin, dit Bobbie, nous pouvons donc en profiter pour faire un tour toutes les deux.

D'un air important, elle tira sur le cordon qu'elle portait autour du cou, au bout duquel pendait la clé du corps de logis.

Gwen ramassa son jean.

— Nous allons revenir rapidement, n'est-ce pas ? Je veux dire, imagine que tu rates quelques clients.

Après être restée si longtemps dans l'ambiance confinée de sa chambre, l'air frais lui donna presque le vertige. Elle eut un temps d'hésitation avant de quitter la propriété, la tête penchée, l'oreille dressée : c'est toujours dans ce genre de situation qu'ils trouvent le moyen d'appeler.

L'automne approchait plus qu'elle ne s'en était rendu compte. De grosses gouttes de rosée alourdissaient les toiles d'araignées tendues entre les buissons. Le feuillage de la rangée d'amélanchiers, plantée par Timo à sa demande expresse il y a bien longtemps, avait presque entièrement viré au rouge. En temps normal, elle serait partie avec les filles pour chercher des châtaignes et des glands, cueillir des baies ou ramasser des champignons. Mais, en cette arrière-saison, elle aurait voulu arrêter le temps, elle aurait voulu immobiliser la terre sur son axe car chaque jour qui s'écoulait diminuait d'autant les chances pour que Babette lui revienne un jour. Ils n'avaient pas formulé leur avis de manière aussi explicite, mais les allusions s'étaient révélées très claires. À mesure que les heures s'écoulaient, la probabilité d'une issue favorable s'estompait. Les avis de recherche ne suscitaient plus depuis longtemps de nouvelles informations. Les gens avaient la mémoire courte et les actualités qui apportaient quotidiennement des nouvelles choquantes les tétanisaient, leur démontrant à quel point leurs enfants étaient vulnérables. Ce n'était pas dans un tel climat que l'on pensait à ceux des autres.

En marchant le long du canal, Bobbie et elle arrondirent le dos pour lutter contre le vent. Des vagues courtes et changeantes parcouraient la surface de l'eau. On les entendait cogner contre les palplanches. Les roseaux étaient aplatis contre la berge. Les nuages bas flottaient juste au-dessus.

Le pas de Bobbie se fit plus vif et plus nerveux, comme s'il lui devenait impossible de taire plus long-temps la surprise qu'elle avait prévue. « Nous sommes presque rendues, fit-elle en cherchant sa respiration, nous y sommes presque, vraiment. » Elle tourna et s'engagea au trot sur la piste cyclable.

Elles se rendaient à l'aire de loisirs. C'était la seule explication.

Gwen ne sut que penser. Ils s'étaient tous retrouvés là, le lendemain de la disparition, pour procéder à la reconstitution sous le contrôle de l'inspecteur qui avait un défaut de prononciation. Alors que la pluie tombait à verse, ils avaient grelotté tous ensemble pendant un certain temps sous le grand marronnier : la halte symbolisait le pique-nique. Klaar et Karianne avaient pleuré de colère en apprenant qu'on les renvoyait à la maison avec Bobbie, après que Yaja eut vidé les lieux. Tel avait pourtant bien été le déroulement des faits : d'abord Yaja, et elles ensuite. Les deux aînées, braillant d'indignation, avaient observé à distance Beatrijs qui faisait semblant de dormir tout en restant debout, Laurens qui flânait les mains dans les poches à travers le champ détrempé, et leur père qui s'était posté, avec les deux petites sœurs, au bord de l'eau. Gwen, qui se promenait déjà avec Leander d'après le scénario, avait eu une terrible inspiration lorsqu'elle avait jeté un coup d'œil par-dessus son épaule à cause des hurlements des petites et découvert, dans son désarroi, Bobbie plantée entre ses deux filles en pleurs. Le regard de Gwen s'était concentré sur elle. Bobbie avait rougi, et, mal à l'aise, avait détourné les yeux. Le pilier de la famille, comme disait Timo, notre indispensable deuxième petite mère. Les genoux de Gwen s'étaient mis à flageoler. Mais bien sûr ! Voilà la fin de tout ce cauchemar ! Bobbie n'avait sans doute pas osé avouer devant l'émotion ressentie par tous, elle avait dû avoir une peur terrible en constatant les conséquences, la commotion, l'arrivée de la police, toute la famille en larmes, il était naturel qu'elle n'ait pas osé dire que c'était pour quelques instants seulement, juste pour une toute petite nuit. Gwen courut vers elle. « C'est toi qui l'as enlevée ! »

Bobbie resta comme rivée au sol. La pluie avait plaqué ses cheveux en paquets contre son visage.

Elle s'approcha, serrant mécaniquement les poings. Dans son dos, l'inspecteur cria quelque chose. Elle fit comme si elle n'avait rien entendu, et garda les yeux braqués sur sa belle-sœur.

— C'est toi qui l'as fait ! Avoue que tu as...

Bobbie tremblait des pieds à la tête.

— Allez, va, jette-moi en prison, Gwen, réussit-elle à dire. Tout est de ma faute. J'aurais évidemment dû la ramener avec moi à la maison.

Gwen l'attrapa par ses cheveux mouillés.

— Elle est où ? Hein ? Où ? Dans le pavillon, c'est ça ?

Sans attendre de réponse, elle hurla tout près du visage de ses filles décomposées :

— Elle était bien avec Bobbie ? Bobbie l'a laissée où ?

D'un même mouvement, les deux petites filles se mirent à pleurer de plus belle.

— Allez, réponds-moi, est-ce qu'elle a...

— Ça suffit, Gwen !

Laurens passa un bras autour de ses épaules. Elle

tenta de se dégager. Elle devait se rendre dans le pavillon d'été, elle devait retrouver Babette.

— Je ne sais plus, maman ! hurla Klaar, blanche comme un linge sous ses taches de rousseurs.

— Vraiment plus, maman ! sanglota Karianne avec un petit visage convulsé.

Seigneur, comment ces deux-là auraient pu se souvenir des circonstances précises. Bobbie passait la plus grande partie de la journée à parader avec Babette dans le sac kangourou ! Gwen enfonça son coude dans les côtes de Laurens et réussit à se libérer. Les bras tendus, elle se mit à courir.

L'inspecteur lui coupa la route. À côté de lui, comme une sorte de géant, surgit Leander dont les yeux exprimaient tant de compassion que, malgré la situation, elle eut un instant le souffle coupé.

— Ne t'impose pas une souffrance supplémentaire, dit-il d'une voix si douce qu'elle se demanda s'il avait vraiment prononcé ces mots.

Mais la prise par laquelle il l'immobilisa était bien réelle, elle.

Enserrée par ses bras, elle aperçut Timo qui se dirigeait vers elle comme au ralenti. Son regard retrouva progressivement toute son acuité, elle distingua l'eau qui s'élevait de l'herbe mouillée à chacun des pas de son mari. Elle pensa avec un frisson : hier Yaja, aujourd'hui Bobbie ; que Dieu me protège, sur qui vais-je me jeter la prochaine fois ? Beatrijs, peut-être, qui avait déclaré, après sa dernière fausse couche, qu'elle piquerait mon prochain bébé ? Saisie d'épuisement, elle se laissa aller contre Leander.

Pourvu que Babette soit en sécurité maintenant. Pourvu que quelqu'un lui donne à manger à l'heure et change sa couche.

On la transféra dans les bras de Timo. Le cœur de celui-ci cognait si fort qu'elle le sentait battre contre sa propre poitrine. Il prononça quelques mots qu'elle ne comprit pas ; il les répéta trois ou quatre fois, mais leur sens ne parvenait pas jusqu'à elle. Au moins pouvait-elle se reposer un instant, retrouver son souffle. Regarde, voilà Marleen et Marise, les mains pressées contre leur bouche. Elles pourraient être enlevées à leur tour demain. Il fallait qu'elle parle avec Timo de la manière dont ils devaient assurer la sécurité de leurs filles. Les laisser partir toutes ensemble, avec leur sac à dos en jean délavé, pour se rendre à l'école à bicyclette était à présent hors de question.

Timo prononça son nom. Elle lui adressa un regard incertain.

— Pouvons-nous continuer la reconstitution ?

Il avait autour des yeux des rides apparues depuis la veille. D'un moment à l'autre, sans prévenir, la vie perdait son caractère stable et rassurant.

Elle acquiesça mollement.

— Quelque chose nous échappe, affirma l'inspecteur en zozotant. C'est ce qui arrive à chaque fois.

Bobbie avait à présent pris quelques mètres d'avance en trottinant sur l'aire de loisirs. Elle portait des bottes de caoutchouc, de grosses bottes vertes. La jambe droite de son pantalon avait été soigneusement glissée à l'intérieur, la gauche flottait comme un drapeau au vent. Les pans de la blouse qu'elle portait toujours sur ses vêtements lorsqu'elle était au magasin volaient de tous côtés. Vu à distance, on pourrait croire que le vent allait aspirer sans la moindre difficulté son corps trapu dans les airs.

Gwen courut à sa suite, intimement persuadée que

même la tempête la plus violente n'aurait aucune prise sur elle. Elle se savait condamnée pour l'éternité à sillonner dans la peine la surface de cette terre. Quelque chose en elle se révélait tout bonnement incapable de s'élever de nouveau. L'absence procurait un sentiment de vacuité si absolu que l'attraction terrestre ne semblait plus compter, si bien qu'on se trouvait continuellement sur le point de flotter dans l'air ou de s'envoler. Mais en même temps, et avec bien plus de force encore, ce vide douloureux pesait comme une charge écrasante qui vous enfonçait quasiment sous terre. Un bien étrange sentiment.

Bobbie s'immobilisa. Elle se retourna, son visage trahissait une soudaine hésitation.

— Regarde, Gwen, voilà ce dont il s'agit. Voilà ce que j'ai fait pour toi.

Elles se trouvaient à présent devant le marronnier du pique-nique. Un ruban rouge et blanc avait été fixé autour du tronc. Il n'était pas assez long pour en enserrer la circonférence : les punaises y remédiaient.

— Un morceau plus long m'aurait bien arrangé, dit Bobbie. Seulement, Laurens n'en savait rien, évidemment. Même moi, je l'ignorais à ce moment-là.

À son étonnement, Gwen sentit les larmes lui venir aux yeux en considérant ce pauvre ruban inutile. Juste au moment où elle s'était persuadée que la période des pleurs était terminée, que l'on aurait beau frapper le rocher[1], nulle eau n'en coulerait plus. Ces extrémités effilochées qui n'arrivaient pas à se rejoindre : une vaine étreinte dans le vide, une étreinte dont l'objet

---

1. Référence à un passage de l'Ancien Testament, dans lequel Dieu dit à Moïse : « ... Tu frapperas sur le rocher, il en sortira de l'eau et le peuple boira ! Et il en fut ainsi. » Exode 17.6. (N.d.T.)

manquait… La représentation se révélait d'une étrange pertinence.

— Comme elle est juste, ton idée.

Le visage de Bobbie s'éclaira.

— C'est un monument.

— Je vois bien, oui.

— Un mémorial. Car c'est ici que Babette a été pour la dernière fois.

— Qu'elle a été vue pour la dernière fois. C'est bien ce que tu veux dire ?

Bobbie la regarda sans comprendre.

— Qu'elle a été *vue*, Bob !

Elle sentit la panique monter dans sa voix. (« Madame, l'incertitude est ce qu'il y a de pire. C'est pourquoi nous observons si souvent les gens marquer, à un moment ou à un autre, le lieu de la disparition avec une pierre ou un autre signe. Pour disposer d'un point de repère concret. Une manière de sépulture. La loi prévoit qu'il doit s'écouler au moins cinq ans avant que le décès puisse être prononcé, mais cinq ans d'incertitude, qui peut les supporter ? Rester cloîtrée chez soi durant soixante mois parce que le téléphone peut sonner à tout moment ? Ne pas être capable de profiter du moindre plaisir ? Ce sont des tragédies. On ne comprend pas comment les gens font pour vivre ; ne pas même pouvoir tourner la page, se résigner et prendre le deuil. L'espoir est un beau sentiment, mais il peut devenir votre pire ennemi, vous pouvez me croire. »)

Bobbie reprit d'une voix nerveuse :

— Regarde donc un peu plus loin, Gwen, parce que là, par terre, j'ai…

Pourquoi un homme comme lui se livrerait-il à un tel discours en vous observant par-dessus sa tasse de thé ? Tout de même pas pour vous plonger aussi vite que possible dans le deuil et se débarrasser par la même occasion de l'affaire ? Babette fait-elle encore partie de ses priorités ? Et était-ce lui, ou bien l'autre inspecteur, qui avait refusé dès le début d'entendre parler de « voyants qui obtiennent pour seul résultat de faire accuser des innocents et parfois de mettre leur intégrité physique en danger. Vous souvenez-vous encore de ce M. Croiset avec ses airs vaniteux, qui squattait autrefois le petit écran ? À cause de lui, par exemple, les membres de la famille d'un disparu avaient frappé un vieil homme, ce qui l'avait rendu aveugle. Par la suite, on a prouvé que le coupable n'était pas celui désigné par Croiset et son marc de café. » Leander, le seul qui *voyait* encore sa petite Babette, avec ses fossettes et le duvet blond couvrant sa tête, se trouvait balayé d'un revers de la main par un simple fonctionnaire ! Leander représentait finalement son seul soutien.

— Gwen, ici, regarde s'il te plaît.

Bobbie s'était accroupie. Elle pointait le sol du doigt. Gwen pensa : Dieu merci, je ne me laisse pas dicter ma conduite par ces Sherlock Holmes de la brigade, ni maintenant, ni jamais. Elle se laissa tomber sur les genoux.

Entre les racines noueuses de l'arbre, une bande de terre avait été débarrassée de toute végétation. Et, sur le sol soigneusement damé, brillait le nom de Babette dont chaque lettre était formée de petits grains jaunes et brillants.

Gwen sentit se poser sur elle le regard plein d'expectative de sa belle-sœur. Elle prit sur elle pour garder son calme. La mise en scène n'avait pas été faite, évidemment, pour créer une tombe de substitution.

Mieux valait se concentrer sur l'amour que ce travail supposait. Sur les efforts déployés. Sur l'abnégation nécessaire pour fermer le magasin – le magasin, rien de moins – tôt ce matin déjà afin de venir ici. Bobbie avec sa blouse, agenouillée entre les racines et évaluant les possibilités : ici, non là ! Bobbie qui a dû, bien évidemment, développer toute une théorie expliquant pourquoi il fallait procéder exactement ainsi, et pas d'une autre manière. Bobbie et cette logique qui n'appartenait qu'à elle, et que l'on n'arrivait jamais à suivre jusqu'au bout, du moins en utilisant son bon sens.

— Très joli, vraiment, dit-elle doucement. Je te suis très reconnaissante.

— Je savais bien que tu comprendrais immédiatement. Si l'avion de Babette passe par-là, elle verra son nom.

Pour invraisemblable que puisse être l'idée de Babette circulant dans le ciel, après avoir disparu depuis sept semaines, la vision de sa petite fille en avion réchauffa pourtant Gwen. Cette image de Babette possédait une singulière vertu apaisante, comparée aux autres situations dans lesquelles elle imaginait sa fille, et qui la hantaient sans arrêt. Dans une carlingue, il faisait chaud, propre et sec, et les hôtesses se montraient toujours si aimables. Il serait même possible que l'une d'elles, prise d'un doute, se dise : appartient-il réellement à la personne en question, ce beau bébé…

— Seulement, elle ne sait pas encore lire ! Bobbie se mit à rire avec un air entendu : C'est pour ça, le ruban, Gwen, évidemment ! Le rouge et le blanc, n'est-ce pas, ce sont mes couleurs ! Donc, si elle voit le ruban, elle pensera immédiatement…

Elle pâlit. Se mit à se tordre les mains nerveusement.

Un problème était survenu, cela paraissait évident, mais lequel ? Bobbie s'était-elle imaginé soudainement qu'elle aurait dû fixer sur le marronnier un objet appartenant à la mère de Babette ?

— Oui, ainsi elle pensera immédiatement à toi, dit Gwen dans un élan de générosité, et grâce à cela, elle comprendra que sa place est ici, à la maison, avec nous tous, et ainsi...

— Et ainsi elle pensera à son imbécile de tante qui a été assez stupide pour l'abandonner sur place !

— Mais, Bobbie. Écoute voyons. Nous avons tous été également stupides. Tous autant que nous sommes. Gwen voulait rentrer. Elle voulait retourner dans son lit. Bobbie pleurait en silence, la bouche grande ouverte.

Avec le dos de la main, Gwen lui donna une caresse sur la joue.

— Allez, mon lapin. Pour être stupides, on l'a tous été, et de la même manière. Il faut que cette idée t'entre par une oreille, et ne ressorte pas par l'autre, d'accord ?

Tout en continuant de pleurer, Bobbie leva les mains et les porta à ses oreilles. Elle explora celles-ci du bout des doigts, méticuleusement, le regard fixe et dubitatif.

Gwen commença à se relever, exténuée. Elle se figea au milieu de son mouvement. Ces grains brillants et jaunes enfoncés dans la terre qui formaient ensemble le nom de Babette : elle venait seulement de comprendre.

— Les oiseaux, fit-elle catastrophée, Bobbie, les oiseaux vont...

Sa belle-sœur renifla, produisant un bruit de tuyauterie.

— Mais c'est ce qu'il faut ! Ils doivent les manger

car ils vont partout, et comment pourrions-nous leur expliquer sinon qu'ils doivent rechercher Babette ?

Laurens rentrait chez lui d'un pas pressé, chargé de sa serviette et de deux sacs en plastique provenant du restaurant chinois. Qu'était-il donc arrivé à la serrure de la porte d'entrée pour qu'elle offre une telle résistance ? Il s'était promis depuis des semaines d'y injecter du dégrippant, mais oubliait sa bonne résolution sitôt le seuil franchi. Il était attaché corps et âme à sa maison, il aimait les pièces spacieuses en enfilade, les parquets anciens, la cuisine doublée d'une serre ; seulement, l'entretien et le bon fonctionnement de l'ensemble représentaient une tâche considérable.

Dans l'entrée, il enjamba le courrier accumulé sur le sol. Il déposa les plats préparés à la cuisine, se servit un apéritif avant d'ôter son manteau et se mit à dresser la table.

Le triomphe qui consistait à être dans les temps, de manière à ce que Niels et Toby ne trouvent pas une maison vide à leur retour, lui fit oublier un instant son humeur morose. Il lui restait même quelques minutes pour remplacer le sac plein de la poubelle par un neuf. Assez de temps aussi pour lire sur le plan de travail le message indigné de la femme de ménage : elle avait besoin d'éponges, d'une nouvelle paire de gants en caoutchouc, de Glorix, de Cif et de l'Anti-Kal, ainsi qu'il le savait depuis plusieurs semaines, précisait-elle. C'était un ultimatum, ni plus ni moins.

Il ne ramassa le courrier qu'en allant accrocher son manteau dans le couloir.

Des lettres destinées à Veronica arrivaient encore presque chaque semaine. Peu importait le nombre d'abonnements qu'il avait résiliés ou d'organismes caritatifs informés de la situation. Chaque fois, une nouvelle lettre à l'attention de sa femme atterrissait sur le paillasson, un contrat d'assurance qui courait toujours, une demande de cotisation pour quelque obscure association, une invitation pour une exposition ou des offres commerciales de magasins dont elle avait été une cliente. Innombrables étaient les listes sur lesquelles sa femme figurait encore, innombrables les organisations et les collaborations où elle avait été active d'une manière ou d'une autre. Chaque envoi la rendait presque à la vie et lui rappelait aussi, et de manière douloureuse, le nombre incalculable d'heures qu'elle avait passées seule, indépendante, sans lui, à mener une partie de sa vie parmi des inconnus. Certes, ils n'avaient jamais constitué un couple fusionnel. Ni l'un ni l'autre n'en avait compris la nécessité ou l'agrément. Plus tard seulement venait le regret de chaque seconde où vous aviez laissé votre femme agir sans vous. Un regret cuisant, un regret déchirant.

À la crispation de ses mâchoires, il se rendit compte que son corps était tendu comme un arc à cause du stress. Il déposa, sans l'examiner, la pile d'enveloppes dans la corbeille à fruits sur la table de la cuisine. Son regard tomba sur un pamplemousse qui ne lui parut pas familier. Les chances pour que la femme de ménage en veine de protestations ait laissé un présent inattendu étaient infimes. Avant qu'il puisse s'en étonner, la porte d'entrée s'ouvrit en grinçant et les voix de ses deux fils résonnèrent dans la maison.

Maintenant, nos enfants doivent avoir la clé pour rentrer, Veer.

Niels souffrait le plus de son absence. Il devenait un grand garçon et devait attendre chaque jour Toby à la sortie de la garderie après sa journée à la maternelle ;

fais bien attention de tenir la main de Toby tout le long du chemin, pense à ce qui est arrivé à Babette !

Mais le plus dur revenait peut-être à Toby. Combien de souvenirs un enfant de quatre ans pouvait-il avoir ? Sa relation avec sa mère avait été trop courte pour qu'il grandisse avec une image d'elle solidement ancrée. Il deviendrait adulte sans savoir qui elle avait été et comment elle avait vécu.

« Tu nous manques tant », dit-il à haute voix pour chasser de sa tête l'idée que Veronica serait, à un moment donné, rien de plus qu'une femme sur une photographie, une femme à propos de laquelle son père raconterait des histoires, toujours les mêmes histoires, jusqu'à en devenir fou, puisque le stock était limité et ne bénéficiait d'aucun renouvellement.

— Papa ! cria Toby en entrant dans la cuisine en courant. Ses joues étaient rouges. J'ai appris une super-chanson !

— Il faudra que tu me l'apprennes à moi aussi, tout à l'heure. Il souleva le petit corps qui se débattait et le serra contre lui : Et toi, Niels, qu'as-tu à nous raconter ?

— Bah, fit son aîné. Il s'installa à table sans enlever son blouson. On mange encore chinois ? J'en ai assez du bami[1].

La sonnette de la porte d'entrée retentit alors. Laurens redressa sa cravate qui était de guingois.

— Beatrijs est déjà là, les enfants.

Toby courut vers la porte.

— Enlève ton manteau, Niels.

Il s'engagea dans le couloir pour saluer Beatrijs.

Ils ne s'étaient pas revus depuis l'été. Elle lui donna

_____

1. Bami goreng : plat indonésien à base de pâtes. (_N.d.T._)

143

l'impression d'être nerveuse et éreintée. Ni la jupe à carreaux qui lui descendait jusqu'aux chevilles, ni les chaussures de sport ne la mettaient en valeur. Il dut plier les genoux pour l'embrasser. Il ne l'avait jamais connue autrement qu'avec des talons hauts.

— Alors, beauté, dit-il.

— Bonjour, Laurens.

Elle l'examina attentivement comme si, à son tour, elle se trouvait au moins aussi étonnée de l'aspect qu'il présentait.

Le matin, à l'heure de pointe avec les garçons, le temps pour se raser lui manquait parfois. Il lissa ses cheveux à la hâte et redressa une nouvelle fois sa cravate.

Elle passa devant lui pour entrer dans la cuisine.

Niels la regarda avec un air buté.

— Salut, tante Chipolata.

Toby éclata de rire.

— Chipolata retournée, il faut dire.

— Sur le retour, mongol, répliqua Niels.

— Chipolata sur le retour ? dit Beatrijs qui regardait alternativement l'un et l'autre garçon en ouvrant de grands yeux.

Quelles étaient donc ces manières ? Qu'est-ce qui leur passait par la tête ? Sans réfléchir, Laurens s'interposa :

— Et petits fours, voilà bien sûr l'expression qu'ils cherchaient.

— Donc, « Chipolata et petits fours », fut la conclusion de Beatrijs.

Elle secoua la tête.

— Ton manteau, Niels ! aboya Laurens. Un verre de vin, Beatrijs ?

Elle s'assit.

— Votre mère..., commença-t-elle.

— J'ai du vin blanc au frais.

Laurens trébucha derrière elle en se dirigeant vers le réfrigérateur.

— Autrefois, quand nous étions à l'école, votre mère m'appelait Betsy Boule. Elle donna un coup sur la table : Et moi, je l'appelais tante Sidonie. À bon chat, bon rat. Elle se mit à rire. « Chipolata et petits fours », ça vient d'elle aussi, je suppose ?

— Qui est Betsy Boule ? voulut savoir Niels. Et cette tante...

— Sidonie. Ce sont les classiques de notre enfance, espèce de garnement, enchaîna Beatrijs. Gwen était Daisy Duck. Où es-tu passé avec ton vin, Laurens ? Et pourquoi l'autre moucheron ne vient-il pas s'installer gentiment sur les genoux de sa tante Chipolata et petits fours ?

Toby se jeta contre ses jambes et escalada avec vaillance les contreforts du giron.

— J'ai appris une nouvelle chanson.

— Il faut que j'entende ça.

— Tu dois taper dans les mains en même temps.

— Comme ça ?

Elle saisit ses menottes et les frappa l'une contre l'autre.

D'une voix étranglée, Laurens commenta, dans le dos de Beatrijs : « Tu es sainte Chipolata. » Il posa un verre de vin devant elle et laissa un bref instant la main sur son épaule. Sur les genoux de son amie, son fils se livrait à tant de contorsions enthousiastes qu'il eut bien du mal à recouvrer l'équilibre. Hé, bonhomme, Toby, as-tu entendu ? Nous apprenons une nouvelle histoire à propos de ta mère, une histoire d'il y a longtemps, tu te rends compte ? Jadis, ta maman était petite, elle aussi, tout comme toi. Il suffit de demander à tante Beatrijs de venir manger une fois par semaine pour te raconter ce que maman faisait quand elle était enfant. Si elle savait aussi construire des châteaux de sable tellement impressionnants. Si elle avait aussi peur des grands chiens. Si elle était triste, elle aussi, lorsqu'elle était invitée à passer quelques nuits chez des amis. Si elle se montrait alors aussi sage que toi, et faisait parfois des bêtises, tout comme toi.

C'est alors que son regard tomba sur Niels. Tante Chipolata, où son fils avait-il pêché une expression pareille ? Il n'aurait pas eu la volonté consciente de blesser Beatrijs, quand même ? Il se révélait parfois bien difficile de sonder son esprit, de savoir ce qui le préoccupait. Et cette façon revêche qu'il avait de se couper des autres, ces derniers temps. Il pouvait s'agir tout bêtement de la réaction d'un enfant qui ne possédait pas encore les mots pour exprimer sa souffrance, sa colère, sa solitude, mais peut-être fallait-il chercher un autre motif. Oui, cela crevait les yeux, quelque chose avait changé chez Niels, quelque chose d'indéfinissable ; l'adjectif « sournois » était peut-être un peu trop fort, secret serait plus juste. Il n'était plus le garçon ouvert d'antan, voilà la conclusion. Son comportement était celui d'un coupable, d'un dissimulateur.

Laurens plaça les barquettes de nasi et de bami goreng dans le micro-ondes. Il sortit les kroupouks du sachet en cellophane, transvasa l'empeh et l'atjar[1] dans des bols. Dans quels sombres trafics pouvait donc tremper un garçon âgé de sept ans ? Et comment un

---

1. Nasi goreng, kroupouk, empeh, atjar sont des plats et des produits indonésiens. (*N.d.T.*)

père pouvait-il percer le mystère ? Mais le problème se trouvait peut-être chez lui, le père. L'éducation des enfants était devenue la cinquième roue du carrosse. Le temps n'y suffisait plus. Il se montrait déjà satisfait si toute la famille portait des vêtements propres à une fréquence raisonnable, disposait de chaussures avec des lacets et avait le ventre plein, et si Niels emportait au bon moment ses affaires de sport ou sa flûte à bec. De plus, où puiser le courage pour traiter avec fermeté un garçonnet qui avait perdu sa mère moins de six mois auparavant ? Toby et lui dormaient encore avec un de ses pulls, caché sous le drap. Il n'avait pas trouvé mieux. Dix fois au moins, il avait informé l'intraitable femme de ménage par une note qu'après avoir changé les draps, elle devait remettre les pulls à leur place SANS LES LAVER.

— Qui a envie d'un œuf sur le plat ? demanda-t-il en se tournant vers la cuisinière sans plus attendre.

— Laisse-moi donc m'en occuper, lui dit Beatrijs.

— Non, reste assise.

— Et toi, tu vas encore me chanter cinq fois le même refrain. Merci bien.

Elle posa Toby et se leva.

Il n'avait pas entendu une seule note de la nouvelle chanson qui inspirait à Toby tant de fierté. Il passa son bras autour de ses épaules fluettes et, se penchant par-dessus sa tête, demanda :

— Niels, tu vas l'enlever ce manteau, oui ou non ? Ne donne pas le mauvais exemple.

— Non, répondit Niels.

Il baissa la tête avec un air morose.

— Il est bien emballé le colis, dit Beatrijs à la poêle qu'elle venait de poser sur la cuisinière. Tu as bien raison, tu sais. Niels est bien au chaud, au moins, sous la grosse protection de son manteau.

Un autre adulte présent replaçait le problème dans une perspective différente ! Laurens pensa : Beatrijs, je te baise les pieds.

— Non, Toby. Attends avant de commencer le kroupouk.

Il posa les plats avec les barquettes réchauffées sur la table.

— Zut alors, marmonna Beatrijs, comment je dois faire pour baisser le feu ?

Ça grille ! s'écria Toby avec entrain.

— C'est délicieux, hein ? fit Beatrijs le front moite.

Laurens n'avait jamais vu des œufs au plat comme les siens. Ils gisaient dans la poêle comme les seins coupés de sainte Agathe, que Veronica et lui avaient vus lors de leur lune de miel à Florence, sur une peinture de la galerie des Offices. « Parce qu'elle voulut garder sa virginité et qu'elle refusa pour cette raison un mariage arrangé, elle fut soumise aux pires tortures », lui avait murmuré Veer à l'oreille, tandis que ses talons cliquetaient sur le marbre séculaire. Elle était toujours au courant des informations les plus inattendues, et lorsqu'on lui demandait d'où elle tenait son savoir, elle faisait preuve, pour toute réponse, d'un grand étonnement. Il était évident pour elle que tout le monde avait les mêmes connaissances, qui était le gardien de but de l'équipe des Pays-Bas lors de la coupe d'Europe en 1988, comment on distinguait la buse de l'épervier, lequel des Beatles avait composé *Get Back*, pourquoi le lait n'attachait pas lorsque l'on le faisait bouillir dans une casserole humide, combien Shakespeare avait écrit de tragédies royales, quand on avait découvert le clitoris de la femme (« Quelques siècles après que

Colomb eut découvert l'Amérique »), qui avait développé l'ordinateur, le soutien-gorge ou le trombone. Une femme si intéressante, si drôle. Si irrésistiblement originale. Si irrésistible, tout court[1]. Non pas une personne destinée à mener une existence virginale à la sainte Agathe. Et en plus une paire de jambes magnifiques.

Il était tombé fou amoureux d'elle dès leur première rencontre, au cours d'une rétrospective Hitchcock, lorsque le hasard les a fait jouer des coudes pendant l'entracte pour obtenir une bière au bar en état de siège. Ce qu'elle parvint à lui dire à propos des *Oiseaux* avait provoqué un rire si contagieux, et prenait si nettement le contre-pied de l'opinion commune. « S'ils font peur ? L'intention était de faire peur avec ces oiseaux ? Mmm. » Un sourire en coin et une chevelure foncée. Les étincelles dans ses yeux lorsqu'elle avait dit : « Les plumes sont aussi l'habit de l'espoir, le savais-tu ? En tout cas, Emily Dickinson a écrit : "L'espoir est cette chose avec des plumes, qui niche dans l'âme." »

— Laurens ? Si nous allions nous asseoir ?

Beatrijs lui présenta la poêle, à la manière d'une offrande. Quatre seins coupés.

— Je vais nous servir encore un verre. Et vous, Niels, Toby, de l'eau ou du lait ?

Ils dînèrent. Il surveillait discrètement ses enfants. Le couteau. La cuillère. Les mains. La fourchette. Au fond, leurs manières semblaient très présentables. Poussé par un sentiment de gratitude, il prit les œufs qu'ils auraient dû manger.

Lorsque les garçons eurent vidé leur assiette et se

---

1. En français dans le texte. *(N.d.T.)*

furent installés devant la télévision, Beatrijs lui demanda :

— Tu as parlé récemment à Gwen et Timo ?

Il débarrassa la table.

— Je n'ose presque plus les appeler. J'éprouve un terrible sentiment de culpabilité en songeant que Babette a dû disparaître quasiment sous mes yeux. Il est vrai que Timo m'a tout de suite dit que je n'étais pas le baby-sitter du bébé, mais quand même. D'avoir voulu me rassurer est déjà assez grave. J'aurais dû faire plus attention.

Elle opina en le regardant avec attention.

— Mais c'est ce que tout le monde aurait dû faire. Ils ne t'en tiennent pas rigueur, je t'assure. C'est une idée que tu dois te sortir de la tête.

Il rit, ne sachant que penser, pourtant ces paroles le réconfortèrent. « Voici mon amie Beatrijs, avait dit Veronica en les présentant l'un à l'autre il y a bien des années, et fais bien attention, elle est ma conscience. » Oserait-il révéler ce qu'il avait sur le cœur ? Ses préoccupations étaient d'un égoïsme humiliant. Il toussota. Qu'en penses-tu, Beatrijs : si, en plein jour et au milieu d'un grand nombre de membres de la famille et d'amis, un bébé heureux de vivre peut disparaître sans laisser la moindre trace comme s'il était parti en fumée, alors bien d'autres faits, que nous jugeons absurdes, ne pourraient-ils pas appartenir au domaine du possible ? Tu sais, en théorie, la serrure de la porte d'entrée se bloque à cause des changements de temps ou d'une maladresse de la femme de ménage, et je devrais hausser les épaules lorsque je trouve à la maison des objets dont j'ignore l'origine. Niels, Toby et leurs amis entrent et sortent sans que je puisse tout surveiller – mais est-ce là la véritable explication ?

— En tout cas, d'après Leander, Babette est toujours saine et sauve, Dieu merci.

Il se raidit. La dispute serait inévitable s'il la suivait sur ce terrain. À plusieurs reprises, il s'en était fallu de peu que cela ne se produise lors de conversations avec Gwen au téléphone. Leander par-ci, Leander par-là. Pour éviter de la heurter, il changea le sujet de la conversation.

— Dis-moi, je ne t'ai pas encore entendue parler de ton travail. Tu as acheté de belles pièces ? Tu en as vendu ?

Elle rosit.

— Ah, tu n'es pas au courant ? J'ai laissé tomber.

— Que me chantes-tu là ?

— Oui, cet été déjà.

— Quoi ! Mais pourquoi ? Et qu'est-ce que tu fais maintenant ?

— Je suis… je suis l'assistante de Leander.

— Comment ça ?

Le rose vira au cramoisi.

— Il assure dans tout le pays des cours et des séminaires. L'organisation ne se fait pas toute seule, tu peux me croire.

Laurens se représentait clairement la situation. Dans de petites salles respirant l'encens où se pressait une foule obnubilée par sa quête de Vérité, Beatrijs jouait le rôle de la dame qui tend les balles à l'illusionniste et l'aide à scier en deux les orphelines. Sur un ton finalement assez mesuré, il dit :

— Ma pauvre fille. Quelle évolution !

— C'est *ma* vie, Laurens.

La déception creusa comme un espace cotonneux en lui et il alluma la machine à espresso. Il dosa soigneusement le café.

151

— Je voulais apporter ma contribution. Je me suis laissée envahir bien trop longtemps par des questions matérielles. En me mettant au service des dons de Leander, je peux...

— Tiens. Ça te dirait, un pousse-café ?

La tasse posée brusquement devant elle la fit sursauter. Sa bouche se tordit dans un tic nerveux.

— Tu ne veux pas en entendre parler, hein ? De comment je vois les choses, moi.

— Non, dit-il avec une violence qui le surprit. En effet. Tu as tout compris.

Il fixa ses yeux bruns, toujours un peu tristes. Moins il en savait de sa vie et de ses choix, mieux il se portait. Il ne voulait pas savoir comment elle ravaudait avec de belles phrases les bouts épars de son existence pour en faire une histoire à laquelle elle semblait croire ; il ne voulait pas penser à elle comme à une femme qui se laisse exploiter par un escroc, un charlatan ésotérique ; il ne voulait pas perdre le respect qu'il ressentait pour elle, car sans respect l'amitié devient impossible, comme on le dit très justement. Il se mit à mordiller sa lèvre inférieure, il devait dire quelque chose, mais toute la situation lui parut soudain trop pénible.

— Tu as beau être veuf, cela ne te place pas au-dessus des lois, crois-moi ! Un événement terrible t'est arrivé, mais tu n'as pas pour autant le droit de blesser ton entourage !

— Je te suis très reconnaissant, dit-il avec raideur, vraiment, que tu sois venue ce soir afin de me donner un coup de main pour ranger les vêtements de Veronica. (L'enquiquineur l'avait laissée sortir sans barguigner pour une soirée entière ; attention à l'atterrissage, Beatrijs, il va te présenter la facture tout à l'heure à la maison.) Ah, ma chérie, fit-il en se radoucissant, je voulais juste dire...

Elle avait remonté très haut les épaules.

— Je ferais mieux de monter tout de suite, afin de commencer, non ?

— Très bien.

De toute manière, ils n'avaient plus rien à se dire.

Découragé, il rangea la cuisine et mit en marche le lave-vaisselle. Puis il cueillit Toby devant la télévision et lui donna un bain. Installé sur l'abattant des toilettes, il regarda le petit réduire à grands gestes une montagne de mousse. Cette merveilleuse envie de vivre. Cette absence de mémoire. Tout à l'heure, ou demain, il aura une raison de pleurer sa mère, mais, entre ces moments d'affliction, il vivait sa vie avec toute son énergie. « Alors, ma grenouille », fit-il d'un air perdu.

— Je suis un crocodile, papa.

Il aurait dû également interroger son fils à propos de la nouvelle chanson, mais la perspective de chanter en chœur tandis que Beatrijs déambulait à portée d'ouïe, ces affreuses chaussures de sport aux pieds, l'arrêta. Et cette robe informe ! Tante Chipolata se devait de porter un tailleur un peu trop serré, de préférence dans les tons rose fuchsia, avec une broche excentrique au revers. Il y avait du Leander là-dessous. Sous le couvert d'une théorie aux fondements cosmiques portant sur le caractère souhaitable d'une mise modeste, ce dernier refusait, bien entendu, qu'elle se présente sous un aspect trop séduisant. Une approche à la mode amish. Coudre en groupe de sobres patchworks à la lueur des chandelles, les épaules protégées par un châle et une coiffe immaculée sur la tête. Mais, dans le même temps, passer au doigt

153

de Beatrijs cette horrible bague d'un vulgaire achevé. Le bijou constituait un signal : celui qui le porte est la propriété de quelqu'un.

Il se dit : laisse tomber ces histoires. En quoi cela te concerne-t-il ?

Après avoir séché Toby, il lui mit son pyjama Bugs Bunny puis lut deux fois l'histoire des *Cinq Pompiers*[1]. Enfin, il descendit pour annoncer à Niels qu'il avait le droit de regarder la télévision pendant une demi-heure encore. Tous les prétextes dilatoires épuisés, il lui fallait s'exécuter. Il remonta l'escalier avec un rouleau de sacs-poubelle calé sous le bras.

Dans la chambre, Beatrijs avait déjà vidé une partie de la grande armoire. Des piles de vêtements encombraient le lit. Ses jeans usés. La chemisette cintrée avec de petites perles brodées qu'elle aimait tant porter. Sa belle veste noire Kenzo. Le sang lui monta à la tête. Il dut s'asseoir sur le bord du lit, les jambes molles.

Beatrijs tenait à bout de bras une robe d'été couleur bleuet. « Nous l'avions achetée ensemble. » Les larmes affleuraient dans sa voix, elle semblait sur le point d'éclater en sanglots.

— Nom de Dieu. C'est vraiment une besogne sinistre.

— Mais je trouve que tu as raison de prendre cette décision. De toute façon, ces affaires devront quitter la maison un jour ou l'autre.

Il détacha un sac du rouleau. Sans mot dire, il le bourra de vêtements pris au hasard.

---

1. *Vijf brandweermannetjes* (1953) : adaptation néerlandaise d'Annie M. G. Schmidt d'après une histoire de Marguerite Brun et E.-T. Hurd publiée en 1942 par Simon & Schuster à New York.

À son tour, Beatrijs prit un sac. Elle y glissa toute une collection de chemisiers.

— Tu veux que j'emmène le tout à l'Armée du Salut ?

Alors, sa robe bleue pourrait réapparaître au coin de n'importe quelle rue, ou l'une de ses chemises de bûcheron qu'elle aimait tant, et à chaque fois l'air lui viendrait à manquer car la robe, la chemise seraient occupées par un autre corps que le corps délicieux qui fut le sien.

— Je préfère tout mettre aux encombrants. Donc, si tu vois des choses qui pourraient te servir, c'est le moment ou jamais.

— Ce n'est pas ma taille.

Il fouilla un peu et exhiba une veste.

— C'est le genre de vêtement qui va à tout le monde, non ? Tiens. Ça te fera un souvenir.

— C'était la couleur de Veronica, le bleu.

Soudain, il dut mobiliser toutes ses forces pour ne pas devenir agressif envers elle. Choisis au moins d'autres couleurs, ma vieille ! Veronica n'aurait jamais permis que son amie sorte dans la rue pareillement fagotée. Elle l'aurait depuis longtemps dépouillée en personne de ces misérables frusques estampillées Leander. Pour quelle raison Gwen s'abstenait-elle de toute remarque ? Mais les soucis rendaient Gwen aveugle. Il coupa court : « Je vais border Niels. »

Traversant le couloir, il prit conscience de l'incorrection dont il faisait preuve envers Beatrijs, une des amies de cœur de sa femme, alors même qu'elle venait l'aider. Son fils n'était pas encore couché. Assis à sa table, avec son blouson sur le dos, il lisait une bande dessinée, la tête reposant sur ses mains.

— Il est sept heures et demie passées, Superman.

155

— Je n'ai pas sommeil.

— Mais si, il te faut des allumettes pour garder les yeux ouverts.

Niels ne manifesta aucune réaction. Il donnait des coups réguliers contre le pied de la table en tournant les pages.

Laurens pensa : je dois parler avec lui, je dois trouver un moyen pour le libérer du secret qu'il porte. Les mots trahissant son impuissance, il dit :

— Bon, encore un quart d'heure alors. Mais pas une minute de plus. Je repasserai voir si tu es au lit.

Avec le sentiment d'avoir failli sur tous les fronts, il retourna auprès de Beatrijs occupée à remplir un sac avec des chaussures. Elle avait pleuré.

— J'emporterai tout ça moi-même. Sinon tu risques de te retrouver pendant des semaines avec ces sacs dans le couloir. Quand on enlève tout, on n'y pense plus.

— C'est étonnant comme tu sais te montrer pratique, Beatrijs.

— Oui, et c'est choquant de découvrir à quel point cela ne cesse de surprendre tout le monde.

— Reste encore cette petite commode.

Il ouvrit le tiroir supérieur contenant les sous-vêtements. Le sang commençait à battre dans ses tempes. La dernière fois où il avait regardé dans ce tiroir, à l'occasion d'une précédente tentative, le soutien-gorge à fleurs ne se trouvait-il pas en haut de la pile ? Il était vieux et les couleurs avaient passé au fil des lessives ; Veronica ne l'avait pas porté depuis des années, mais elle était incapable de jeter quoi que ce soit. Même ses vieux slips trouvaient refuge sous des strates de lingerie appartenant à des périodes plus récentes.

— Qu'est-ce que tu regardes ? Beatrijs vint à côté de lui : Oh...

Il ramassa un sac-poubelle et versa le contenu du tiroir dedans.

— Laisse-moi faire plutôt.

D'une main douce, elle le poussa de côté. Elle ouvrit le deuxième tiroir. Elle saisit une pile de slips et les fourra dans le sac.

— Allez, Laurens. Commence par mettre le reste dans la voiture.

Il descendit avec plusieurs sacs sous le bras, ressentant comme une poussée de fièvre. Il était arrivé que Veronica, le regard impassible, lui ait glissé dans la main, au milieu d'une réception animée, d'une fête d'anniversaire ou dans une rue commerçante, comme sans y penser, un petit dessous de dentelle noire roulé en boule : j'ai envie de toi.

La voiture de Beatrijs était garée juste devant la porte. Mais sans les clés, impossible de commencer le chargement. Veer, je te laisse un instant sur le trottoir, d'accord ?

Non, bien sûr, c'était hors de question. Il traîna les sacs derechef dans la maison. Les yeux fermés, il se reposa un peu en prenant appui contre le mur du couloir, là où étaient accrochées les photos encadrées prises pendant les vacances et sur lesquelles ils formaient encore une grande famille.

— Beatrijs ! cria-t-il en direction de l'étage.

— J'arrive ! répondit-elle.

Il se la figurait, emballant les dernières babioles. Mais pourquoi, finalement ? Pourquoi s'en chargeait-elle, et pas lui ? Nom de Dieu, comme elle avait été rapide pour le pousser de côté, ramasser les petites culottes, se charger des sous-vêtements de Veronica !

Pourquoi les femmes avaient-elles des amies ? Pour se faire des confidences. Il suffisait de regarder la photographie accrochée juste sous son nez. Elles étaient là, toutes deux, il y a quelques années, chacune avec un large chapeau de soleil, penchées l'une vers l'autre au-dessus d'une table où régnait un tel désordre qu'on aurait juré qu'une nuée de sauterelles s'était abattue sur les plats. Veronica écoutait, adoptant la position typique de la Veronica attentive : le menton en appui sur une main, l'autre main empêchant les cheveux de se rabattre sur le visage. Beatrijs parlait : sa bouche était entrouverte. « Tu sais, Veer, en réalité je m'ennuie à mourir avec Frank. »

Des vies partagées depuis la maternelle déjà, des secrets qu'elles ne pouvaient confier que l'une à l'autre, un demi-mot suffisait.

Ce fut comme s'il recevait un coup de poing à l'estomac. Beatrijs devait à coup sûr être au courant de ce que lui-même s'efforçait par tous les moyens d'oublier. « Oublier », le mot paraissait bien faible. Il s'était interdit ces derniers mois, strictement interdit, d'y accorder ne serait-ce qu'une pensée. Douze années de complicité et de plaisir, voilà le solde positif de leur mariage. Ses fous rires, ses longues jambes brunes, son appétit immodéré pour les entremets sucrés, cette façon qu'elle avait parfois de lui nouer sa cravate, avec une attention qui lui faisait plisser les yeux, voilà ce qu'avait été Veronica, son trésor à lui. Mais, à observer la célérité avec laquelle Beatrijs escamotait ses dessous, celle-ci était visiblement au courant du slip que son trésor avait porté ce jour-là.

Mariés depuis douze années, et soudain cette spectaculaire conquête. Elle aurait été incapable, bien entendu, de garder pour elle une nouvelle de cet ordre.

Comment avait-il pu se convaincre que les femmes entre elles pouvaient passer sous silence un tel événement ? Tu ne devineras jamais ce qu'il m'est arrivé, Beatrijs. Il y a quelques jours, j'étais sur le point de rater mon train ; en arrivant sur le quai, je me précipite vers la première portière venue pour monter, je me retrouve dans le wagon réservé aux vélos. Et là, tu ne devineras jamais…

Beatrijs descendit les marches de l'escalier.

— Ah oui, tu as besoin des clés. J'ai replié la banquette arrière, alors ce n'est pas la place qui manque.

Sans oser la regarder en face, il saisit les clés qu'elle lui tendait, sortit de la maison, balança les sacs dans le coffre, et remonta au pas de course à l'étage pour s'occuper de la dernière série. Il devrait évidemment lui proposer un verre, impossible de la renvoyer chez elle tout à trac.

Elle se tenait dans le couloir, près du portemanteau.

— J'emporte également ses manteaux ? Laurens ?

— Oui, s'il te plaît.

Elle lui emboîta le pas en portant l'imperméable de Veronica ainsi que sa parka matelassée. Il la délesta des manteaux, les bourra entre les sacs et claqua le hayon du coffre. Elle posa une main sur son bras. « Cela t'a complètement retourné, n'est-ce pas ? »

C'est arrivé une seule fois, voulut-il dire, un accident qui peut se produire au sein des couples les plus unis. Mais était-ce vraiment le cas ?

Veronica avait sans doute raconté toute l'affaire ici même à sa copine, dans sa maison à lui, alors qu'elles étaient installées à sa table, dans sa cuisine. Sur un ton rieur qui devait masquer à quel point elle se sentait flattée. Tu te rends compte, et un étudiant de première année, par-dessus le marché. Les Ponts et Chaussées. Mmm ? Oui, dix-huit ans, excellente déduction, Beatrijs. Il était en train d'emménager. Le conducteur lui avait conseillé : « Il faut que vous vous installiez dans l'espace vélo avec cet énorme matelas. »

— Je ne peux te laisser seul dans un état pareil, Laurens. Et si nous allions ensemble...

— Non, vas-y. Je m'arrangerai.

— Tu es vraiment sûr ? Alors je vais chercher mon sac à main.

Il attendit près de la voiture. Bon sang, elle était au courant. Les histoires que tante Beatrijs pourrait raconter aux enfants à propos de leur mère... Et peut-être même, prenant pour motif le flirt poussé de jadis, dans le verger, aurait-elle estimé lui rendre la monnaie de sa pièce. Bah, tu sais, il n'est pas blanc comme neige non plus, Laurens.

La voici de retour, avec une mine soucieuse.

Il se baissa de manière machinale pour l'embrasser.

— Je te serai éternellement reconnaissant.

Elle lui adressa un salut de la main. « N'attends pas, prends un bon verre. » Puis elle monta dans la voiture.

Il resta sur le trottoir, pour la forme. Il leva la main et l'agita mollement.

De retour dans la maison, il tourna en rond. Il alluma la télévision, zappa de chaîne en chaîne sans regarder et éteignit l'appareil. Il se rendit dans la cuisine, s'empara du courrier resté dans la coupe à fruits, mais reposa immédiatement la pile, soudain pris par la crainte de trouver sur une enveloppe le nom de Veronica écrit par une main inconnue. Qui pourrait dire qu'ils n'avaient pas échangé leurs adresses ? Quelqu'un se promenait dans la nature en pensant qu'elle était toujours en vie : après tout, il n'avait pas reçu de faire-part et pouvait fort bien tenter de reprendre contact avec elle.

Mais non, Bea, je n'avais évidemment aucun projet ! La seule chose à laquelle je pensais alors que le train quittait la gare, c'était de ne pas oublier de prendre le costume de Laurens chez le teinturier.

Il aurait voulu ne pas avoir arrêté de fumer. Avec un peu de chance, il trouverait encore un paquet de cigarettes bien caché. Mais, au moment où il allait se mettre à chercher, il se souvint brutalement de Niels. Soulagé d'avoir au moins un but clairement défini, il se rendit à l'étage. Des marches, il aperçut un rai de lumière sous la porte. Pris en flagrant délit, Superman.

L'album de bandes dessinées était posé ouvert, juste sous la lampe. Il dirigea son regard vers le lit, mais, pour une raison indéterminée, il remarqua d'abord l'étagère quasiment vide fixée au-dessus. Vide ? Mais où étaient donc passées toutes les petites voitures que Niels aimait tant ? Que se passait-il donc dans cette maison ?

Ensuite seulement, il constata que son fils ne se trouvait pas dans le lit. Il avait les nerfs si tendus, qu'il sentit immédiatement la sueur l'inonder. Durant une fraction de seconde, ses yeux papillotèrent. Du couvre-lit avec la voiture de course rouge, vers la porte de l'armoire couverte de posters, vers les chaussures de sport posée sur la natte en jonc, semelles de côté, vers le fort en Lego, choses qui, toutes, rayonnaient la sécurité, la confiance, la protection, dans un monde où un voleur d'enfants pouvait se trouver à l'affût sur chaque aire de jeux. Heureusement qu'il porte son blouson, pensa-t-il sans la moindre logique.

Sans avoir conscience de ce qu'il faisait, il ramassa les baskets et les rangea dans l'armoire. Il devait…

téléphoner, voilà ce qu'il devait faire. Son fils avait évidemment pris la tangente et se trouvait chez un copain. Chez... ou chez... la frayeur avait effacé tous les noms de sa mémoire. Ou fallait-il penser à une autre possibilité ? Était-ce sérieux ? Pouvait-on parler de fugue ? Et pourquoi ? Parce qu'il s'était débarrassé des vêtements de Veronica ? Avait-il agi trop hâtivement pour Niels ? Son front où perlait la sueur devint glacé. Il n'aurait pas dû toucher à ses affaires. Alors il aurait tranquillement pu continuer à oublier qu'elle avait cherché refuge dans les bras d'un autre, et Niels serait resté avec lui, comme d'habitude. Qu'avait-il déclenché ?

Son regard tomba sur les draps. Entre les plis apparaissait la manche d'un pull beige : le pull au large col châle était toujours là. Le souffle court, il dit à haute voix : « Tu vois bien, non ? Je n'ai pas tout jeté. »

Au même moment, provenant de la chambre de Toby, il entendit la voix de Niels.

— Babette, disait son fils sur un ton impérieux, Babette, m'entends-tu ? Réponds-moi, Babette.

Flagrant délit

— C'est quoi, ce banc pourri que tu as mis là, papa ? J'en reviens pas !

Yaja s'était immobilisée sur le seuil du salon, tremblant d'un dégoût apparemment irrépressible. Elle entra pourtant et laissa tomber son sac avec les affaires du week-end, juste à côté de la grande coupe d'eau où voguaient paisiblement douze lumignons.

— Bonjour, Yaja, dit Beatrijs tandis qu'elle repliait à contrecœur son journal.

Alors qu'un instant auparavant encore, la lecture à la lumière des bougies avait paru un plaisir, cette activité devait, aux yeux de Yaja, représenter une forme exacerbée d'affectation.

— Installe-toi confortablement devant la cheminée. Je vais allumer le feu, dit Leander.

Avec des gestes attentionnés, il aida Yaja à quitter son blouson trempé. Tous deux avaient parcouru la faible distance séparant la gare de la maison sous une pluie battante. Sous les coulures noires, blanches et rouges, le visage de Yaja paraissait plus petit que d'ordinaire, et plus fragile.

Beatrijs eut honte d'avoir pensé automatiquement : voilà de nouveau la petite peste. Fermement décidée à se présenter sous son meilleur jour, elle se hâta de prendre quelques serviettes à la salle de bains. Son intention avait été de les recevoir avec du thé et des scones faits maison, mais la pâte avait refusé de gonfler ; Beatrijs s'était révélée incapable d'obtenir la cohésion requise, le mélange de farine n'avait pas consenti à absorber le lait – c'était peut-être parce qu'il était demi-écrémé, le seul dont elle disposait, mais il faudrait alors qu'une mention sur l'emballage prévienne le consommateur. L'échec avait provoqué en elle un sentiment d'agitation renforcé par cette averse, dont elle n'était pas loin de s'attribuer la responsabilité.

Debout dans le salon, Yaja fixait toujours avec mépris la chaise longue d'époque.

— Elle vient de mon ancienne maison, fit Beatrijs pour plaider la cause de son meuble.

Elle passa doucement la main sur le gobelin satiné. Puis elle donna une serviette à sa fille en location.

— Elle habite ici maintenant ? demanda Yaja à son père.

— Mais bien sûr. Pourquoi aurions-nous besoin de deux maisons ? Tu sais que je n'aime pas le luxe inutile.

Il empilait le bois dans l'âtre.

— Et moi, je crèche où ?

— Comme d'habitude, ici, dans ta propre chambre.

Beatrijs s'agenouilla à côté de lui pour sécher ses cheveux.

— Nous n'habitons pas seulement ensemble, Yaja, nous allons…

— Beatrijs. Nous aimerions peut-être boire quelque chose avant.

Il voulait évidemment l'annoncer lui-même à sa fille.

164

Dès qu'elle ouvrait la bouche, avec le sens de l'à-propos qui la caractérisait, les catastrophes ne manquaient de se succéder, et Leander serait ensuite obligé de la reprendre, ce qu'il avait en sainte horreur. Elle se leva rapidement.

Dans la cuisine, elle trouva un paquet de sablés Sprits pour accompagner le thé. Leander était parfaitement d'accord avec la chaise longue, il l'avait dit lui-même. Le travail artisanal que supposait un meuble vieux de plus d'un siècle recueillait toute sa considération. Le tournage des pieds d'ébène avait exigé bien du zèle et de la patience, et d'humbles petites mains s'étaient consacrées à broder point après point le motif français de la fleur de lys. La chaise longue n'était pas un chef-d'œuvre, mais bien, en réalité, un monument de dé-précipitation, d'anti-prétention.

Pour Frank, elle était folle de ne rien vouloir emporter d'autre de leur ancienne maison. Mais pourquoi une personne devrait-elle posséder dix-sept vases différents et mille deux cents objets purement décoratifs ? Pour ne rien dire de tous ces services à demi complets empilés dans le grenier pour le cas où ils seraient un jour de quelque utilité. Toutes ces boîtes contenant des correspondances jaunies remontant à une époque où l'on écrivait encore des lettres, ces albums de photographies, ces livres qu'on ne relirait jamais, ces coussins protégés comme il se doit dans leur housse brillante, ces petits paniers avec des hortensias séchés : rien que du poids mort. C'était tout à fait Frank de produire une liste avec trois colonnes soigneusement renseignées (« Beatrijs », « Frank », « Ensemble »). Sa collection de porcelaine d'*Alice au pays des merveilles* ne lui avait pas manqué un instant, vraiment pas une seule seconde.

Elle revint au salon en portant le plateau à thé.

Leander était assis devant la cheminée, dans un fauteuil en velours côtelé de couleur sable. Le feu crépitait. Il avait allumé quelques bâtonnets d'encens. Elle eut la gorge serrée. Sa vie n'avait vraiment commencé qu'avec lui.

— Yaja a fait un saut à la salle de bains pour refaire son maquillage.

— Parfait.

Sans y penser, elle prit la théière, mais la reposa juste à temps. Elle s'approcha de Leander et s'assit par terre, le dos calé contre ses genoux. Elle sentit ses mains passer devant ses épaules et se glisser dans sa chemise. Il enveloppa ses seins. Avec un soupir, elle se laissa aller contre lui. Que n'auraient-ils pu faire ensemble ce week-end, sans Yaja.

À ce moment précis, la jeune fille entra de nouveau dans la pièce. Ses yeux s'élargirent.

— Non mais, ça va pas ?

Beatrijs s'échappa des mains de Leander et s'assit toute droite.

— Tu viens te joindre à nous ?

Leander tendit un bras en direction de sa fille. Yaja chipa un Sprits sur le plateau et se laissa tomber avec une brutalité voulue sur la délicate chaise longue. Elle était vêtue d'un costume en velours noir qui la couvrait des pieds à la tête, mêlant de manière étrange des couches superposées et des drapés aux mouvements libres. Le collier de chien aux pointes acérées brillait par son absence. À la place, pendait un cordon avec des dents qui semblaient provenir de fouilles archéologiques. Sur son front blanc était inscrit 666 au moyen d'un tube de rouge à lèvres pourpre. Tout en mâchant son sablé, elle demanda sur un ton plaintif :

— Alors, on va faire quelque chose, au moins ?

— Parlons d'abord un peu, dit Leander.

— Et elle est obligée de rester là ?

Le fait que Yaja s'exprime sans prendre de gants était un signe de confiance dont il soulignait toujours l'importance, : elle savait que Beatrijs et lui l'aimaient, même si elle se montrait méchante.

À la lumière de cet amour inconditionnel, Beatrijs se sentait parfois étroite d'esprit et animée de pensées mesquines. Surtout lorsqu'elle prenait en considération l'énergie que Leander déployait depuis des mois pour aider Gwen. Chaque après-midi, vers l'heure probable de la disparition de Babette, il abandonnait toutes ses activités pour se retirer dans son bureau avec les photographies et les jouets du bébé. Assister Gwen de la sorte était la preuve d'une extrême gentillesse. Ils n'avaient aucun lien familial, ou de passé commun. Il agissait ainsi parce que Gwen était son amie à elle. La moindre des choses qu'elle puisse faire en retour consistait à mettre sa fille à l'aise.

Leander fit glisser ses doigts le long de l'arête du nez.

— Yaja, j'ai eu ce matin un appel téléphonique assez inquiétant de Laurens.

Beatrijs sursauta. « Laurens ? » Elle sentit la commissure de ses lèvres trembler. Elle n'aurait tout de même pas oublié de faire jurer à Laurens de ne révéler sous aucun prétexte la soirée qu'ils avaient passée ensemble ? Leander était trop sensible pour supporter une nouvelle de cette nature.

Tout avait été pourtant si bien été arrangé. Il ne rentrait pas pour dîner. Afin de préparer ses séminaires, il devait passer prendre des travaux chez l'imprimeur, puis visiter une salle destinée à un nouveau projet en cours de lancement : des sessions hebdomadaires de psychométrie ouvertes au grand public. La nocturne commerciale tombait ce soir-là et l'ouverture des magasins lui offrait un bon prétexte si d'aventure il appelait à la maison et n'y trouvait personne. Quelques jours auparavant, elle avait pris soin de profiter d'un moment d'inattention pour acheter chez V & D une bobine de fil à coudre destinée à appuyer son explication. Elle avait pensé à laisser sur l'égouttoir, au cas où il rentrerait plus tôt, une poêle, une cuillère en bois, une assiette et des couverts, comme si, en son absence, elle avait mangé une omelette toute seule dans la cuisine. Et sur le chemin du retour, elle s'était arrêtée dans une rue où la voirie n'était pas passée pour poser rapidement les sacs contenant les vêtements de Veronica à côté des ordures ménagères. Vraiment, elle avait tout organisé à la perfection.

Mais soudain, en se remémorant, l'estomac tordu par la tension, la façon dont elle avait balancé n'importe comment les sacs-poubelle, la gêne monta en elle en même temps qu'une bouffée de chaleur : c'était un acte qui réclamait de l'amour, on ne devait pas l'expédier sans la moindre marque de respect. Veronica s'y serait prise d'une tout autre manière, elle n'aurait d'ailleurs jamais refusé le vêtement d'une amie décédée, elle aurait accepté la veste avec quelques mots bien choisis pour exprimer sa sincère gratitude, elle l'aurait portée souvent et avec plaisir, elle l'aurait peut-être même mise spécialement, à l'occasion d'une promenade sous un ciel d'automne, pour marcher un peu seule afin de méditer et se remémorer des souvenirs anciens.

Beatrijs posa ses mains sur ses joues brûlantes. Elle restait bien loin du compte. Faire son deuil prenait du *temps*, faire son deuil signifiait que l'on s'arrêtait chaque jour longuement sur ce qui s'était passé, mais où allait-elle trouver ces heures pour elle-même ? Et comment diable aurait-elle pu rentrer avec une veste qui prouvait qu'elle venait de passer la soirée avec un autre homme ? C'était facile pour Veronica de faire la morale avec un mari comme Laurens. Un homme qui se fichait éperdument de ce que sa femme... Mais en fait, non, tout bien considéré, c'était faux, sinon il n'aurait jamais disjoncté à ce point, complètement perdu les pédales avait-elle précisé, ce qui, en réalité – surprise, surprise –, signifiait sans ambiguïté à quel point il était *normal*, l'exemple même de Laurens le démontrait, qu'un homme désire garder sa femme exclusivement pour lui.

— Laurens a téléphoné ?

Yaja prit un autre Sprits.

— Il est cool celui-là, c'est même un beau mec, pour quelqu'un de son âge en tout cas. Holà, regarde un peu la tête qu'elle fait ! Elle s'en ferait bien son quatre-heures ! Qu'est-ce qui l'en empêche ? Il est libre.

Les vieilles envies de meurtre refirent surface chez Beatrijs. La situation était déjà assez compliquée comme cela.

Leander l'observa un instant. Puis il dit à Yaja :

— Il prétend que tu te serais permis des âneries occultes en présence de ses enfants, le soir même après la disparition de Babette. Cela a fait apparemment une telle impression sur Niels que, depuis ce jour, il imite régulièrement ta prestation avec son petit frère comme public.

Yaja se mit à hurler de rire.

— Yo, quelle bande de nains !

— Pour toi, ce ne sont peut-être que des plaisanteries. Mais je te préviens, ce sont des plaisanteries dangereuses. Tu prends le risque de libérer ainsi des forces que tu ne maîtrises pas. Ce que tu fais n'est rien moins que d'ouvrir une porte sur l'au-delà.

Yaja haussa les épaules. Pas le moins du monde impressionnée, elle se mit à faire des tortillons avec ses cheveux.

Beatrijs brûlait de découvrir ce à quoi Leander faisait allusion, mais elle ne serait pas intervenue pour tout l'or du monde : il lui avait rarement été donné d'assister à une admonestation de la fille par son père ; jamais elle n'avait vu ce dernier se rapprocher autant de la réprimande. Continue sur cette voie. *Continue.*

— Il y avait autre chose ? Yaja se mit à bâiller.

Leander souffla avec mépris.

— Oui, tu connais Laurens, pas vrai ? Il n'a évidemment pas laissé passer l'occasion pour me faire quelques reproches. J'aurais dit quelque chose à Niels qui aurait fait croire au garçon que Babette a disparu par sa faute.

— Qu'est-ce que tu veux dire ? demanda Beatrijs.

Niels le Nordique était son préféré.

— Oh, ma déesse, ne fatigue pas ta tête adorée avec ces histoires.

— Eh bien, merci ! Si vous commencez avec vos messes basses craignos, moi, je me casse.

Déjà, Yaja se levait.

Leander se dépêcha de reprendre :

— Faisons tous ensemble une partie de Rummikub.

— De Rummikub ? Sérieusement, tu parles de Rummikub ?

— Oui, j'ai déjà tout préparé. Là-bas. Sur la table.

Yaja se pencha en avant avec un mouvement brutal. Ses cheveux encore mouillés essuyèrent presque le sol.

— Alors ça, c'est de la dictature pur jus ! Tu ne vas tout de même pas préparer à l'avance une chose que je n'ai pas demandée, le baveux ! Toi, tu n'es bon qu'à une chose, c'est d'imposer ta volonté aux autres. Ça te passe jamais par la tête de me demander pour une fois ce dont je pourrais avoir envie ?

Le visage de Leander se crispa. Ses yeux se détournèrent légèrement. Pourvu qu'une attaque de migraine ne soit pas en préparation. Le cœur lui manqua à l'idée de devoir passer un nouveau week-end en tête-à-tête avec Yaja tandis que son père resterait couché dans une chambre aux rideaux hermétiquement tirés. Nous n'étions que vendredi après-midi.

Il regarda sa montre.

— Désolé, mais c'est presque l'heure. Il faut que j'aille me concentrer sur Babette.

Dès qu'il eut fermé la porte derrière lui, Yaja s'adressa pour la première fois directement à Beatrijs.

— Quel froussard ! dit-elle lentement, en se montrant fort satisfaite.

Ensuite, elle sauta sur ses pieds avec une vivacité inaccoutumée, comme si ces paroles l'avaient rassérénée, et tira de son sac un magazine avec lequel elle se laissa de nouveau choir sur la chaise longue, ses pieds bottés pendant par-dessus l'accoudoir. La couverture de la revue représentait un être cornu qui fixait Beatrijs avec un sourire satanique tandis qu'il pulvérisait avec ses sabots un objet qu'elle évita de regarder avec une trop grande attention.

Elle aurait pu avoir une fille de cet âge. Elle aurait même pu en avoir trois, mais aucun d'eux ne reçut le don de la vie. Et voilà Yaja, dont l'existence se

171

concentrait sur le rejet de tout ce qui possédait souffle et vitalité, et présentait quelque intérêt ; Yaja qui préférait embrasser les ténèbres plutôt que son propre père.

Avec cette pensée en tête, elle se leva et, avec un calme étrange, se mit en devoir de ranger le plateau à thé et son contenu. Elle allait bientôt appeler Gwen, comme elle le faisait chaque jour à la même heure. Si son amie se montrait d'humeur à l'écouter, elle lui dirait : « Je pense avoir enfin compris pourquoi j'aimerais tant *écrabouiller* Yaja. »

Dans la cuisine, elle en profita pour laver sans attendre les tasses. Il était remarquable de constater avec quelle rapidité elle avait appris à trouver du plaisir dans les tâches les plus simples. Le secret résidait dans l'attention sans partage que l'on accordait à chacune des activités. Cette démarche allait presque de soi dans la maison d'un autre, où rien ne reposait sur des habitudes.

En quittant la cuisine, elle aperçut au fond du couloir plongé dans l'obscurité Leander qui sortait de son bureau. Son cœur fit un bon dans sa poitrine à la pensée qu'elle serait dans peu de temps sa femme. Pas uniquement son âme sœur, son adorée, son tout, mais son épouse officielle. Cette nouvelle condition aurait pour effet de le détendre, elle en était certaine. Dès qu'elle serait sienne au regard du monde, exclusivement sienne et rien d'autre, alors ses accès de céphalées appartiendraient au passé. Qu'un esprit aussi grand puisse se sentir si fragile et si dépendant la remplissait de tendresse. Et ce côté enfantin. Elle connaissait des aspects de sa personnalité que jamais personne ne voyait. Il ne pouvait être lui-même qu'en sa compagnie.

Il vint dans sa direction avec un pas étrangement lent et lourd, les mains pressées contre ses tempes. Elle alluma rapidement la lumière.

Il cligna des yeux. Son teint était livide.

— Nous devons appeler Gwen, réussit-il à prononcer. Et prévenir la police. J'ai reçu une indication de lieu.

Niels rentrait à la maison sous la bruine en tenant Toby par la main et donnait des coups de pied aux feuilles tombées sur le trottoir. Il était abattu. Les vacances d'automne commençaient cet après-midi et, ce qu'il savait fort bien et avait expliqué cent fois à son petit frère : ils n'iraient nulle part.

Leur père avait pris une semaine de congé. C'était une chance qu'il ait sa propre entreprise, disait-il souvent, car autrement les problèmes auraient été infiniment plus difficiles à résoudre. Seulement, comme lui travaillait moins et que le salaire de maman leur faisait défaut, il restait bien moins d'argent pour les sorties.

Niels se sentait si affligé pour son frère qu'il lui donna une grosse bourrade sous un lampadaire. Lui-même avait visité Eurodisney à quatre ans. Cela ne risquait pas d'arriver à Toby. Et une fois atteint l'âge de cinq ans, on ne se laissait vraiment plus prendre par Dingo et Minnie.

Comme s'il avait pris la mesure de la situation, Toby resta assis sur le bord du trottoir à brailler. Furieux, Niels le remit debout d'une secousse, puis ramena le capuchon dans le bon sens.

Cela semblait d'ailleurs assez étrange de se rendre compte tout à coup que Dingo et Minnie n'étaient pas de vraies personnes, mais simplement des adultes déguisés avec une drôle de voix. D'après papa, le phénomène était dû au fait que le « vrai » existait sous différentes formes. Quand on jouait de toutes ses forces, par exemple, on pensait parfois être vraiment un cow-boy ou un cannibale. Mais, avec l'âge, on se rendait compte que les certitudes, peu à peu, s'évanouissaient. Penser que, pour faire disparaître un bébé, il suffisait de le souhaiter, était également du faux, avait-il dit hier soir.

Il sentit ses joues le brûler en repensant à la façon dont son père l'avait surpris dans la chambre de Toby avec le verre obstinément muet posé entre eux. Il avait écouté avec une grande attention son explication. Il ne s'était pas fâché à propos des champs morphologiques, il avait simplement ajouté :

— Si les gens étaient capables d'un pareil exploit, tu peux être sûr que chaque jour, dans chaque classe, le maître disparaîtrait, pfuit, en un claquement de doigts, tu ne crois pas ? Et moi, cela ferait longtemps que je serais en train de me faire cuire un œuf dans une autre dimension. N'est-ce pas ce que tu souhaites lorsque je t'annonce que tu n'auras pas de nouvelles Nike ?

Il était impossible de faire disparaître par accident quelqu'un grâce à un souhait. Mais ce qui semblait en revanche possible selon lui, chose curieuse, c'était de faire revenir une personne si on le souhaitait suffisamment. Aucune assurance quant à savoir si le souhait serait entendu ou non, car le doute appartenait à la nature même du souhait, mais il n'était pas interdit d'essayer. Le souhait de faire disparaître une personne n'avait jamais eu le moindre effet, mais celui de faire revenir quelqu'un a parfois donné d'excellents résultats.

Tout en enjambant une grande flaque sombre, Niels pensa solennellement : Reviens, Babette, reviens !

Il retira de cette action un sentiment agréable, bien plus agréable qu'avec le verre dont papa avait dit qu'il n'était qu'un attrape-nigaud, lui aussi, un attrape-nigaud modèle Yaja. Avec son noble souhait, il se sentit comme un chevalier au casque orné d'un long panache blanc. Tout le monde n'avait pas, loin s'en faut, un père capable de vous transformer d'un coup en chevalier. En vérité, être pris sur le fait l'avait grandement soulagé.

Et supposons que Babette revienne vraiment grâce à son souhait !

Arrivés à la maison, Toby et lui enlevèrent leurs bottes et les rangèrent sous le portemanteau. Comme c'était triste de ne pas y trouver les manteaux de maman. Mais quand on est mort, on n'a plus besoin de vêtements. Cela aussi, papa l'avait expliqué.

Il était déjà rentré : Niels entendit sa voix provenant de la cuisine. La chipolata était peut-être venue lui rendre de nouveau visite. Il eut tout à coup honte d'avoir appelé ainsi sa tante. Au fil des années, elle lui avait donné au moins une vingtaine de petites voitures. Et même un jour une formule 1, une caisse d'un jaune éclatant avec des ailerons plus vrais que nature. Au lieu d'entrer en trombe dans la cuisine, il ouvrit timidement la porte.

— ... j'ai donc suffisamment répété la question ! disait son père. Réponds, nom de Dieu !

Il était assis à la table, le dos tourné. Seul.

Niels saisit son frère par la main. Au fond, il aurait préféré prendre ses jambes à son cou, mais il demeura immobile, en chaussettes ; de quoi, en effet, pourrait-il avoir peur ?

Toby lui échappa. « Salut, p'pa ! »

Leur père parut n'avoir rien entendu, tout d'abord. Puis il se retourna lentement. Son visage luisait de sueur. Il les dévisagea comme s'il avait presque oublié qui ils étaient. « Ah, les garçons », finit-il par articuler tout en simulant un sourire.

Niels fixait le verre renversé posé sur la table. Sa gorge devint sèche sous le coup de la frayeur. Donc ça fonctionnait quand même, sinon pourquoi son père se retrouverait-il à parler à ce verre vide ? Toujours la même histoire : Babette lui répondrait parce que c'était un adulte. Et dans ce cas, Babette serait morte, puisque les morts se trouvaient obligés de répondre, et plus personne ne serait en mesure de la faire revenir par la volonté d'un souhait.

— Tu as dit toi-même que c'était un attrape-nigaud ! s'écria-t-il.

— Comment ça ? demanda son père. De quoi parles-tu ?

Il se leva et posa le verre dans l'évier d'un geste naturel. Mais cette attitude nonchalante se révélait encore plus fausse que le reste, Niels s'en rendit immédiatement compte. Il quitta la cuisine en courant, monta l'escalier quatre à quatre. On ne pouvait compter sur personne ni faire confiance. Si les gens ne mouraient pas, ils vous mentaient d'autant mieux. Et en plus, il fallait s'adresser à eux en utilisant jamais moins de deux mots, et manger avec couteau et fourchette ! Arrivé dans sa chambre, il renversa d'un coup de pied son château en Lego.

De l'autre côté de la fenêtre, les feuilles arrachées aux arbres formaient des tourbillons chamarrés valsant dans le crépuscule. Le vent était aussi furieux que lui. Il se pencha sur l'appui de la fenêtre et regarda dehors.

Une pluie de glands tombait du chêne, devant la maison, il entendait nettement leur impact sur le toit de la voiture de son père. Bien fait.

— Niels ! Toby arriva dans la chambre en courant sur ses petites jambes : Nous allons manger une pizza ! Parce que les vacances ont commencé.

— Et qui va payer ? demanda-t-il rudement.

La joie s'effaça du visage de Toby.

— Papa, non ?

En pensant à tout ce que ce stupide petit mioche ne pigeait pas encore, Niels se sentit deux fois plus solitaire.

— Nous avons aussi besoin de nouveaux patins à glace, tu sais ! Bientôt, il n'y aura plus d'argent pour les acheter.

Son petit frère fit la moue. Pris par le doute, il tripota le col de son pull. Finalement, il déclara :

— Dans ce cas, je les demanderai à saint Nicolas.

— Saint Nicolas ! persifla Niels. Mais il n'existe pas, espèce de morveux !

— Si, il existe. J'ai toujours le droit de m'asseoir sur ses genoux.

Niels fut sur le point d'ironiser : C'est papa, morpion, avec une fausse barbe ! Pourquoi aurait-il envie d'être un chevalier avec un panache blanc ? On s'en sortait bien mieux comme bandit de grand chemin, pirate ou assassin : au moins avait-on l'occasion de casser la figure à tout le monde. Il pensa soudain à ce que sa mère lui avait toujours dit, et les paroles désagréables restèrent au fond de sa gorge. « Tu es toujours si gentil pour Toby, mon petit Martien. Il n'y a pas beaucoup de grands frères qui en feraient autant. »

Toby répéta, inquiet :

— Si, il existe !

Puis il regarda le château en ruine. Il ouvrit la bouche.

— Le château, il est cassé !

— Et alors ?

Toby s'était déjà assis par terre. Il se mit à ratisser des deux mains les briques de Lego.

— Je vais le réparer.

— Fous-moi le camp maintenant. Niels le saisit sous les aisselles pour le remettre debout. Quel casse-pieds ! Ce n'est pas de ta faute s'il est en morceaux. Tu n'allais pas manger une pizza ?

— Oui, tout à l'heure.

— Non, maintenant.

— Tu viens aussi ?

Toby lanterna encore quelques instants près de la porte, mais, devant l'absence de réponse, il sortit de la chambre en traînant les pieds, les épaules basses.

Niels s'assit sur son lit. Il avait froid. Évidemment, son père coupait le chauffage pendant la journée, pour faire des économies. Tout semblait se liguer contre lui. Une tuile arrivait après l'autre. Juste au moment où il avait besoin de plein de choses, l'argent venait à manquer. Il devait changer d'urgence ses vêtements, et trouver le gel pour les cheveux que les grands utilisaient aussi. Avoir la classe, voilà la première étape. Sinon, il n'aurait pas l'ombre d'une chance avec Nicky.

Il ruminait sa stratégie depuis la première fois où il l'avait vue, après les vacances d'été, à la rentrée. Sur le coup, il avait eu l'impression d'entendre une musique hyper-joyeuse. Ses cheveux étaient séparés par une belle raie, droite comme un I. Elle tenait son sac avec tant de sérieux. En marchant, elle soulevait les pieds avec prudence, comme si elle réfléchissait bien à tout ce qu'elle faisait, même pour une action aussi habituelle que la marche. Mais le plus exceptionnel chez elle, c'étaient ses yeux. Ils ressemblaient aux phares de la nouvelle Alfa Romeo, bombés et brillants.

Niels poussa un profond soupir en pensant à sa jupe dont les carreaux étaient verts et rouges, si parfaits. À ses genoux ronds juste au-dessous. À sa voix qui tremblait un peu lorsqu'elle chantait. À sa main gauche, avec laquelle elle écrivait, vous donnant l'impression qu'elle avait besoin d'aide. Nicky. Qu'une fille puisse porter un tel nom. Ses parents n'auraient jamais pu trouver une chose pareille, seuls les anges dans le ciel pouvaient l'imaginer.

Dans sa classe, Perry avait le béguin pour Barbara, Gijs pour Elisabeth, Herbert pour Annemarijn, tout le monde le savait. Et lui pour Nicky, mais de cela, personne n'était au courant. Perry, Gijs et Herbert étaient cool. Ils portaient des pantalons de skate. Lui n'avait rien à se mettre pour attirer l'attention de Nicky. Et il n'avait pas non plus d'aptitude particulière, sauf en lecture où il battait tout le monde. Mais il devait cette capacité à son père qui lui avait permis depuis tout petit de venir à l'imprimerie. Dans de telles circonstances, on apprend spontanément à lire très jeune. Ce n'était alors pas une aptitude qu'il avait, elle ne le rendait donc ni valeureux, ni unique.

Il se redressa soudain. Il avait son cimetière de voitures. Qui pouvait rivaliser avec ça ? Perry, Gijs et Herbert conservaient leur collection bêtement dans une armoire, mais lui, il avait mis en terre de ses propres mains son bien le plus précieux. « Voici le moment venu de nous dire adieu pour toujours. » On ne pouvait en tirer qu'une seule conclusion, il valait la peine d'être connu.

Ils se glisseraient ensemble sous le lilas, Nicky et lui. Ils seraient si proches l'un de l'autre en se penchant sur les petites pierres tombales, qu'il pourrait toucher, pour ainsi dire, le duvet de ses bras. Un duvet si joli, et toutes ces taches de rousseur. Mais comment devait-il s'y prendre pour l'inviter dans son cimetière de voitures ?

La température dans sa chambre devenait franchement glaciale maintenant. Il prit le pull de maman par le col et le tira de sous la couette pour le mettre sur ses épaules. Avec les bras du tricot croisés sur sa poitrine, il avait l'impression que sa mère le serrait bien fort contre elle. Elle avait porté le vêtement à l'occasion de son dernier anniversaire, lorsqu'elle avait tendu dans la rue une banderole portant l'inscription : NIELS = 7. Elle aurait su ce qu'il fallait faire. Il était sûr à cent pour cent qu'elle serait allée acheter un pantalon neuf avec lui. Et elle aurait trouvé une solution à son problème de cheveux, elle était super pour tout ce qui concernait les cheveux : avant, le meuble de la salle de bains était toujours plein de flacons et de petits pots qui s'ajoutaient au fil du temps, inédits ou différents. Seul son parfum préféré n'avait pas changé. Il se trouvait dans un flacon de verre mat en forme de poire, avec un bouchon en or. Niels l'avait subtilisé juste à temps, avant que son père ne commence les rangements.

Il se laissa glisser du lit et rampa dessous. Tout au fond, repoussée contre le mur et cachée entre les moutons de poussière ancienne, se trouvait la boîte de maman. Elle n'était pas très pleine bien sûr, mais sa mère était morte récemment. Le temps allait compléter de lui-même la collection. Quand il serait grand, les souvenirs déborderaient, si bien que Nicky et lui les

180

passeraient lentement entre leurs doigts chaque soir, tant qu'ils vivraient.

Il fourragea dans la boîte. À l'aveuglette, il repoussa la photographie sur laquelle sa mère lui donnait un baiser sur le bout du nez, alors qu'il était assis sur le bord d'une piscine inconnue. La bouteille de parfum se trouvait dessous.

Il repartit avec des mouvements de félin. Un méchant petit bouchon en plastique obturait le col du flacon. L'ouverture lui coûta la moitié d'un ongle, mais dès qu'il huma son odeur, il se sentit moins seul. Afin d'augmenter le réalisme de la sensation, il décida d'asperger le pull de quelques gouttes. S'il se montrait économe, le contenu de la fiole l'accompagnerait encore bien longtemps. Il enfonça avec avidité son visage dans la laine pelucheuse. Maman, que faut-il faire quand on est amoureux ?

— Niels, appela son père d'en bas. Nous allons manger !

— J'arrive tout de suite.

— Maintenant, Niels.

Son père était une nouille. Niels laissa glisser le pull de ses épaules et sortit de la chambre, très en colère. Il se trouvait déjà près de l'escalier lorsqu'il aperçut, par la porte ouverte de la salle de bains, les deux verres, chacun avec une brosse à dents, posés côte à côte près du lavabo. Une idée formidable lui vint alors. Il se saisit de l'un des verres et, de retour dans sa chambre, le cacha promptement sous son oreiller. Ce soir, quand il faudrait se coucher, il lui poserait lui-même la question, tout simplement. Maman, comment faire pour emmener Nicky dans mon cimetière de voitures ?

— Appelle-les, toi ! répéta Gwen avec frénésie. S'il te plaît, Tiem. Si c'est moi, ils ne donneront pas suite, ils se contenteront de dire que je suis une hystérique ou quelque chose du même genre, mais toi, ils te croiront, tu dois les appeler.

Combien de minutes s'étaient-elles écoulées depuis l'appel de Leander ? Trois au moins ! Non, plus, car elle avait d'abord couru de la cuisine jusqu'à l'atelier, au lieu de téléphoner. Où avait-elle la tête ?

— Mais il y a si peu d'éléments concrets, dit Timo.

Il se tenait toujours dans la position qu'il avait lorsqu'elle était entrée : à demi penché sur un chaudron de cire comme si la bonne nouvelle l'avait momentanément paralysé.

— Pas pour les enquêteurs. Pour eux, la vision de Leander constitue au contraire une indication très claire.

Enfin, il se redressa. Il essuya ses mains sur son pantalon.

— Tu crois vraiment ?

On entendait dans sa voix en même temps l'embarras et la joie

— Bien sûr ! C'est comme ça, c'est tout !

Il se dirigea lentement vers l'appareil posé sur l'établi. Il décrocha le combiné et la regarda, pris par une hésitation :

— Tu n'as encore rien dit aux filles, j'espère ? Il ne faut pas leur donner de faux espoirs.

Elle secoua la tête, se tordant les mains d'énervement. Elle avait quitté la maison en toute hâte, abandonnant Klaar et Karianne avec leurs Barbie rapiécées, tandis que Marise et Marleen avaient passé tout l'après-midi à bouder dans leur chambre parce que le cours de judo avait été annulé.

— Appelle donc, Timo !

Il fronça les sourcils en déchiffrant le numéro qu'ils avaient collé sur tous les téléphones. Puis il tendit la main vers l'appareil.

On aurait dit qu'entre la frappe de chaque touche s'écoulait une heure, ou peut-être une journée, ou même une année. Pareillement, le rituel consistant à répéter des noms, à transférer la communication, à répéter de nouveau des noms dura si longtemps que Gwen eut l'impression que ses cheveux devenaient gris et sa peau fripée. Au moment où Timo aurait enfin transmis l'information, elle serait devenue une vieillarde. En tout cas, la cire se serait certainement figée dans la cuve. Elle alla vérifier la température. Le caractère familier de l'opération la divertit un instant. Voilà plusieurs semaines qu'elle n'avait plus mis les pieds à l'atelier, et elle prit conscience d'à quel point il devenait urgent qu'elle remette de l'ordre dans leur entreprise. D'après les bordereaux épinglés sur le panneau d'affichage, ils avaient accumulé un retard considérable sur les commandes de Noël. Il était loin d'être sûr que le temps perdu puisse être rattrapé. La maladie leur avait fait perdre de nombreux essaims, ces derniers temps. Et si Timo ne se mettait pas rapidement à nourrir les abeilles survivantes pour qu'elles passent l'hiver, ils pouvaient faire une croix sur la prochaine récolte.

— Ma femme vient de recevoir une... une indication concernant le lieu où pourrait se trouver notre fille, entendit-elle Timo articuler.

Une certaine tranquillité commençait à s'établir en elle, un sentiment sans profondeur encore, certes, et fragile, mais tout de même. Avant même de s'en rendre compte, sa vie retrouverait son cours normal. Elle serait ici chaque matin de bonne heure pour plonger les mèches dans la cire tandis que sa petite dernière babillerait dans le berceau posé à côté des cadres de séchage et que son mari, l'amour de sa vie, parcourrait en sifflotant le rucher avec l'eau sucrée pour nourrir les abeilles.

Dès que Babette serait retrouvée.

Immédiatement, l'angoisse jaillit de nouveau en elle. Du calme, reprends-toi ! Ses filles étaient indestructibles, naturellement. Des filles costaudes qui ne pleuraient pas quand elles tombaient et que des gravillons restaient plantés dans leurs genoux écorchés, des filles que les bosses et les bleus laissaient indifférentes, des filles avec des vêtements déchirés, des filles qui avaient plus d'un tour dans leur sac et affrontaient la vie sans crainte... Pour petite qu'elle soit, la plus jeune était sans le moindre doute de la même trempe.

— Oui, j'essayerai, dit Timo en s'éclaircissant la voix, mais il m'est malheureusement impossible d'être plus clair que ceci : l'endroit doit se trouver près d'un cordon de police. Il écouta encore un instant, hochant la tête, indécis : Oui, je comprends bien. Mais nous pensions, ma femme pensait, que vous auriez peut-être une liste de ces cordons, un document couvrant l'ensemble du pays. Ainsi, vous auriez pu vérifier si...

— Babette est courageuse, je t'assure, dit Gwen à haute voix.

Timo couvrit le combiné de la main.

— Quoi ?

Elle secoua la tête.

— Ainsi vous auriez eu la possibilité de déterminer les lieux à explorer.

Elle s'étonna qu'il persiste à vouvoyer une personne avec laquelle il avait déjà parlé cent fois. Il se montrait rarement aussi respectueux des formes, en temps normal. La cause relevait-elle des bonnes manières, ou était-ce l'expression d'une soumission ? Tout allait bien tant que l'on restait poli et que l'on ne faisait pas de scandale. Une onde de chaleur la traversa. Il se donnait tellement de mal.

Elle regarda ses épaules, le col usé de sa chemise en flanelle, cet étrange épi rebelle juste au-dessus de l'oreille droite. Son cou commençait à épaissir. Ils allaient vieillir ensemble. Les jours où le temps serait clément, ils longeraient le canal, côte à côte, en poussant devant eux leur déambulateur, toujours unis par un même émerveillement devant le monde avec toutes ces abeilles et ces champs de trèfle en fleur, puis, lorsqu'ils se seraient arrêtés, les jambes raides, sur un banc près de la berge, alors il poserait sa main sur la sienne, chaude et sèche, et ils observeraient ensemble la surface de l'eau et écouteraient avec satisfaction les canards fureter dans les roseaux en cancanant, comme toujours, comme autrefois.

— Bien, dit-il. Cela va de soi. Je vous remercie.

Il reposa le combiné avec un geste heurté et maladroit.

— Donc ? demanda-t-elle en s'adressant à son profil.

Il prit un crayon sur l'établi et l'examina un long moment. Pointe cassée, partie arrière mâchonnée. Puis il le reposa avec le plus grand soin.

— Donc rien.

— Rien ?

— Ils n'ont pas... Il écarta les bras : Tu sais, Mop, ils sont organisés par corps, par commune, et cela change tout le temps ; ils coupent parfois une route à cause d'un accident et, deux heures après, tout le monde circule au même endroit à toute vitesse, tu sais bien comment les choses se passent.

Elle se rendit compte que sa respiration était devenue haletante.

— Alors j'irai voir par moi-même.

— Gwen, regarde la situation en face pour une seconde. Qui a dit que ce lieu se trouvait dans les environs ? Après tout le temps qui s'est écoulé ?

— Mais c'est logique, au contraire ! Autrement, cela ferait belle lurette que Leander ne serait plus en état de la voir !

C'était si évident que son cœur manqua un battement. Personne n'avait emporté Babette dans un avion ; durant toute cette période, son bébé s'était trouvé ici, tout près, au coin de la rue, pour ainsi dire. Sans plus réfléchir, elle tendit la main vers les clés de voiture accrochées à un clou planté de biais dans le montant de la porte.

Son mari fut plus rapide qu'elle, il mit les clés dans sa poche.

— Gwennie, il est presque cinq heures et demie. Les enfants doivent manger. Tu viens avec moi ?

Le soulagement qui perçait dans sa voix était éloquent : il avait pris le risque de se ridiculiser auprès des enquêteurs en transmettant son information, mais ils pouvaient à présent revenir aux affaires courantes. Il éteignit la lumière et ouvrit la porte. L'air humide du soir se répandit à l'intérieur.

Si Babette se trouvait à l'extérieur, où que ce soit, ce qui à la lumière des paroles de Leander semblait probable, elle ne manquerait pas de prendre froid.

— S'il te plaît, Gwen. Nous avons encore quatre autres enfants, nous devons penser également à eux.

Leur bébé était couché sous un buisson ruisselant,

ou sur une chaussée mouillée et glaciale, les petites lèvres bleuies, le duvet blond collé contre sa tête.

— S'il s'avère qu'elle se trouve à proximité d'un cordon de police, ce serait une nouvelle formidable. Elle sera bientôt retrouvée, ce n'est pas possible autrement.

Elle s'engouffra dans la brèche

— Exactement, et nous devons rester à côté du téléphone. Pars devant, comme ça, moi, je reste encore un peu ici, pas longtemps, quelques minutes, de manière à éviter qu'ils n'appellent juste au moment où nous serions tous les deux...

Il soupira et la serra contre lui. Il l'embrassa sur le front. Puis il alluma de nouveau la lumière, se retourna et sortit de la cirerie.

Une énergie maniaque monta en elle. Elle ouvrit sans ménagement placards et tiroirs, cherchant fiévreusement une lampe de poche. Pourquoi était-elle toujours incapable de trouver quoi que ce soit, pourquoi était-ce toujours le bazar dans sa vie, pourquoi les choses ne se trouvaient-elles pas toujours à la même place, comme chez les autres ? Chaque tablette où régnait le désordre lui criait : comment peut-il en être autrement, en voilà une qui perd jusqu'à son propre bébé. Elle jeta une pile de papiers de côté : les dessins de la nouvelle bougie qu'elle avait voulu fabriquer, celle qu'elle avait imaginée le jour du pique-nique. « Voici notre nouveau modèle, la Veronica, disponible en bleu ciel et en blanc ivoire. » Elle avait pensé aux morts au lieu de penser aux vivants. Elle avait cru que faire honneur aux morts aimés avait une importance. Mais les morts étaient bien morts. Dès que l'on s'intéressait à eux, on oubliait d'embrasser les vivants, on oubliait son propre enfant.

187

Comme si le modèle de bougie qu'ils allumaient présentait la moindre importance pour les braves bourgeois avec leurs appartements bien ordonnés aux pièces traversantes inondées de soleil. Ces beaux esprits chez qui jamais un enfant ne se perdait. Ces veinards qui ne connaissaient pas leur bonheur, mais qui néanmoins s'imaginaient tout devoir à leur propre mérite et à leur travail.

Elle déplaça filtres et moules, roula de côté des tubes en PVC et des bobines de mèche. La lampe de poche se trouvait par terre, derrière les fûts de colorants, sous le bonnet supposé perdu de Marise. Bien sûr, pouvait-il en être autrement ?

Elle boutonna sa veste de jean, la nervosité lui glaçait les doigts. Quoi qu'il en soit, elle ne vaudrait pas tripette si elle n'essayait pas au moins tout près de chez elle. Et si elle continuait jusqu'à l'aube, cinq kilomètres par heure étaient loin de dépasser ses capacités, elle aurait alors localisé bien des cordons de police dans les alentours. Il fallait se dépêcher avant que Timo ne devine ses projets. Laisser la lumière allumée, voilà une bonne idée. Si on ne voyait pas l'atelier directement, on apercevait cependant, depuis la maison, un halo contre le ciel qui laissait supposer qu'une personne était encore présente, en train de se ronger les ongles.

L'andouille, pensa-t-elle, angoissée.

Dehors, le brouillard s'épaississait comme dans un cauchemar, formant de longues nappes filandreuses. La nuit était presque complète. Elle se mit à marcher sur la pointe des pieds afin de diminuer le crissement du gravier. La meilleure solution consistait à prendre le chemin du pavillon : Bobbie devait avoir rejoint depuis longtemps Timo et les filles, et s'activait maintenant dans la cuisine embuée. C'est bien ça, il n'y avait pas de lumière chez elle. Gwen continua le plus rapidement possible sa progression à pas de loup.

Les lampadaires bordant le chemin de halage le long du canal répandaient une clarté brumeuse. Elle entendit ses pas résonner dans ce silence mystérieux qui n'appartenait qu'aux soirées d'automne. Le vent avait soufflé fort toute la journée, mais, à présent, l'air semblait presque immobile, et une odeur de champignon et de vieux bois moisi imprégnait l'atmosphère.

La route nationale lui offrait probablement les meilleures chances : on y roulait à des vitesses insensées, et le brouillard augmentait encore les risques. Si elle traversait près de l'étang, elle pourrait atteindre la route en moins de dix minutes. Les petits nuages de vapeur produits par sa respiration précipitée se mêlaient à l'air saturé d'humidité. Tout comme le bateau à vapeur en feutre vert océan cousu sur la poitrine de la robe chasuble de Babette, elle traçait son sillon dans la nuit, en suivant son cap sans dévier, avec tout l'équipage sur le pont.

Dans le pré, aux abords de l'étang, l'obscurité se révéla complète. Ralentissant le pas, elle explora le terrain à l'aide de la torche pour débusquer trous et taupinières. Ce n'était pas le moment de risquer une entorse. Le faisceau de la lampe glissa sur un lapin qui resta immobile dans l'herbe, comme paralysé, les oreilles collées contre la tête. « N'aie pas peur », marmonna-t-elle. C'était exactement ce qu'elle voulait montrer à Babette. Regarde, un lapin. Ici, une pomme de pin. Là, une coquille d'escargot. Les enfants qui apprenaient à connaître et à respecter la nature en tiraient profit toute leur vie durant : ceux-là auront toujours à leur disposition une source inépuisable de plaisir, une source de joie et d'inspiration, et même de consolation. Car une petite fille à qui sa maman apprenait qu'avec les premiers rayons du soleil printanier les roseaux développent déjà, sous leur feuillage desséché, des rejets pleins de vie, cette fille verrait de ses propres yeux que c'est la vie qui règne dans la nature. Indestructible.

Un peu plus loin retentit le cri d'un oiseau attardé. Une petite foulque ou une poule d'eau : il est toujours difficile de les distinguer. Pourvu qu'elle ne finisse pas elle-même dans l'étang. Pour plus de sûreté, mieux valait s'écarter vers la gauche. Et bien s'éclairer.

Comme la nuit était sombre. Le même cri de nouveau.

Elle s'immobilisa. L'espace d'un instant, elle fut trempée de sueur. Son blouson lui collait aux épaules et paraissait soudain peser des tonnes. « Babette ? hurla-t-elle, Babette ? »

Trébuchant sur les irrégularités, elle courut droit devant. Dans la lumière qu'elle projetait, elle vit les arbres indifférents filer en zigzaguant, les buissons, le pré. C'était comme si elle n'avançait pas, comme si elle se tenait immobile dans l'œil d'un cyclone. « Babette ! »

Une voix l'appela :

— Gwen, Gwen, c'est toi ?

— Oui ! Que... où...

— Viens vite ! Elle est complètement trempée !

Elle brandit la lampe torche à deux mains. Les tremblements qui l'agitaient étaient si forts qu'elle parvenait à peine à diriger la lumière. Avec des mouvements saccadés, le faisceau balaya le vieux marronnier où était encore fixé le ruban rouge et blanc de la police, puis revint en arrière. Bobbie se trouvait sous l'arbre, Babette dans les bras.

La pizzeria où ils avaient réussi à s'emparer de la dernière table libre était bondée et bruyante. Laurens découpait la pizza de Toby en parts.

— Il faut bien souffler, Toby, c'est brûlant.

— Il n'y a pas de fromage ici.

Son fils montrait la croûte avec un air soucieux.

— Commence par ce que tu préfères. (De toute façon, la portion était trop copieuse pour le petit crocodile.) Niels, tu as besoin d'aide ?

Niels sciait consciencieusement sa pizza et ne répondit pas.

Laurens se surprit à espérer ardemment que Niels ait remarqué en entrant dans le restaurant que les verres étaient posés à l'envers sur les nappes en papier. Le serveur les avait redressés d'un geste élégant après avoir distribué les menus. Il n'y avait rien à chercher derrière un verre posé tête en bas, le monde en était rempli, tout un chacun se retrouvait tôt ou tard assis à une table où un verre avait été disposé le pied en l'air, la position ne signifiait rien en soi, Niels devrait être à même de le comprendre.

— C'est bon, les copains ?

Toby soufflait toujours sur son assiette comme si sa vie en dépendait. Niels embobinait un long filament de fromage sur sa fourchette.

L'heure était beaucoup plus tardive que Laurens ne l'avait espéré. Ils avaient dû attendre longtemps avant qu'on leur apporte les pizzas. Pourvu que Toby ne s'écroule pas dans les minutes qui suivent. Il saisit la carafe de vin et se versa un autre verre. Comme c'était triste de manger tout seul, se dit-il soudain. Il regarda discrètement autour de lui. Sous des photographies encadrées de Naples, toutes les tables étaient occupées par des couples, un homme et une femme, ou des familles au complet, le père, la mère et deux enfants. Mais non, là-bas : deux amies un peu plus âgées. Mais peut-être formaient-elles également un couple.

Le restaurant était petit, et l'attention qu'il portait aux autres tables ne passa pas inaperçue. Les gens se mirent à répondre à son regard, de manière indifférente d'abord, mais bientôt avec plus insistance. Que voyaient-ils, ou que pensaient-ils voir ? Un père divorcé disposant d'un droit de visite ? Un veuf, les gens n'y penseraient pas trop, surtout à son âge. Ils croyaient tous que sa femme vivait encore et se livrait, en d'autres lieux, aux activités ordinaires des vivants.

Sous la pression, il prit une gorgée de vin beaucoup trop grande. Il se sentait brisé. Cette nuit, la commode, d'où le slip accusateur de Veronica avait disparu à jamais grâce aux efforts de Beatrijs, lui avait semblé, pour une raison mystérieuse, beaucoup plus grande que lorsque le meuble était plein de lingerie. Lui tourner le dos n'avait eu aucun effet. On ne produit pas de sérotonine durant la nuit, cela faisait partie des curiosités qu'affectionnait Veer, et c'est la raison pour laquelle on avait une perception deux fois plus pessimiste des événements. Mais, au réveil, la situation ne s'était pas améliorée. La boîte de Pandore était ouverte, impossible de le nier. Il avait peut-être réussi à donner le change pendant plusieurs mois, mais, maintenant, toutes les vérités refoulées s'imposaient de nouveau à lui en prenant leur pleine dimension. Comment trouver la paix dans une telle situation ? Comment faisait-on, nom d'un chien ? Si seulement il avait connaissance de ses dernières pensées. Qu'au moins, durant ses derniers instants sur terre, elle n'ait pas... Réponds, Veronica. Nom de Dieu, donne-moi une réponse.

Son portable sonna au fond de la poche poitrine. C'était elle.

— Laurens ! cria Beatrijs dans son oreille.

Il comprit qu'il ne savait plus quel ton adopter pour lui parler.

— Où es-tu ?

— Dans un restaurant.

Il se tassa un peu sur lui-même. Il avait une sainte horreur des gens qui téléphonaient à tort et à travers dans les lieux publics. Pourquoi n'avait-il pas éteint ce maudit appareil ? Parce qu'il ne réussissait plus à fixer son attention comme il fallait, la voilà la raison.

— Ah bon, alors je te la fais courte. Écoute. On a retrouvé Babette.

Il retrouva ses esprits d'un coup.

— Non ! Qu'est-ce que tu me chantes là ? C'est vrai ?

— Oui, tu te rends compte ! Indemne et tout. Gwen et Timo en sont pratiquement zinzins, tellement ils sont soulagés.

— Bonté divine. Comment l'ont-ils... ça fait sept semaines, n'est-ce pas ?

— Presque huit. Tu te souviens du pré où nous avons organisé le pique-nique ? C'est là qu'elle se trouvait !

— Juste à l'endroit où elle avait disparu ?

— Oui, c'est incroyable, hein ? La police en perd son latin. Ils sont revenus avec leurs chiens à *L'Écluse*, comme au début. La découverte vient d'avoir lieu. Gwen a appelé il y a dix minutes, je n'en sais pas plus. Un vrai miracle, non ?

— Une seconde. Il coinça le téléphone sous son menton : Les garçons, Babette est de retour ! Elle est de nouveau couchée dans son berceau, bien à l'abri.

Ses enfants se mirent à hurler de joie et à taper du poing sur la table. Son verre se renversa. Il jeta vite sa serviette sur la flaque de vin.

— Oui, je suis là de nouveau. Mais comment...

— C'est Bobbie qui l'a découverte, elle se rendait tous les après-midi sur le terrain en question. Durant toutes ces semaines. Tout comme Leander qui, chaque jour quand la pendule...

— Bobbie ! Qu'est-ce qu'elle doit être fière, et heureuse.

Il l'entendait encore lui dire, alors qu'ils étaient dans le pavillon : avec un enfant à soi, ce serait encore beaucoup mieux, bien sûr, et il sentit ses yeux devenir humides. Nous devrions, tous autant que nous sommes, lui élever une statue.

— N'est-ce pas ce que Leander a dit également depuis le début ? En tout cas, c'est ce qu'il voulait dire quand il...

— Il faudrait que j'appelle Gwen le plus rapidement possible.

Le vin répandu sur la table menaçait de traverser la serviette et commençait à goutter le long du bord. Il appela Niels à la rescousse avec force gestes.

— C'est ça, très bonne idée. Le ton de sa voix avait changé : Comme cela, elle pourra te raconter elle-même la suite des événements. Leander lui a dit où elle devait regarder.

Il accepta machinalement la serviette que lui tendait Niels et se mit à éponger la table.

— Laurens, tu es toujours là ?

— Oui, seulement j'ai eu ici un petit...

— Avoue tout simplement que tu refuses de l'entendre ! Je suis désolée, mais Leander a reçu la description du lieu où se trouvait Babette, étant donné qu'il n'a pas cessé de la chercher, jour après jour, puis il a appelé Gwen avec l'information et celle-ci s'est mise immédiatement en chemin, et puis elle a trouvé Babette. Et Bobbie, bien sûr.

— Attends une seconde. Je ne comprends pas tout à fait ce que tu me racontes.

— Non, évidemment que tu ne comprends pas. Il a *vu* où était le bébé. Suppose que Bobbie ait eu la grippe aujourd'hui. Ou un client qui s'attarde. Suppose qu'il lui ait été impossible de se rendre au terrain. Alors, même dans ce cas, Babette serait sauve, grâce aux indications de Leander.

Tandis qu'il réfléchissait à la réponse que l'on pouvait attendre de sa part face à de telles affirmations, elle explosa :

— Il faudrait tout de même que tu te demandes un jour pourquoi Leander te pose tant de problèmes.

Et elle coupa la communication sans ajouter un mot.

Stupéfait, il remit le téléphone dans sa poche.

— Papa ? demanda Niels. Est-ce que c'est arrivé parce que j'ai souhaité le retour de Babette ?

— J'en ai l'impression, oui. Tu t'es bien débrouillé, Superman.

— Moi aussi ! s'écria Toby.

— Vous êtes vraiment des chefs, tous les deux.

La nouvelle n'avait pas tout à fait pénétré son esprit. Elle était de retour. Un frisson le parcourut.

— Je vais me marier avec Babette, plus tard, décida Toby, ses joues étaient brûlantes de fatigue.

Niels lui donna un coup de poing.

— Peut-être qu'elle sera très laide, idiot. Et grosse.

Et avec des dents jaunes et toutes de travers. Une meuf comme ça, personne n'en voudrait.

Toby se mit à hurler.

— Papa ! Niels dit...

— Ne tape pas ton frère, Niels. Ne l'embête pas. Et pas de gros mots, dit-il automatiquement.

Il fit glisser son assiette avec la pizza intacte et froide, dans l'espoir de cacher à la vue au moins une partie des taches de vin.

Niels devint rouge de colère.

— Tu défends toujours ce bébé !

Pa pa ! Jc suis pas un...

— Mais si, tu es un bébé stupide qui veut se marier avec une horrible meuf !

Le petit se jeta de sa chaise, en larmes. Les bras tendus il fila vers son père, perdit l'équilibre et heurta le sol avec un bruit sourd. Les pleurs enflèrent en même temps que les décibels.

— Je te remercie, Niels.

Laurens se pencha, releva l'enfant et le planta sur ses genoux, ignorant les regards méprisants de la salle. Père de week-end. Père une fois tous les quinze jours. On les détecte à mille lieues. Ils traînent leurs enfants au restaurant parce qu'ils sont trop fainéants pour faire la cuisine. Et encore, s'ils étaient capables de tenir leurs enfants, mais à tous les coups, ces pères quand-tout-va-bien s'en révèlent incapables.

Niels en fit une affaire de fierté. De toutes ses forces, il beugla :

— Ce n'est pas juste ! C'est moi qui ai fait revenir Babette par mon souhait !

Laurens berçait Toby, serrant son visage contre sa poitrine pour étouffer ses sanglots. Il fit signe au serveur d'apporter l'addition.

196

— Tu ne m'écoutes même pas !

Ce reproche, c'était déjà le deuxième de la soirée.

— Non, en effet, ce n'est pas juste. Tu as entièrement raison. Mais bien des choses ne sont pas justes, il faut se faire une raison. Tu es le plus âgé, il est le plus jeune. Que cela te fasse plaisir ou non.

— Mais j'ai fait revenir Babette avec mon souhait.

Sans prendre le temps de lire l'addition, Laurens jeta quelques billets dans la soucoupe que lui présentait le garçon. Il se mit debout entraînant avec lui Toby.

Niels croisa fermement les bras et fixa le mur.

— Tu as fait revenir Babette grâce à ton souhait. Super. Mais, maintenant, il faut coopérer. Allez, bouge-toi.

Crispé par l'impuissance, il fit le tour de la table, attrapa son fils par le col et le tira de sa chaise. Un couteau et une fourchette tombèrent à grand bruit sur le sol.

Poussant devant lui l'enfant qui se débattait et tenant un Toby pleurnichant encore sur un bras, il se dirigea vers la sortie. Il sentit les regards ironiques plantés comme des flèches dans son dos. Pas étonnant que sa femme ait fichu le camp avec un autre. Elle avait bien raison.

Une contravention l'attendait sous l'essuie-glace. Il ouvrit la portière arrière en jurant intérieurement. Le temps qu'il ait fini d'installer Toby dans son siège, et déjà le bonhomme s'était endormi. Les larmes mouillaient encore ses joues rondes. Avec un peu de chance, il réussirait à le mettre au lit tout à l'heure sans le réveiller. Tant pis, pour une fois il ne se brosserait pas les dents. Tant pis, pour une fois, il ne prendrait pas de bain. Il revient au père de déterminer les règles. Ils avaient encore quinze ans, au moins, à vivre ensemble.

Quinze ans de réunions de parents d'élèves, de compétitions de football, de représentations de fin d'année. Un léger sentiment de claustrophobie s'empara de lui.

— C'est dégueu ! dit Niels tandis qu'il s'asseyait à côté de Toby sur la banquette arrière. Ce gros porc a lâché un pet.

— Tu as le droit de venir devant, pour une fois. On fera comme si tu avais douze ans.

Si seulement il pouvait faire avancer les aiguilles du temps.

— Alors tu auras une contravention.

— J'en ai déjà une.

Il agita le feuillet jaune.

— Tu peux encore la déchirer ?

— Non, nous sommes déjà dans l'ordinateur.

Une expression désespérée apparut sur le visage de son fils.

— Mais comment allons-nous faire pour payer tout ça ?

— Eh, mon vieux ! Ce n'est pas à toi de te soucier de ces choses. Tu viens t'asseoir à côté de moi ?

— Sûrement pas, ce serait de l'argent jeté par les fenêtres.

Pour la première fois de la soirée, Laurens éclata de rire. Mais, la seconde suivante, il se sentit deux fois plus démoralisé. Son enfant s'inquiétait pour les finances.

Il rentra à la maison en faisant preuve d'un respect excessif pour le code de la route. Avec mille précautions, il porta Toby endormi dans sa chambre, le déshabilla à tâtons dans le noir et le glissa entre les draps. Par habitude, il resta encore quelques instants assis sur le bord du lit. Du nerf, il fallait appeler Gwen et Timo. Ils n'auraient sûrement pas de champagne chez eux, ce n'était pas leur genre. Et s'il passait demain leur rendre visite avec une bouteille, lui et les garçons. Nom d'une pipe, quel soulagement. Et si l'affaire avait tourné autrement ?

La respiration de Toby, à côté de lui, était paisible et profonde. Il laissa aller sa tête sur l'oreiller, mais juste pour un instant. En fermant les yeux, il tenta de se remémorer le minois de Babette. Un nourrisson que l'on n'avait pas vu pendant deux mois pouvait avoir changé au point de devenir impossible à reconnaître. L'esprit ensommeillé, il pensa : peut-être ne s'agit-il pas du tout de Babette, peut-être est-ce un autre bébé, peut-être y a-t-il eu un échange. Pourquoi un événement aussi terrible aboutirait-il à une fin heureuse ?

Bien qu'il eût le sentiment de n'avoir dormi que quelques minutes, le clair de lune entrait droit dans la chambre lorsqu'il ouvrit de nouveau les yeux. Dans la lumière pâle, il lut avec consternation sur le cadran de sa montre qu'il n'était pas loin d'une heure du matin. Il se leva, désorienté et avec une étrange impression de flottement. Toby dormait toujours, la bouche ouverte, une main crasseuse appuyée contre la joue. Laurens alla vers la fenêtre et tira doucement le rideau. Il avait maintenant raté l'occasion de parler à Gwen et Timo. Voilà qui était grossier de sa part. Tout simplement minable, même. Il aurait dû les appeler immédiatement après la conversation avec Beatrijs, mais une nouvelle salve de louanges à l'adresse de Leander avait représenté une perspective trop difficile à supporter, car telle était bien l'explication, Leander et ses tours de passe-passe paranormaux qui avaient apparemment joué un rôle dans le retour de Babette. Leander, le grand extralucide. Leander, le King Kong de l'occultisme. Leander résout tous vos problèmes, quels qu'ils soient.

C'était cela le vrai côté minable, être incapable de maîtriser suffisamment l'aversion que lui inspirait cet esprit frappeur ambulant pour partager la joie de ses amis. Ils avaient retrouvé leur enfant, voilà ce qui comptait, et pas le fait de savoir si l'enquiquineur avait vu ou non quelque chose dans sa boule de cristal.

Valait-il mieux leur laisser un message sur leur boîte vocale ? Après tout, ne pouvait-il pas tout simplement déclarer, fidèle à la vérité, qu'il s'était assoupi pendant quelques heures ? Peut-être n'étaient-ils d'ailleurs pas encore couchés. Ils étaient assis, l'esprit en éveil, près de leur petite fille et s'extasiaient sur le miracle de son retour.

Il quitta la chambre de Toby. Dans le couloir, il vit que la porte menant à la chambre de Niels était ouverte. De la lumière brillait à l'intérieur. Il jeta un coup d'œil rapide. Superman explorait le pays des rêves. La porte ouverte, la lampe allumée : il avait dû s'endormir en attendant son câlin du soir.

Une fois descendu, Laurens ouvrit une canette de bière qu'il vida en quelques gorgées. Ses mains tremblaient sous l'effet du choc. L'idée paraissait trop folle, trop délirante pour être exprimée par des mots. Mais, d'autre part, la vie ne se présentait-elle pas comme un long enchaînement de rêves qui se réalisaient de manière inopinée, et de certitudes qui se révélaient être, précisément, des illusions ? La réalité ne possédait-elle pas à tout moment des dimensions inattendues ? Pourquoi Babette serait-elle la seule à revenir du néant ? Au bout du compte, l'impossible et l'inattendu avaient toujours fait partie des talents les plus importants de Veronica. Peut-être se trouvait-elle, en ce moment précis, à sa manière, juste en face de lui.

« Veer ? » murmura-t-il. Et ce fut immédiatement comme si une fenêtre s'ouvrait dans son esprit et qu'une lumière toute nouvelle y pénétrait. S'il s'avérait qu'elle errait ici, alors elle le faisait de sa propre volonté : ici, je suis chez moi, avec Laurens et les garçons. Si elle était animée par de telles pensées, alors tous deux pouvaient encore se réconcilier. Il lui pardonnerait, et elle aussi, et ils pourraient...

Son bon sens se cabra. Ramené à la réalité, il se dit : Tout cela ne représente que mon désir, et rien de plus.

Il retourna à la cuisine pour jeter la boîte de bière vide. Il vida le lave-vaisselle : ce sera ça de moins à faire demain matin. Il faut savoir rester pratique. Mais c'était son parfum, sans hésitation possible, qu'il avait senti. Et toutes ses affaires alors qui ne se trouvaient plus à leur place assignée dans la maison ces derniers temps, toutes ces alertes où tel détail ne cadrait pas exactement avec son attente et où il avait vite regardé ailleurs afin de n'être pas obligé de creuser la question ? Et si elle tentait d'entrer en communication avec lui au moyen de toutes sortes de signes ?

Seigneur Dieu, de telles choses existaient-elles ? Et que fallait-il faire dans ce cas ?

— Laisse tomber, dit-il à haute voix.

Il éteignit la lumière, monta l'escalier et passa devant la chambre de ses enfants pour rejoindre la sienne.

Venait-elle souvent le soir faire un câlin à Niels ?

Il prit sa décision. Il redescendit. Il saisit le téléphone. Évidemment, minuit était passé depuis longtemps, mais les gens veillaient souvent tard le vendredi. Il composa le numéro aussi vite qu'il put. Les yeux fermés, il compta les sonneries.

— Yo. C'est Yaja à l'appareil.

Dans son esprit se forma l'image d'un visage plâtré de blanc.

— Yaja, dit-il après un moment. C'est Laurens. Tu te rappelles, je suis un ami de Beatrijs. Ton père est déjà couché ?

— Laurens ! Quel pervers, m'appeler comme ça ! Elle eut un petit rire de gorge : Ici, les Alzheimer ronflent déjà, donc…

— Ah… ton père est allé se coucher.

— Oui, et donc j'étais justement dans l'attente d'un peu d'action. Il n'y a pas, dans le coin, une boîte un peu chaude où on pourrait aller tous les deux ?

Téléphone

Les chênes avaient-ils jamais paré leurs frondaisons d'un or plus riche ? Ou le soleil levant d'un orange plus joyeux ? Gwen se tenait devant la fenêtre de la nursery avec Babette appuyée contre son épaule. En ce premier matin après le retour miraculeux de sa fille, le monde paraissait nappé de miel. Elle eut l'impression de respirer à travers la vitre l'air vivifiant de l'aube. Un vol d'oies sauvages passa juste au-dessus des arbres en direction des champs de l'autre côté du canal. « Regarde, dit-elle à Babette en suivant du doigt les oiseaux, regarde-les passer. Hak, hak, hak. »

Depuis que deux petits poings de bébé avaient brisé la cloche sous laquelle elle avait été tenue prisonnière tout ce temps, les couleurs, les sons et les odeurs revenaient. Quel sacré numéro, cette Babette. Si petite, avec la cuticule des ongles à peine visible, et disposant néanmoins, en souveraine absolue, du bonheur de sa maman. C'était stupéfiant, si l'on y réfléchissait un instant. Un terrible sentiment de fragilité l'envahit.

Elle se dirigea vers la commode, soutenant par habitude la tête de l'enfant. Mais le geste se révélait inutile, avec un peu d'aide, Babette gardait déjà la position assise. Gwen la posa avec une fierté inquiète. Comme elle avait grandi ces deux derniers mois ! Il suffisait de la voir là, avec juste une couche, assise bien droite et parfaitement nourrie, pour s'en rendre compte. Et comme ses cheveux avaient poussé, on y tournait presque des bouclettes avec le petit doigt. Ses yeux avaient malheureusement perdu ce bleu ciel intense, mais cela s'expliquait également par ses cils qui semblaient avoir poussé. Son regard aussi avait changé. Elle fixait plus nettement les objets et les examinait avec une attention plus grande. Sa période crevette, comme Timo appelait les premiers mois, était passée.

« Quelles aventures as-tu donc vécues ? » murmura-t-elle tandis qu'elle s'efforçait de faire entrer les petites jambes potelées dans une grenouillère, la plus grande qu'elle ait pu trouver. Elle devrait vider dès aujourd'hui la commode et descendre du grenier la boîte avec les vêtements de la taille au-dessus. Elles avaient perdu beaucoup de temps toutes les deux, mais se lamenter n'aurait aucun sens : elle avait vu suffisamment de crevettes se transformer en solides bébés. Il s'agissait à présent de reprendre le cours normal de la vie. Babette avait tout de l'astronaute qui rejoignait la terre après un long périple à travers le temps et l'espace. Elle avait fait un voyage, mais elle était revenue en bonne santé. Le reste n'avait pas d'importance.

Le bébé se laissa habiller en soufflant paisiblement des bulles de salive. La grenouillère lui allait tout juste. Avant elle, Klaar et Karianne l'avaient portée et, Marleen et Marise aussi. Toutes ses sœurs en étaient vêtues lorsqu'on les berçait pour les endormir ; elles avaient vomi dessus, la portaient lorsqu'elles écoutaient leur boîte à musique, ou jouaient sur les genoux de Timo, laissant derrière elles un pipi bien chaud. Le tour de Babette venait à présent, mais l'objet de famille n'était presque plus à sa taille, elle le porterait peu. Il faudrait bientôt faire des photographies, sinon il serait trop tard. Elle tint le bébé debout et appuya son nez contre celui, minuscule, du bébé. « Tu es un drôle de bout de chou, dit-elle doucement, comme tu m'as manqué. »

Babette lui répondit par un petit rire espiègle. Puis elle mit toute son énergie à mâchonner ses doigts.

Une enfant satisfaite et facile à vivre était une source constante de bonheur. Jamais on ne se trouvait dans l'obligation de prévenir les autres ou d'excuser par avance le bébé sous prétexte d'un caractère farouche. On pouvait la lâcher entre des bras inconnus sans autre forme de procès. Babette, l'amie universelle.

Qui donc lui avait chanté des chansons, ces dernières semaines ? Qui lui avait lavé les cheveux et avait ensuite passé dessus une brosse aux poils doux ? Pas la moins égratignure ni la plus petite croûte n'apparaissaient sur la jolie tête ronde : on s'était bien occupé d'elle. Qui aurait pu s'en charger, et pour quelle raison ? Mais ce genre de questions ne menait à rien. Rentrée saine et sauve Babette ! Babette l'Astronaute ! Hourra pour Babette !

Hier, les filles n'avaient pas attendu pour décorer la cuisine. À partir de pages de journaux pliées, elles avaient découpé des séries de figurines dansantes pour en faire des guirlandes qu'elles avaient ensuite accrochées partout dans la cuisine, en équilibre précaire sur les tables et les chaises. Une chose en entraînant une autre, tous s'étaient couchés très tard, mais qu'importe, le lendemain tombait un samedi, chacun pouvait faire la grasse matinée ou paresser en pyjama jusqu'à midi. Seul Timo s'était levé tôt pour accompagner les techniciens de la police scientifique jusqu'à l'aire de loisirs. Connaissant Bobbie, celle-ci s'y trouverait également et ne laisserait à personne le temps de terminer une phrase.

Elle revit l'image de sa belle-sœur apparaissant soudain dans la lueur embrumée de la lampe de poche, comme désincarnée presque, avec Babette dans ses bras. Bobbie elle-même n'avait été aucunement surprise. Selon sa logique, il allait de soi que sa petite nièce serait retrouvée là, près de l'arbre avec le ruban, et par elle, bien entendu, puisqu'elle se rendait chaque après-midi à l'endroit. Gwen pensa : pendant ce temps, j'étais au lit, ou traînais dans la maison, hébétée par la tristesse.

Elle descendit, portant Babette sur la hanche. Arrivée dans la cuisine, elle posa le bébé dans le parc, au milieu de ses affaires. Regarde, ma coccinelle, ma libellule adorée ? Voilà ton livre qui crique et craque du Lapinpin, touche-le, tu sens ? Et voici : ton la-pi-nou à toi seule ! Elle regarda amoureusement les petits doigts se refermer comme d'eux-mêmes sur les siens : Babette accordait beaucoup plus d'importance à sa maman qu'à ses jouets.

C'était si normal, si quotidien. Cela donnait un si grand sentiment de complétude d'avoir son enfant de nouveau avec soi. Elle se mit à fredonner de joie tandis qu'elle rinçait les verres à limonade d'hier sous le robinet. À tout instant, elle jetait un coup d'œil par-dessus l'épaule vers sa grande fille qui étudiait son lapin, couchée dans le parc. Et dire que l'un des inspecteurs, pas le zozoteur mais l'autre, l'avait prévenue d'un possible sentiment de désenchantement. « Il arrive, madame, je vous assure, vous pouvez me croire, que les gens se montrent incapables de se réjouir lorsque tout finit bien. Surtout quand il s'agit d'un bébé. Nous avons rencontré des parents qui ne savaient pas comment surmonter leur angoisse. Ceux-là n'osent même plus, pour ainsi dire, regarder dans le berceau parce qu'ils craignent que l'heureuse issue n'ait été qu'un rêve. »

Eh bien oui, l'incroyable est difficile à croire, par définition.

Mais cela ne vaut pas pour moi, pensa-t-elle, toute à sa joie d'avoir donné tort à l'inspecteur pour ce qui la concernait : elle l'avait emporté sur ces fonctionnaires. Que répétait-elle déjà, Veronica ? L'espoir est cette chose avec des plumes qui se niche dans l'âme. Il lui revint immédiatement à l'esprit qu'elle n'avait pas pensé une seconde à appeler Laurens, hier soir. Ou n'avait-elle pas osé lui téléphoner parce que son enfant était revenu alors qu'il avait perdu sa femme pour toujours ? Comme s'il n'aurait pu se réjouir pour Timo et pour elle. Il n'était pas du tout comme ça. Le fait de ne s'être pas rendu compte de la disparition de Babette alors qu'il se trouvait dans le pré l'avait terriblement éprouvé. Elle se dépêcha pour le délivrer de son inquiétude.

Honteuse de ce manque d'attention, elle décrocha le combiné tout en consultant la pendule. Neuf heures et demie. À cette heure-là, quelqu'un avec de jeunes enfants tournait depuis longtemps à plein régime.

Niels décrocha.

— Niels ! Gwen à l'appareil. J'ai une nouvelle formidable ! Babette est de retour !

— Oui, et tu sais pourquoi ? Parce que j'ai...

— Notre Babette est de retour !

— Hier déjà, pas vrai ?

Elle était abasourdie.

207

— Vous étiez déjà au courant ?

— Oui, parce que tante Beatrijs a téléphoné à papa sur son portable alors que nous étions en train de manger une pizza. Mais tu sais...

— Tiens, dit-elle, comme c'est gentil de sa part de transmettre tout de suite l'information. Visiblement, Laurens avait classé la bonne nouvelle parmi les infos du jour. Elle ne méritait pas une réaction de sa part. Au même moment, elle entendit une voix à l'arrière-plan : « Qui est au bout du fil, Niels ? » et il prit immédiatement la suite de son fils.

— Gwen ! Les enfants et moi sommes extrêmement heureux pour vous tous. Nous avons préparé ici une bouteille de champagne pour Babette. Plus une bouteille pour Timo et toi. Nous allons les apporter tout à l'heure, si tu veux bien. Je comptais vous appeler depuis un moment déjà, mais j'ignorais à quelle heure vous seriez levés, après tous ces bouleversements.

Du champagne pour Babette. Décidément, il était impossible de se fâcher avec Laurens.

— Quelle merveilleuse idée. Ce sera la fête ! J'espère seulement que je trouverai les verres qu'il faut.

— Je les apporte aussi.

— Je voulais t'appeler hier soir bien sûr, mais...

— Tu n'avais pas le numéro de mon portable, n'est-ce pas ? Les moyens de communication modernes, Gwen, ce n'est vraiment pas ta tasse de thé.

Quelque peu déconcertée, elle songea : alors c'est comme cela qu'il me voit. La béotienne dans sa campagne.

— Mais dis-moi vite : tout va bien avec Babette ?

— Oui, oui. Même parfaitement bien. Tu ne vas pas la reconnaître, elle a tellement grandi.

— Et a-t-on la moindre idée de qui l'a fait, ou comment ?

— Non, ils travaillent encore sur la question. Ils ont emporté les habits qu'elle portait hier. Cela leur donnera peut-être une piste. Et il y a un médecin de la police qui est passé à la maison.

Une jeune femme, très gentille. Timo et elle avaient eu le droit de rester dans la pièce lorsqu'elle avait mis de fins gants en caoutchouc pour écarter les petites jambes de Babette. Soudain, Gwen eut la gorge nouée. Elle déglutit et déglutit encore.

— Bref, enchaîna Laurens sans délicatesse, toutes les raisons pour se réjouir.

Il y avait tant de précipitation dans sa voix. Accordait-il toute son attention à la conversation ou suivait-il en même temps les cours de la Bourse diffusés par télétexte ? À quel Laurens avait-elle affaire ? Mais quelle drôle d'idée aussi ! Comme s'il y avait plusieurs Laurens, dans le genre Dr Jekyll et Mr Hyde. Elle balbutia :

— D'après le médecin, il n'y a aucune trace de... d'abus. Tu comprends ?

— Parfait.

Il avait des fils, il ne pouvait pas comprendre.

— À tout à l'heure, Gwennie. Et il raccrocha.

Il devait faire face aux préparatifs tout seul : Toby retournait peut-être au même moment son assiette de bouillie, ou alors une autre catastrophe domestique se déroulait-elle en toile de fond. Elle allait rapidement cuire une tarte aux pommes pour accompagner le champagne. À l'étage, les bruits de pas des filles se faisaient entendre. Dès que celles-ci seraient descendues, elle n'aurait plus de temps pour rien. Vite, elle pesa des raisins de Smyrne et de Corinthe. Si

209

grande était la perfection de chaque grain de raisin, ce matin. Et si grande la reconnaissance immense qu'elle portait à l'univers tout entier. Elle trottina jusqu'au parc pour déposer un baiser sur la tête de sa fille. Tu te croyais toujours avare de mots, l'esprit concret et les pieds bien sur terre, mais tu pensais ainsi uniquement parce que le sort ne t'avait pas encore suffisamment éprouvée.

Juste au moment où elle mettait la pâte dans un moule à fond amovible, Bobbie fit son entrée dans la cuisine, entraînant derrière elle, dans une bouffée d'air frais, les odeurs toniques de l'automne. Elle s'exclama sur un ton indigné :

— Ils ont pris mon ruban ! Qu'est-ce que tu dis de ça ? Il était à moi, ce ruban, oui ou non ?

— Peut-être est-ce, après tout, la propriété de l'État. Mais dis-moi, ils ont terminé maintenant ?

— Des voleurs, voilà ce qu'ils sont. Je te l'ai souvent dit, Gwen, tu es trop bonne pour ce monde, mais moi, je ne suis pas faite ainsi.

— Où est Timo ? Il est allé voir les abeilles directement ?

— Oui, et il faut aussi ouvrir le magasin.

Mais Bobbie s'attarda près du parc, visiblement incapable de décider si elle allait prendre ou non Babette dans ses bras pour la cajoler.

Tout en sachant qu'elle n'aurait pas de réponse, Gwen demanda cependant :

— Et que vont-ils faire maintenant ? Quand aurons-nous des nouvelles ?

— Ce sont des crapules. De sordides crapules. On voit ça du premier coup d'œil.

— Maman ! M'man !

Voilà les filles avec leur pull nordique à torsades.

Gwen mit le gâteau dans le four.

— On va installer la vidéosurveillance maintenant, maman ?

— Jamais de la vie. Nous n'allons pas nous monter la tête.

Elle prit une brique de yaourt et deux bols.

— Je vais y aller, dit Bobbie en rassemblant son courage. Il faut bien que quelqu'un gagne de l'argent ici.

— Les filles t'apporteront d'ici peu une part de gâteau, dit Gwen.

Zut, elle ferait mieux d'aller avec un gâteau chez Leander au lieu de rester à boire du champagne avec Laurens. Mais déjà une voiture klaxonnait dans la cour. Il avait vraiment fait très vite.

— J'ai des clients, marmonna Bobbie en se dirigeant à toute allure vers la porte. C'est trop pour ma pauvre tête.

Gwen passa ses mains sous le robinet et les essuya.

— Dépêchez-vous de manger, les filles, dit-elle aux jumelles. Nous avons de la visite, et vous en êtes encore au petit déjeuner. Où en sont les petites ?

— Elles roupillent encore, dit Marleen.

— Sinon, nous pourrions aussi prendre un garde du corps. Avec un flingue, proposa Marise.

— Oui, maman, un Yougo.

— Babette est de retour. Qu'irions-nous faire maintenant d'un…, commença-t-elle.

Le sourire s'évanouit de ses lèvres. Tant que la police ne serait pas arrivée à une conclusion, tout le monde se ferait du souci, c'était naturel. L'incertitude ne disparaîtrait que lorsque le coupable se trouverait sous les verrous et les circonstances éclaircies. Comment pouvait-on se sentir en sécurité tant que l'on ne savait pas... Ces pensées, elle ne voulait pas les avoir. Elle n'allait pas laisser de nouveau ravir son bonheur et le repos de son esprit. Aujourd'hui, c'était un jour de fête.

La porte du jardin grinça.

— Gwen ! s'écria Beatrijs. Je me suis dit qu'on allait tout simplement faire le tour par l'arrière.

Elle ployait sous un énorme bouquet de roses rouges. Derrière elle se tenaient Leander et Yaja.

— Mon Dieu, quelle surprise !

Les larmes lui montèrent presque aux yeux. Des roses, des amis, des preuves qui démontraient que c'était bien vrai, sa petite fille était de nouveau à la maison. Elle aurait voulu se laisser tomber à genoux : tout ce en quoi elle avait toujours cru était avéré. L'ordre et la justice existaient donc bien.

— Mais c'est vous qui méritez les fleurs, Leander, toi surtout ! Justement, je pensais... j'étais en train de cuire un gâteau pour toi. Il est déjà dans le four.

— Donc nous arrivons pile à l'heure, dit Leander.

Il se dirigea vers elle les bras tendus. Son visage d'ordinaire impassible rayonnait.

— Comment pourrai-je jamais te remercier, pour tout ?

Il la serra contre lui. Une odeur sèche et poussiéreuse d'encens flottait autour de lui. Il murmura :

— Je ne suis qu'un instrument, Gwen. Ta foi en moi a rendu possible ce qui ne l'était pas. Ta foi s'est révélée plus forte que les faits.

— Regardez-moi Babette, s'extasia Beatrijs devant le parc. Regardez donc notre grande fille !

Gwen se défit de l'étreinte. Elle ressentait un léger vertige. De petites taches lumineuses devant les yeux, elle se dirigea vers le parc, sortit le bébé et le donna à

Leander. Babette se mit immédiatement à pleurer avec une grande énergie.

— Monstre d'ingratitude, dit-elle en riant.

— Donne-la-moi. Leander n'est pas un homme à bébés, intervint Beatrijs. Viens donc voir ta tante, petite fille. Voilà. Raconte-moi, qu'est-ce que tu...

— Oui, Babette, dit Leander. Il essuya ses mains sur le pantalon de son survêtement : Qu'est-ce que tu nous as fait subir ?

Un ange passa. Puis Marleen cria en bondissant de sa chaise :

— Elle n'a rien fait du tout !

— Laisse-le tchatcher, fit Yaja.

Elle se tapota la tempe avec l'index en haussant les épaules puis se laissa tomber sur une chaise à la table de la cuisine.

— Leander veut seulement dire qu'à cause d'elle nous étions tous aux cent coups, Marleen. Vous deux, comme les autres. Montrez-lui le calendrier que vous avez fabriqué. Pendant ce temps-là, je prépare le café. Et Yaja voudra peut-être s'occuper de ces belles fleurs.

Seigneur, et maintenant Laurens pouvait débarquer à tout moment, lui aussi. Elle ferait mieux d'annoncer sa visite, chacun aurait ainsi le temps de se préparer à la rencontre.

— J'avais à l'instant Laurens au bout du fil, commença-t-elle.

— Moi aussi, cette nuit, dit Yaja d'une voix forte.

Elle s'était mise debout. Elle arracha la cellophane des fleurs puis roula le papier en boule. Son visage exprimait encore plus de colère et d'insatisfaction que d'habitude.

— Quel pervers celui-là, c'est pas croyable !

— Comment ça, Yaja ? Cette nuit ? Leander avait l'air ébahi : Pourquoi ne l'as-tu pas dit plus tôt ?

— Ben merci, vous dormiez !

Sa fille trouva le moyen de dénaturer le dernier mot pour le transformer en une insinuation douteuse. Vous *dormiez.*

Si je n'avais pas décroché, la sonnerie vous aurait peut-être... *réveillés.*

Tandis qu'elle branchait la machine à café, Gwen se fit automatiquement un mémo mental. Bientôt les siennes auraient également treize ans et elles seraient peut-être capables, elles aussi, de flairer le sexe à travers murs et plafonds. Les enfants n'avaient pas le moins du monde envie de savoir que leurs parents menaient une vie sexuelle. Dans son imagination, Leander se dressa, nu, pâle, imberbe. Elle se demanda, l'esprit embrouillé : N'avait-il pas une érection, lorsqu'il me serrait contre lui ?

— Mais qu'est-ce qu'il voulait, Laurens ? demanda Beatrijs, le souffle soudain plus court. Avec qui voulait-il parler ?

Elle s'accrochait à Babette comme à une bouée de sauvetage.

Yaja posa les roses sur la planche à pain, prit un couteau du bloc qui se trouvait sur le plan de travail et trancha d'un coup adroit l'extrémité des tiges.

— À moi, dit-elle. C'est un vase ce machin, Gwen ?

— S'il te plaît, Yaja. Qu'est-ce qu'il te voulait ? insista Leander.

— Il voulait sortir avec moi. Aller boire un verre ensemble, quelque part. Ce genre d'idée ne te viendrait probablement pas, mais d'autres apprécient mes qualités personnelles, je t'assure.

— Boire un verre ? Les yeux de Beatrijs s'exorbitèrent : Au milieu de la nuit ?

Yaja dit à son père, en riant sous cape :

— Je te l'avais bien dit. Elle le trouve viril. Eh bien, en ce qui me concerne, je le lui laisse. En attendant, il s'est pris un bon gros vent dans la tronche.

Après un certain temps, Leander explosa :

— Mais cet homme pourrait être ton père !

— C'est vrai, ce poste n'a pas encore été pourvu.

Yaja balança les roses dans le vase en verre.

— Holà, doucement ! fit Gwen.

Pour cacher le sentiment de gêne qui s'emparait d'elle, elle commença à disposer les tasses. Que s'était-il produit en Laurens pour qu'il propose à cette fille de sortir avec lui ? Avait-il trop bu ? Il ne va pas bien, pensa-t-elle, il faut que je fasse plus attention à lui. Son arrivée imminente allait créer deux fois plus de problèmes.

— Et si vous montiez tous les trois ensemble à l'étage ? proposa-t-elle.

Faire le garde champêtre et régler la circulation, voilà en quoi consistait son destin, pour l'éternité.

Mais où donc était Timo ? Elle passa la tête par la porte de la cuisine pour l'appeler, mais il arrivait déjà. Elle lui lança un regard éloquent en fronçant les sourcils. Allez, Tiem, montre à Leander ta gratitude, tu as toujours le chic pour trouver les formules.

Il prit Babette des bras de Beatrijs et, tout en câlinant le bébé qu'il serrait tendrement, se lança dans de longues explications concernant ses abeilles.

La clochette du magasin fit entendre sa musique d'autrefois lorsque Laurens poussa la porte dont la peinture s'écaillait. L'odeur de cire et de miel vint à sa

215

rencontre. Dans le petit local régnait une température agréable. Des bougies brûlaient çà et là sur les étagères où les pots de miels empilés formaient d'artistiques pyramides. Bobbie était assise derrière le comptoir et faisait du tricotin avec de la laine rouge.

— Regarde, Laurens, dit-elle sans s'étonner le moins du monde de le voir entrer. J'ai déjà beaucoup avancé.

— Moi aussi, je sais faire ça ! s'écria Toby.

— Mais pas aussi bien que moi.

Laurens posa le sac contenant les bouteilles de champagne et les verres sur le plancher. Il s'était senti malheureux toute la matinée, et énervé de ne pouvoir joindre Leander chez qui personne ne décrochait, mais le spectacle paisible qu'offrait Bobbie vêtue de sa blouse chassa d'un coup toutes ses tensions.

Elle brandit de nouveau la tresse de laine.

— Lorsqu'elle sera assez longue, Gwen en fera un bonnet pour Babette.

— Je l'ai fait revenir par mon souhait, déclara Niels. C'est vrai, Bobbie.

— Voyez-vous ça ! dit-elle avec stupéfaction. C'est donc toi le responsable !

— Il est fort, Niels, hein ?

— Très, très fort, dis donc. Seulement, tu aurais pu t'y prendre un peu plus tôt.

— Avant, papa n'avait pas dit que c'était possible.

— Saperlipopette, Laurens, mais où avais-tu la tête ? Enfin bref, mieux vaut tard que jamais.

— Et c'est grâce à toi aussi, évidemment, enchaîna Laurens. Tu as été, comme toujours, la femme qu'il fallait au bon endroit. Je crois que je n'ai jamais vécu des événements aussi forts. Il n'y a plus qu'à trouver le coupable.

— Alors là, quant à savoir si je peux le trouver, fit-elle nerveusement, rien n'est moins sûr.

— Tu en as déjà fait plus qu'assez.

Il se montrait, une fois de plus, doué pour casser une ambiance. Il se dépêcha de rattraper le coup.

— D'ailleurs, nous passions pour t'acheter quelque chose de bon.

Bobbie posa son ouvrage, s'empara d'un bloc-notes, ouvert sur le comptoir, en adoptant une expression professionnelle, et traça trois tirets sur la page.

— Je viens à peine d'ouvrir, et déjà la foule des clients se précipite.

Laurens posa la main sur l'épaule de Niels et le propulsa en avant.

— Lequel était-ce déjà, ton préféré ? Celui parfumé au thym ?

— J'en sais rien.

— Ta mère l'adorait.

Bobbie attrapa un petit pot sur une des tablettes lourdement chargées.

— C'est bon pour les voies respiratoires, disait-elle toujours. Cela aide à bien respirer, Niels. Ce qui nous fait trois euros soixante.

— Moi aussi ! s'exclama Toby, fidèle à son rôle.

Avec une mine réjouie, Bobbie poussa vers lui un deuxième pot.

— Et ce qui nous fait sept euros vingt, dit Laurens.

À la pensée de l'armoire pleine de pots de miel au thym, l'espoir commençait à lui monter à la tête comme une colonne de bulles d'air.

— Tu nous accompagnes ? demanda-t-il en sortant le porte-monnaie de la poche de son pantalon. Nous allons boire du champagne pour célébrer le retour de Babette.

Elle compta la monnaie.

— Mais je ne peux tout de même pas fermer la boutique sans raison ?

Il conduisit ses fils à travers le couloir étroit et tortueux qui menait à l'arrière du bâtiment. En chemin, il s'efforça de retrouver un peu d'entrain pour se mettre au diapason d'une ambiance festive. Mais une surprise l'attendait à la cuisine. Ainsi Leander et Beatrijs étaient ici...

Au cours du cérémonial des manteaux que l'on retire, des salutations et des exclamations admiratives à l'endroit de Babette qui menaçait de faire craquer sa grenouillère aux coutures, il se rendit à peine compte de ses gestes et paroles. La présence de Leander le subjuguait. Il brûlait d'envie de lui parler entre quatre yeux, mais la chose se révélait évidemment impossible en ce moment. Il n'osait même pas regarder dans sa direction. Il se sentait aussi mal à l'aise qu'une personne rencontrant, dans une assemblée, l'objet de sa flamme, un objet qui ignorait encore tout de ses sentiments. Rester dans le ton, mais se faire remarquer suffisamment toutefois pour faire bonne impression, oui, tel était le premier point à l'ordre du jour.

Sous prétexte d'avoir oublié d'éteindre les phares de la voiture, il sortit après quelques minutes afin de se ressaisir. Si seulement il ne s'était pas comporté de manière aussi agressive envers l'amant de Beatrijs. On était toujours rattrapé, tôt ou tard, par ses bassesses. C'était sûrement plus avisé d'aborder tout le monde avec la main tendue dès la première rencontre.

Klaar et Karianne se promenaient encore en pyjama dans la cour et ramassaient des glands qu'elles jetaient avec enthousiasme dans un grand seau en plastique jaune.

— Salut les fripouilles ! Vous devriez mettre une veste, vous ne croyez pas ? cria-t-il.

Il se dirigea vers les deux filles. Il s'accroupit devant le seau, prit un gland et le fit rouler dans la paume de sa main.

— Oncle Laurens ! dit Karianne. Tu es au courant ? Babette est avec nous de nouveau.

— Et tu sais comment c'est arrivé ? Le père de Yaja savait où elle était !

Klaar se mit à rire, toute à sa joie. Elle avait perdu une incisive.

— Oui, oncle Laurens, le père de Yaja l'a *vue*.

Il avait soudain l'impression d'entendre Niels déclarer : « Je l'ai fait revenir par mon souhait ! »

Avec un sentiment de vide intérieur, il se dit : Dans quoi suis-je en train de m'engager ? Cet homme est un imposteur, je l'ai toujours su. Il jeta le gland dans le seau, donna une tape sur les fesses étroites des jumelles et retourna à l'intérieur, avec une démarche que la déception rendait flottante.

Dans la cuisine, Timo reposait Babette dans le parc, parmi ses jouets. Il avait retrouvé le sourire d'avant, son visage était radieux.

Cette vision aurait dû suffire à le rendre lui aussi plus heureux, mais Laurens ne ressentait qu'une impression de désolation. Comme Babette mettait de l'énergie à saisir ses propres orteils ! Une fois que les bébés avaient trouvé leurs pieds, ils avaient atteint le premier stade de la marche. Ils se tenaient debout sur leurs jambes en moins de temps qu'il n'en fallait pour le dire. Et tôt ou tard, ils vous laissaient, partant de leur côté sur leurs magnifiques échasses. Le soulagement de savoir le mouflet de retour et en parfaite santé avait presque entièrement reflué. Être simplement content dépassait déjà ses capacités.

Gwen découpait la tarte aux pommes encore chaude et faisait glisser les parts sur de petites assiettes.

— Veronica me manque tellement à des moments comme celui-ci, dit-elle. À chaque fois, j'ai la réaction de l'appeler. On sait que quelqu'un est mort, mais on a malgré tout envie de donner des nouvelles. Juste après son décès, je me disais même : Vero, zut, je dois t'annoncer une chose importante et tu viens de mourir.

Laurens sentit que tout le monde l'observait, y compris Leander qui était assis sur un coin de la table. Pour se donner une contenance, il passa ses bras autour de Toby et de Niels.

Niels dit à Gwen :

— Papa a jeté tous les habits de maman, cette semaine. Et tante Beatrijs l'a aidé.

— Vraiment, Laurens ? Tu étais déjà mûr pour cela ? C'est formidable que Beatrijs ait été là pour te donner un coup de main.

— Et nous avons chanté, compléta Toby.

Il se mit à frapper dans ses mains.

— Vous en avez profité pour vous amuser, si je comprends bien. C'est ce qu'il y a de mieux à faire lorsque l'on se trouve confronté à un travail désagréable.

Gwen s'approcha des garçonnets et passa la main dans les cheveux de Toby.

Par-dessus sa tête, Laurens vit Beatrijs qui se trouvait près de l'évier. Une coloration presque violette apparut à la base de son cou et commença à s'étendre. Elle fixait avec obstination la pointe de ses chaussures de sport.

— Quand ont eu lieu ces rangements déjà, Niels ? voulut savoir Leander en observant ses mains pâles.

— Avant-hier.

Beatrijs souffrait mille morts. Laurens ne voyait pas du tout comment lui venir en aide. Chaque mot ne ferait probablement qu'aggraver la situation, il ne le savait lui-même que trop bien, ayant payé le prix avec force honte et regrets.

— Avant-hier ? Mmm, fit Leander. C'est-à-dire jeudi soir.

Beatrijs persévéra dans son silence. Peut-être avait-elle fait la même recommandation à Veronica : Tu la fermes, tout simplement. C'était ainsi que se comportaient les amies en cas de crise, elles s'offraient mutuellement aide et assistance. Mais Veronica n'avait pas pu confier le secret le plus lourd à son fidèle soutien, à son alliée. Elle était déjà morte à ce moment-là.

Ce fut le moment choisi par les Anges pour faire une entrée fracassante dans la cuisine, avec Yaja sur leurs talons.

— Est-ce que nous avons le droit de jouer dans le gîte ? demanda Marleen tandis qu'elle entourait de ses bras la taille de son père et lui lançait des regards affectueux par-dessous des sourcils de pirate.

— Gwen ? dit Timo.

Il tentait maladroitement d'ôter le bouchon de l'une des bouteilles de champagne.

— Oui, les enfants, d'accord. Prenez également Niels et Toby avec vous. Voici votre part de tarte.

Laurens saisit l'occasion pour changer le sujet de la conversation.

— Qu'est-ce que j'entends ? La gîte est vide alors même que nous sommes en pleine période des vacances ?

— Nous avons négligé nos affaires, ces derniers temps. La situation est catastrophique aussi pour les abeilles, répondit Timo. Je ne suis pas sûr du nombre d'essaims que je réussirai à maintenir en vie jusqu'à la fin de l'hiver.

— Mais à partir de maintenant, vous pouvez vous y mettre à cent pour cent. Tiens, donne-moi donc la bouteille, Timo.

Il s'étonna du ton parfaitement normal sur lequel il parlait. Il ne viendrait à l'idée de personne de se dire : Voilà un homme qui connaît d'expérience la jalousie, ce monstre visqueux qui vous enfonce par surprise son trident si profondément dans le cœur que vous en perdez tout contrôle.

Dans le gîte de vacances, flanqué d'une remise affaissée, régnait une odeur confinée de draps sales. Tout ce que l'on touchait était humide et respirait l'abandon. Les armoires de la cuisine ne contenaient qu'un paquet de sucre pétrifié par l'humidité et des crottes de souris. La couche de poussière recouvrant le téléphone posé sur l'appui de la fenêtre était si épaisse que la couleur de l'appareil se laissait à peine deviner.

Ils prirent place, sans enlever leur manteau, autour d'une table dont le plateau rond était maculé de taches. Comme il n'y avait que quatre chaises, Toby et Niels durent en partager une. Ils mangèrent la tarte aux pommes. Soupçonneux, Niels les tenait toutes à l'œil, ces filles.

— Nous allons avoir la vidéosurveillance, affirma Marleen avec la bouche pleine.

Yaja répondit avec envie :

— Chez vous, il se produit toujours quelque chose.

— Comme si c'était marrant d'avoir quelqu'un qui

se fait enlever. Mais qui donc penserait à voler un bébé !

La voix de Marise se fit aiguë sous le coup de l'indignation.

— Et qui donc penserait après à le ramener ? reprit Yaja en imitant sa voix pour l'agacer.

Elle repoussa l'assiette vide, s'avachit sur la chaise, plia les mains sur sa poitrine et étudia le stuc qui se détachait par endroits du plafond.

— Reviens sur terre. Si j'enlevais quelqu'un, moi, j'en tirerais un bien meilleur parti. La moindre des choses serait de demander une rançon.

— Mais ça, ils ne le font qu'avec des gens pleins aux as, dit maman.

— Exactement, et c'est pourquoi il vaut mieux prendre quelqu'un avec un compte en banque bien garni qu'un bébé, pas vrai ?

Niels dut avouer qu'elle avait raison. Cela avançait à quoi de se retrouver avec un bébé ? Il n'y avait aucune logique. Une impression désagréable commençait à s'insinuer en lui. Toby était encore si petit. Et s'il disparaissait, lui aussi ?

Marise demanda :

— Mais finalement, qu'est-ce qu'on fait avec la personne qu'on a enlevée ?

— On lui coupe le petit doigt. Yaja se redressa : Pour le mettre dans l'enveloppe avec la demande de rançon. Comme ça, ils sauront immédiatement qu'on ne rigole pas.

— Pour de vrai ?

— Bien sûr, qu'est-ce que tu croyais ? Qu'on allait jouer au Rummikup ?

L'admiration que les Anges témoignaient à Yaja déplaisait profondément à Niels.

— Tu racontes n'importe quoi, rien que pour te vanter. Et cette histoire avec le verre, ça ne marche pas non plus !

— Babette n'a jamais rien répondu, ajouta Toby qui avait suivi la conversation bouche bée, le visage couvert de miettes.

— C'était justement le but de l'opération, gros bêta. Seuls les morts répondent.

— Menteuse ! Niels ne put se contenir : Et ma mère alors ?

Le silence tomba alors que les jumelles s'efforcèrent de le jauger d'un œil expert. Ce n'était pas juste. Il les connaissait depuis sa naissance. Normalement, elles auraient dû se mettre de son côté, et pas de celui du spectre.

— Tu as vraiment essayé de communiquer avec ta mère ? demanda Marleen finalement, non sans un certain respect.

— Et je te promets qu'elle ne m'a pas répondu !

Il lança à Yaja un regard provocateur.

Elle baissa les yeux, mordit ses lèvres, puis leva de nouveau la tête. Un petit rire rusé était apparu sur son visage. Lentement elle déclara :

— Ça ne peut avoir qu'un seul sens, Niels, mon bonhomme. Ça veut dire que ta mère n'est pas morte du tout.

Effrayé, il couvrit de ses mains les oreilles de Toby. Deux secondes encore et le morpion allait se mettre à y croire.

Marise réfléchit à haute voix.

— Pourtant nous sommes bien allés à l'enterrement.

— Il y a mort et mort. Tu peux me croire.

Yaja regarda droit devant elle avec une expression ambiguë.

Marleen sauta sur ses pieds et alla prendre un verre couvert d'un voile grisaille sur le bloc-cuisine.

— Nous pourrions juste faire une petite vérif ?

Niels dut lutter pour garder ses mains sur les oreilles de Toby. Quelle pouvait être la différence entre mort et mort ? Et mise à part cette interrogation, si, contre toute attente, sa mère répondait bien aux questions, comment éviter qu'il éclate en sanglots, ici même, entre ces meufs ? Ballotté entre désir et horreur, il donna à Toby une bonne bourrade du genou pour le calmer.

— Cela ne me gêne pas de faire la vérif, mais il faut bien comprendre une chose, dit Yaja en s'éventant d'une main aux ongles violets, il s'agit ici de non-morts. Ce sont des morts qui n'ont pas trouvé le repos parce qu'ils ont encore des affaires à régler avec les vivants. Tu piges ? Tu voudrais vraiment pas les rencontrer, ceux-là.

Elle se leva de sa chaise et se mit à tapoter sur les murs et à secouer les fenêtres. Comme à part soi, elle marmonna : « L'endroit est idéal pour cacher quelqu'un. » Elle se retourna. « Dites donc, nous voulions enlever quelqu'un finalement, ou quoi ? »

Niels ne savait pas s'il devait être déçu ou soulagé. Il lâcha Toby et s'appliqua à essuyer avec la manche de son blouson les joues mouillées de larmes de son petit frère.

— On a de la corde quelque part ?

— À la cirerie, dit Marleen, il y en a des kilomètres.

— Voilà ce que j'aime entendre.

— Mais comment allons-nous faire pour dégoter un salaud de riche ? interrogea Marise.

Niels se rendit compte que sa respiration produisait des bouffées de plus en plus courtes. Ne pouvaient-elles donc jamais inventer un jeu normal, ces meufs ?

Ne pourraient-ils pas tout simplement construire une cabane, ou faire semblant d'être des chasseurs de baleines ? Un sous-marin conviendrait également. Et Toby adorait jouer à Tic-tac-toc. Ou Mowgli, il en raffolait.

Yaja regarda d'un air pensif autour d'elle. Lorsqu'elle aperçut le téléphone poussiéreux, elle se mit à rire.

— Je viens d'avoir une idée géniale. Tout le monde est prêt à prendre au piège un bourré de thune ? Ah non, attendez, d'abord on passe le marmot par-dessus bord. Il n'a pas sa place ici.

Niels redressa son frère, bien décidé à ne pas l'abandonner. Toutes sortes de mésaventures pouvaient lui arriver. Son père ne le lui pardonnerait jamais. Toby et lui quittèrent ensemble la maison. Sitôt qu'il eut tiré la porte derrière eux, il demanda tout doucement :

— *Le Livre de la jungle*, c'est ce que tu préfères ?

— Non ! hurla Toby. Je veux aussi, moi ! Je veux participer !

— Mais, tu étais le tigre, non ? Le dangereux Shere Khan ? Il faut te mettre dans une cage, sinon tu vas manger tout le monde.

Toby fut pris de court. Sans trop savoir, il recourba les doigts d'une de ses petites mains.

— Grrr, fit-il.

— Gentil tigre. Tout doux.

Niels l'attrapa par la peau du cou et, forçant Toby à avancer, il se mit à la recherche d'une cage qui puisse convenir.

Tu es toujours si gentil pour Toby, mon petit Martien, personne n'en ferait autant, tu sais.

Il s'arrêta d'un coup. D'où ces paroles provenaient-elles ? Il regarda autour de lui. Puis il comprit soudain.

226

Il y avait mort et mort. Misère, cela ne lui apparaissait avec netteté seulement maintenant. Combien de fois ne s'adressait-il pas spontanément à sa mère, presque par accident : M'man, j'ai eu un huit pour les mots dans l'ordre, vrai de vrai. Le contact ne passait donc pas du tout par le verre, mais tout simplement par son cœur. C'était bien sa maman, elle, qui trouvait toujours une solution à tous les problèmes, quelle que soit leur importance.

— Il y aura des barreaux dans ma cage ? demanda Toby plein d'espoir.

Avec un étrange sentiment de légèreté, il le fit tourner à l'angle et le propulsa d'une poussée en direction de la remise. Pas moins de quatre vélos rouillés s'y trouvaient entreposés, plus une pile de chaises de jardin en plastique avec, à côté, une montagne de coussins décolorés par le soleil. Il disposa les coussins dans un coin, poussa Toby dessus, et traîna les bicyclettes sur le sol en béton afin de les placer à angle droit devant son frère.

— Grrr ! dit Toby avec une mine réjouie, secouant les rayons transformés en barreaux.

Regarde maman, Toby est Shere Khan ! Il savait maintenant qu'elle pouvait le voir.

— Je dois encore te trouver une gamelle.

Niels retourna au pas de course au gîte. Il était si content qu'il avait l'impression de voler. Mais, arrivé sur le seuil, il s'arrêta brutalement. Les filles étaient encore là.

Les Anges considéraient avec expectative Yaja qui venait de raccrocher le téléphone d'un air satisfait.

— Ça marche, dit-elle. Et le petit doigt, il est pour moi. Pigé ?

— Tu arrives juste à temps, Niels, dit Marleen sur un ton irrité. Sinon, nous aurions commencé sans toi.

— Est-ce que je me trompe, ou notre Beatrijs avait l'air très différente autrefois ? demanda Timo.

Il était affalé sur son siège, avec les pieds sur la table, et faisait tourner un dernier reste de champagne au fond de son verre. Toujours si pimpante et soignée. Pourvu que Gwen ne se mette pas, elle aussi, à porter des habits de vieille fille.

— Je lui ai proposé, la semaine dernière encore, une veste qui avait appartenu à Veronica.

Laurens entendit au ton de sa voix qu'il devait être aussi gris que Timo. Il se leva pour prendre une tasse de café froid.

— À qui, à Gwen ?

— Non, à Beatrijs.

— Ah ! Veronica. Timo soupira : Si elle était encore parmi nous, les choses n'en seraient pas arrivées là. Elle lui aurait immédiatement réglé son compte, à ce Leander, tu crois pas ?

Timo et lui se trouvaient tous les deux seuls dans la cuisine. Beatrijs les avait quittés avec l'intention d'aller faire la causette avec Bobbie. Gwen et Leander étaient montés coucher Babette dans son berceau.

— Il voyait Babette chaque jour ! dit Timo avec une animosité inhabituelle. Je te pose la question. Comment ça, ce type la *voyait* chaque jour ? Babette se trouvait-elle tout le temps chez lui, ou quoi ? Et pourquoi ne voit-il pas tout bêtement où se cache ce barjo de ravisseur, de manière à ce qu'on puisse l'arrêter ? Veronica aurait immédiatement démasqué ce personnage. Elle lui aurait dit ses quatre vérités. Elle plus qu'une autre.

Ces dernières paroles provoquèrent chez Laurens un

choc désagréable. Mais il n'eut pas l'occasion d'y réfléchir plus avant, Gwen et Leander revenaient dans la cuisine.

— Lentement mais sûrement, le temps est venu de partir, chers tous, fit Leander avec bonhomie. Je vais chercher Beatrijs, puis nous prendrons congé. Je peux passer par l'intérieur pour me rendre au magasin, je crois ?

— Oui, mais le couloir tient autant du labyrinthe que de la coursive. Il faudra que je te montre le chemin, lança Gwen.

Elle avait les joues toutes rouges.

— Laurens s'en chargera, intervint Timo rudement.

Il lampa son café, espérant que ses neurones anesthésiés soient vivifiés par la caféine. Puis il reposa la tasse avec tant de force qu'elle pirouetta sur la soucoupe.

Peu après, tandis qu'il précédait Leander dans le couloir, il prit pleinement conscience de ne s'être encore jamais trouvé seul avec lui et, en fait, de n'avoir même jamais échangé plus que quelques mots. On n'entendait rien, si ce n'était le bruit de leurs pas sur le dallage usé. À quoi pouvait-il bien penser en ce moment ? Beatrijs lui avait peut-être révélé la frasque de Veronica, elle lui avait dit que sa femme… Il s'immobilisa brutalement, tétanisé par l'idée que Leander était probablement la personne la plus susceptible de le comprendre. L'aversion qu'il ressentait envers ce tyran possessif reposait peut-être en partie, et dès le début, sur le fait qu'ils avaient plus en commun qu'il n'aurait voulu se l'avouer.

— On peut avancer ?

Rassemblant tout son courage, Laurens se retourna.

— Écoute, la demande peut sembler inattendue, mais j'ai besoin de ton aide.

Il fut surpris de sa propre initiative et dut chercher ses mots. Pouvait-on parler de morts qui tentent d'entrer en contact avec les vivants, ou tenait-on alors un discours paranoïaque ? La situation inverse lui parut plus habituelle. Qu'il désire se rapprocher de sa femme décédée, voilà qui se justifiait aisément.

— J'ignore évidemment si la chose est possible, mais j'aimerais vraiment beaucoup communiquer avec...

Leander leva la main pour l'interrompre. Ils se tenaient si près l'un de l'autre que, dans la lumière de l'ampoule nue suspendue juste au-dessus d'eux, chaque pli de son visage tanné apparaissait avec netteté.

— Pour l'amour du ciel, Laurens, qu'est-ce que tu penses obtenir ?

— Eh bien, que tu fasses office...

— D'intermédiaire ?

— Plus ou moins, oui.

Il eut soudain l'impression d'un malentendu.

— Je te conseille de la laisser tranquille.

Il hésita.

— Mais c'est elle qui me poursuit, à sa manière. Cette nuit encore...

— Je crois que tu renverses les rôles. D'après Yaja, c'est toi qui l'as appelée cette nuit.

— Yaja ?

Il lui fallut toute son énergie pour forcer son esprit à marquer le pas.

— Elle t'a clairement fait comprendre, me semble-t-il, n'avoir que faire de tes avances. Alors recommencer, et en te servant de moi par-dessus le marché, ça c'est le pompon.

— Hé, minute ! dit-il en étant sur le point d'éclater de rire à cause de la tension nerveuse, c'est tout le contraire. Elle m'a demandé de...

— Tu prétends, si je comprends bien, qu'elle ment et que tu ne l'as pas appelée ?

— Tout à fait, ou plutôt non, c'est-à-dire que je l'ai bien appelée, mais uniquement parce que je voulais te parler.

— En pleine nuit ? Et depuis quand les relations que nous entretenons sont-elles de nature à justifier que nous nous téléphonions à des heures indues ?

— D'accord, tu as tout à fait raison. Je me suis conduit envers toi comme un malotru, cet été. Accepte, je te prie, mes excuses pour cette attitude. Je n'essaie pas de me justifier, mais je n'étais pas moi-même, un rien me faisait disjoncter, mais maintenant...

Maintenant tu cours après les filles de treize ans.

Il fut sur le point de s'exclamer : « Pourquoi ferais-je une chose pareille ? », mais réussit à se maîtriser. Il n'avait aucune chance. Malgré tous ses efforts pour envoyer Yaja sur les roses de la manière la plus amicale possible, après qu'elle eut formulé cette proposition incongrue, un refus restait un refus. Il avait touché cette petite peste dans son amour-propre.

— Je répète : nous pourrions peut-être avancer ? demanda Leander d'un ton glacial.

Laurens reprit mécaniquement sa progression. Il maudit chaque goutte qu'il avait bue. Avec un esprit plus affûté, il aurait sans doute eu une chance de se sortir de cet imbroglio.

Postée derrière le comptoir du magasin, Bobbie était plongée dans la contemplation de son bloc-notes. Il y avait à présent quatre tirets sur la page, fut-il en mesure de constater.

Elle le gratifia d'un regard accueillant qui se dissipa immédiatement lorsqu'elle aperçut Leander. Celui-ci ne sembla pas s'en rendre compte.

— Comme cela fait plaisir de te voir, dit-il avec cette voix de nouveau chaude et profonde. Je dois encore te féliciter pour le retour de Babette. Même si ce fut à distance, Bobbie, nous avons réalisé un formidable travail d'équipe, toi et moi. On voit bien ce que nous sommes capables de faire lorsqu'on unit ses forces.

— Hmm, mâchonna Bobbie.

Mais la vendeuse en elle fut la plus forte : elle prit le crayon et ajouta sans hésiter deux nouveaux tirets. Puis elle regarda fixement devant elle.

— Est-ce que Beatrijs est déjà repartie ? demanda Laurens pour lui tendre une perche.

— Je ne l'ai pas vue du tout.

Il pointa du doigt le quatrième tiret.

— C'était Janna, qui habite en face. Elle a acheté deux boîtes de bougies. Pour les affaires, le samedi, c'est top.

Leander demanda avec une voix patiente :

— Mais tu as bien appelé Beatrijs tout à l'heure, pour lui demander de venir bavarder avec toi ?

Bobbie l'ignora. Elle ouvrit le tiroir-caisse, fit signe à Laurens d'approcher et lui montra le contenu.

— Oui, tu vaux ton pesant d'or, toi.

Elle se mit à rire.

— Tu cherches à me séduire, hein, Laurens ? Ne te fais pas d'illusions, je ne me laisserai pas prendre.

Leander haussa les sourcils, puis demanda :

— Beatrijs serait-elle passée par l'extérieur ?

— Qu'est-ce que je viens de dire à ce type ! Elle n'est pas venue du tout dans le magasin.

Leander plia son torse en avant et approcha son visage tout près de celui de Bobbie.

— J'étais présent lorsque Beatrijs a reçu ton appel sur son portable. C'est Bobbie, a-t-elle déclaré, je vais faire un saut chez elle car elle a envie de bavarder un peu.

— Vraiment, alors que je croule sous le travail ? répliqua-t-elle sur un ton railleur en direction de Laurens.

Mais lui aussi avait vu Beatrijs prendre son portable.

La mâchoire serrée, Leander intervint :

— Étrange, tous ces mystérieux appels téléphoniques dans ce cercle d'amis. Étrange, pour ne pas dire plus.

Laurens s'interrogea : des ondes telluriques, peut-être ? Il sentait dans la bouche ce curieux goût métallique qui résulte de la consommation d'alcool à une heure trop avancée de la journée, et qui ne peut être combattu que par plus d'alcool. Pour ne pas laisser Bobbie dans l'embarras, il proposa : « Allons demander directement des explications à Beatrijs. »

La cour, dehors, parut désolée. Klaar et Karianne étaient parties dans leur chambre pour fabriquer des petits bonshommes avec leur récolte de glands. Leur sœur était de retour, et la famille se trouvait de nouveau au complet. La disparition de Babette avait été un intermède dont on parlerait avec une indifférence croissante au fil des innombrables fêtes d'anniversaire, jusqu'à ce que l'événement ne soit plus qu'un élément parmi d'autres, et rien de plus, dans cette trame légendaire que l'on appelle l'histoire d'une famille.

La nostalgie le submergea comme un raz de marée. Il avait eu une famille complète, lui aussi. Mais par sa propre faute, il avait laissé filer le bonheur entre ses doigts. Mû par une impulsion brutale, il saisit Leander par le bras.

— Les morts peuvent-ils essayer d'entrer en contact avec quelqu'un ?

Leander continua d'avancer à grandes enjambées sur le gravier qui crissait, le même gravier sur lequel Veronica avait marché si souvent qu'on pouvait penser qu'elle connaissait chaque petit caillou.

— Je t'ai proposé mon aide l'été dernier, mais tu n'en as pas vu l'intérêt. Ce que tu demandes à présent prouve, malheureusement, que tu es resté aussi niais qu'avant.

D'accord, pensa Laurens, vas-y, tu peux m'humilier, je t'ai humilié moi aussi, soulage tes nerfs de manière à rétablir le plus rapidement possible l'équilibre.

— Alors apporte-moi tes lumières, dit-il.

— Si la question est que tu as négligé de régler des problèmes avec l'incarnation terrestre de ta femme, la circonstance est évidemment tragique. Mais cela arrive souvent lorsque la mort survient brutalement. Il est maintenant trop tard pour mettre les choses à plat, du moins dans cette vie. Seulement, la consolation que nous apporte en même temps cette idée ne t'est d'aucun bénéfice.

Ils s'approchaient de la porte de la cuisine. Les discussions et l'agitation qui régnaient à l'intérieur leur parvenaient même à travers les vitres. La voix de Gwen qui posait une question et celle de l'une des Anges répondant avec impatience.

Oui, maman, à l'instant nous étions dans la maisonnette, mais maintenant, nous allons jouer en haut.

Veronica avait toujours dit : « Peu importe de savoir ce qu'ils font exactement pourvu qu'ils soient contents. »

Il pensa : Peu importe de savoir ce que tu faisais exactement pourvu que tu aies été contente. Ne fallait-il pas voir là le centre autour duquel tout le reste tournait, au bout du compte ? N'était-ce pas grâce à ce principe que l'on menait une vie heureuse à deux ?

— Si tu penses à une prise de contact avec les morts, poursuivit Leander qui se retourna soudain au moment où il tendait la main vers la poignée de la porte, alors tu as sûrement en tête des « séances », c'est bien ce que disent les gens comme toi ? Tu peux me croire. La plupart des décédés que l'on invoque lors de ces soi-disant « séances » ne se manifestent jamais. Jamais. Car ceux-là sont passés depuis longtemps dans l'au-delà. Tout voyant qui n'a ne serait-ce qu'un soupçon d'intégrité les laissera tranquilles. Seuls les charlatans parmi mes prétendus collègues se vantent de pouvoir établir un contact avec eux, afin de plumer des imbéciles comme toi. Jamais je ne m'abaisserais à leur niveau. Tu essaies de me transformer en escroc avec ta demande. Mais je t'assure que tu ne réussiras pas. Je ne me laisserai pas réduire à l'état d'imposteur par tes soins.

De la fierté professionnelle, pensa Laurens, l'esprit confus. La tirade faisait probablement partie des comptes que Leander avait à régler avec lui. Mais c'était tout de même étonnant qu'il ait eu recours, à cette occasion, aux termes précis qui furent toujours les siens lorsqu'il pensait à Leander. Ce ne pouvait être l'effet du hasard. Et si Leander se révélait capable de lire dans ses pensées, alors il était capable de bien plus.

— Donc on ne peut pas communiquer avec une personne décédée ? C'est bien ce que tu dis, en fait ?

— Réveille-toi, bonhomme. Ce sont uniquement les entités mauvaises, celles liées à ici-bas, qui tiennent à établir un contact avec les vivants. Pour elles, les vivants constituent le seul lien possible avec l'homme physique. Il faut se montrer d'une extrême méfiance avec elles.

Puis il entra dans la cuisine et essuya ses grands pieds sur le paillasson.

Laurens resta quelques instants immobile, comme anesthésié. Ce sont uniquement les entités mauvaises qui tiennent à un contact avec les vivants... Il fallait se montrer d'une extrême méfiance avec elles. Cette hypothèse ne lui était jamais venue à l'esprit, mais, en réalité, qui disait que Veronica lui voulait du bien ? Pourquoi en aurait-elle envie ? Peut-être venait-elle donner à Niels le câlin du soir afin de lui murmurer en passant quelques mots dans le creux de l'oreille. Cela lui ressemblerait bien de vouloir que ses enfants connaissent la vérité. Qu'ils sachent ce que leur père avait sur la conscience.

Il entra à son tour dans la cuisine, les yeux voilés par son trouble.

— Ah bon ! Beatrijs n'était plus avec Bobbie ? disait au même moment Gwen à Leander. Dans ce cas, elle est sûrement partie faire une promenade dans le jardin.

— Je ferais mieux d'aller jeter un coup d'œil.

Sitôt Leander parti, Timo, qui était encore assis avec les pieds sur la table, marmonna : « Notre voyant est devenu aveugle, tout à coup. Il aurait dû voir à partir de la cuisine où elle se trouve en ce moment. »

— Tu es ivre.

— La vérité sort de la bouche des ivrognes, Mop.

— Où sont Niels et Toby ? demanda Laurens, anxieux.

— Je crois qu'ils se trouvent tous là-haut.

Timo esquissa un geste vague vers le plafond. Laurens quitta la cuisine et traversa rapidement le couloir.

— Niels ! cria-t-il au pied de l'escalier. Toby !

À l'étage, la conversation véhémente orchestrée par

des voix d'enfants cessa brusquement. Une porte s'ouvrit après un certain temps et Niels descendit en sautillant quelques marches dont le bois était à nu.

— Qu'est-ce qu'il y a ?

— Je voulais juste m'assurer que tout va bien.

— Oh oui !

Les oreilles de son fils étaient rouges et une lueur inquiétante brûlait dans ses yeux. À l'évidence, il y avait de l'espièglerie dans l'air.

Pendant une seconde, ce fut comme si le cœur tourmenté de Laurens s'allégeait un peu. Niels était assez jeune pour tout oublier par la suite. Et Toby ne semblait pas encore avoir l'âge pour comprendre ce que sa mère avait à raconter. Mais cette situation ne durerait pas.

— Et Toby aussi ?

— Lui, il joue au *Livre de la jungle*.

— Ah ! Et pas vous alors ?

— Nous écrivons une lettre. Nous avons...

Soudain effrayé, Niels leva les yeux dans la direction d'où provenaient maintenant des chuchotements insistants. On lui demandait de se taire.

Encore un peu, et il tomberait en disgrâce auprès de ces dames.

— Va vite continuer ta lettre. Tu sais où je peux trouver Toby ?

— Non, non, je vais le chercher.

Le fiston descendit en trois bonds l'escalier, plongea sous son bras et disparut à la vitesse de l'éclair.

Ils avaient donc mis Toby à jouer tout seul dans son coin. On ne pouvait pas leur donner tort, mais c'était bien dommage pour le petit crocodile, pour sûr. Il fut sur le point de suivre Niels lorsque l'escalier craqua de nouveau. La voix enjôleuse de Yaja se fit immédiatement entendre :

— Qu'est-ce que tu veux encore, Laurens ?

Elle s'arrêta à mi-chemin des marches, ses pieds aux bottines noires lui arrivaient à peu près au niveau de sa tête, si bien qu'il devait se tordre le cou pour la regarder.

— C'est plutôt à toi qu'il faudrait poser la question, fulmina-t-il. Et puisque nous nous parlons, princesse au petit pois, pourquoi as-tu raconté des mensonges sur moi à ton père ?

Il n'attendait rien d'autre que des protestations d'innocence ou une ignorance feinte. Au lieu de cela, elle haussa les épaules.

— J'en avais envie, c'est tout.

Il eut un moment de stupeur.

— Tu sais que tu peux vraiment créer des problèmes à quelqu'un avec ces bêtises ?

— Et alors ? Elle fit mine d'étouffer un bâillement.

J'en avais envie. Et cela suffisait à une fille pareille ! Sans plus la juger digne du moindre regard, il sortit de la maison. Il entendit Leander crier le nom de Beatrijs au fond du jardin. Il y avait dans sa voix un ton dur et autoritaire.

Où était passée Beatrijs ? Peut-être s'était-elle rendue par erreur au pavillon d'été après l'appel de Bobbie, au lieu d'aller au magasin. Ils avaient tous bu beaucoup trop de champagne au beau milieu de la journée, et pour quelqu'un menant à présent une vie aussi sobre, le coup était rude. Peut-être s'était-elle tout simplement offert une sieste sur le lit de Bobbie, dans sa chambre sous les toits.

Bobbie la lui avait déjà montrée, de l'extérieur : « Regarde Laurens, voilà où je dors, et ces trous sous les tuiles, tu vois, ils sont pour les hirondelles qui construisent leur nid dedans au printemps ; elles vont et viennent tout le temps à cause de leurs oisillons. »

Il regarda autour de lui pour deviner où Niels s'était rendu. Avait-il laissé Toby dans la maison de vacances ? Au même moment, il crut entendre au loin pleurer le petit. Ses jambes le portèrent immédiatement vers la maisonnette. Il parcourut la dernière partie du chemin au trot. « Toby ! » cria-t-il en actionnant la poignée. Mais la porte était fermée à clé. Il tenta de regarder à travers les vitres sales. La cuisine à vivre paraissait vide et déserte.

Il contourna le bâtiment. La porte du petit hangar menaçant ruine était grande ouverte. Il entendit Niels parler à l'intérieur :

— C'est à cause de la pédale qui est coincée entre les rayons, idiot.

Il entra dans la remise.

Niels, qui s'efforçait de démêler un empilement de bicyclettes, une tâche à l'évidence au-dessus de ses forces, leva la tête avec un mouvement de frayeur.

— Papa, sanglota Toby, je voulais sortir de ma cage et alors tout s'est écroulé.

Il était pris sous l'enchevêtrement des vélos, mais sinon, il semblait indemne.

— On va tout de suite te libérer, dit Laurens.

Il réussit à dégager un cycle, le souleva et le posa contre le mur.

— Mais aussi, qu'est-ce que tu faisais dans une cage, mon grand lapin ?

— Ben, p'pa, j'étais un tigre.

— Tout seul dans ton coin ?

Il enleva les deux vélos suivants.

Niels restait à l'écart, une expression coupable sur le visage, craignant une punition.

Laurens pensa, déprimé : Suis-je trop sévère avec lui ?

— Tu veux bien me donner un coup de main, Niels ? Allez viens, et montre que tu as des biscoteaux.

Ils redressèrent ensemble le dernier vélo et le placèrent avec les autres contre le mur. Un bruit sourd retentit de l'autre côté, comme si quelqu'un dans la maisonnette jetait un objet très grand et très lourd sur le sol.

— Que se passe-t-il ? fit Laurens. Il n'y avait personne pourtant, et la porte était fermée à clé.

— Beatrijs ! cria de nouveau Leander, plus loin dans le jardin.

Niels eut l'air deux fois plus inquiet.

— Papa, je dois faire pipi.

— Viens avec moi, nous partons.

Il se pencha et prit Toby dans ses bras. À l'extérieur, il jeta en passant un dernier regard en direction de la maison, mais, comme les rideaux des deux chambres à coucher étaient tirés, il n'en apprit pas plus. Et brusquement une idée terrible s'imposa à lui. Si Veronica se montrait capable de déplacer des objets chez elle, dans sa maison, elle pouvait le faire ici également. Elle pouvait le faire partout. Elle pouvait à tout instant et en tout lieu manifester sa présence, afin de bien lui faire comprendre qu'il ne trouverait plus le moindre terrain neutre. Il s'était trompé depuis le début sur la signification de ses signes, tout simplement. La chasse était ouverte et, lui, il était le gibier.

TROISIÈME PARTIE

Hiver

Fantômes

Les annonces météo diffusées par l'autoradio promettaient un temps hivernal avec averses et risque de verglas. Gwen enfonça un peu plus la pédale d'accélérateur de sa vieille Toyota. Pourvu qu'elle rejoigne Amsterdam avant que le mauvais temps ne s'installe. La circulation autour de la métropole la fatiguait déjà suffisamment sans y ajouter la menace d'un dérapage. Elle se sentait une provinciale empotée, habituée comme elle l'était à des routes quasi désertes où passait de temps en temps un tracteur derrière lequel on prenait son mal en patience. Des hordes de voitures apparaissaient continuellement dans son rétroviseur avec une hâte sinistre. Il fallait visiblement se jeter corps et âme dans la mêlée, faire des queues de poisson, et jouer en prime de l'avertisseur.

Selon l'une des théories de Veronica, chacun s'attribuait, avec une foi aveugle, trois qualités, à savoir : 1. Je suis un(e) bon(ne) ami(e) ; 2. Je suis une affaire au lit ; 3. Je suis un as du volant. Quelque chose clochait apparemment lorsque l'on avouait sans ambages n'être qu'un conducteur moyen. Gwen refusait pour le moment d'examiner si elle satisfaisait aux deux premiers critères.

La silhouette des immeubles d'Amsterdam se profilait au loin. Pour plus de sûreté, elle se cantonna à la voie de droite de manière à emprunter sans encombres la bretelle de sortie. Bien qu'elle ait parcouru le même trajet chaque semaine depuis bientôt deux mois, le voyage lui portait toujours sur les nerfs.

Elle se dit : Je faisais pourtant ce genre de sortie sans même m'en rendre compte, autrefois.

La plupart des gens n'y comprenaient rien, ou si peu. Ils ignoraient ce que cela signifiait de vivre avec un mystère demeuré sans solution. Ils ne pouvaient s'imaginer à quel point une énigme pareille minait chacune de vos certitudes, et finissait par déliter toute confiance en l'existence en général et la vôtre en particulier. Vous qui n'aviez pas plus réussi à garantir la sécurité qu'à offrir des éclaircissements. Aux yeux des autres, vous devriez vous contenter d'avoir retrouvé l'enfant en bonne santé. Mais rendu par qui ? Qui avait rapporté Babette ? Et pourquoi ?

Mais ce n'était pas ainsi que raisonnait le reste du monde. Que la disparition de Babette n'ait toujours pas reçu la moindre explication, pas plus que sa disparition, n'était évidemment guère satisfaisant, et paraissait peut-être même en appeler au surnaturel, mais il fallait aussi savoir arrêter, à un certain moment, de se lamenter. Même chez les enquêteurs, les priorités avaient depuis longtemps changé : chaque jour apportait son lot d'événements horribles, on commettait des crimes innommables et les accidents tragiques arrivaient en nombre comme les sauterelles. Le cas de Babette, pour étrange qu'il fût, avait connu un dénouement heureux et, en l'absence d'indices permettant de lancer une enquête, que pouvait-on encore raisonnablement exiger de la police ? « Le ravisseur devra d'abord perpétrer un autre enlèvement, avait déclaré le zozoteur avec résignation, et commettre, espérons-le, une erreur qui nous permettra de l'appréhender. »

Tel était donc ce monde cynique.

Pour son propre bien, il faudrait espérer de toutes ses forces que d'autres parents découvrent, plutôt aujourd'hui que demain, le berceau de leur enfant vide, les couvertures encore chaudes et l'empreinte de la petite tête dans l'oreiller. Votre seule chance d'obtenir justice reposait sur un drame. Et en attendant, à vous de vous arranger avec l'insupportable arbitraire de l'existence.

La neige commençait à tomber en gros flocons humides et distincts. Gwen avait l'impression de ressentir le froid à travers le pare-brise. L'hiver long et sombre se trouvait encore tout entier devant elle. Et avec une petite puce qui avait tout le temps besoin de sa maman, il lui était impossible de se détacher des événements récents, ne serait-ce qu'un instant. Elle se trouvait confrontée en permanence à cette énigme lancinante. C'était la raison pour laquelle elle avait accepté avec tant de reconnaissance la proposition de Leander. Il avait besoin, pour son nouveau projet, d'une personne qui puisse remplacer Beatrijs, c'était logique, mais il aurait aussi bien pu choisir quelqu'un d'autre.

Elle avait de la chance : la circulation le long des canaux de la vieille ville se révéla fluide et elle trouva sans problème une place pour se garer. Elle prit les clés dans son sac lourdement chargé et entra. Il faisait un froid de canard dans la petite salle. Vite, elle remonta le thermostat du chauffage. Il restait une bonne demi-heure, juste ce qu'il lui fallait. Elle disposa les chaises en plastique gris par rangées, passa un coup de balai sur l'estrade, étendit sur la table un tapis d'un rouge soutenu et prépara une carafe d'eau. Chaque semaine, cet enchaînement invariable de gestes concrets lui donnait le sentiment de retrouver la Gwen d'antan, pratique et efficace.

Elle entendit Leander entrer et, selon son habitude, se rendre directement derrière la salle, dans la petite loge qui possédait pour tout mobilier une chaise et un miroir. Tout dans cet espace de location offrait le même aspect modeste. Dégradé, diraient peut-être certains. D'innombrables pas anonymes avaient défraîchi le linoléum. L'humidité formait des taches brunes au plafond. Mais rien de tout cela ne serait plus visible dès lors que la salle baignerait dans la douce lueur des bougies. Elle alluma d'abord l'encens. Il fallait imaginer Tiem lorsqu'elle rentrerait tout à l'heure avec des vêtements imprégnés de cette odeur. D'après lui, elle devait embaumer le trèfle et le thym. D'après lui, sa place était au jardin et dans l'espace ouvert du rucher, pas dans de petites salles à demi enterrées, privées de la lumière du jour et de l'air pur. « Et encore, si cela te rapportait quelque chose », lui avait-il déjà dit à plusieurs reprises, la mine déconfite. Il ne supportait tout simplement pas le changement, il voulait que rien ne change jusqu'à la fin des temps pour que le monde reste assuré et familier. C'est pourquoi il s'obstinait à ne pas voir que leur vie avait changé depuis longtemps, qu'elle était devenue incertaine dans un environnement suspect le jour où leur fille avait été enlevée, par des extraterrestres aurait-on presque dit.

Elle sortit quelques boîtes de bougies de son sac et les fixa sur des chandeliers déjà couverts de coulures de cire. Puis elle les alluma. Elle éteignit la lumière. Il était cinq heures moins dix. À la hâte, elle ôta l'élastique retenant sa queue-de-cheval et tourna ses cheveux sans les relever pour en faire un chignon sur la nuque. Ensuite, elle alla ouvrir.

Chaque semaine, depuis que Leander avait commencé les sessions, un petit groupe de gens attendait à l'extérieur, des femmes pour la plupart, bien plus âgées qu'elle. Les adeptes piétinaient, frigorifiés, dans la neige mouillée, ayant dépassé depuis longtemps le stade des Je vous salue, Marie et des Notre Père, unis en silence par l'espoir de trouver aujourd'hui enfin la réponse à leurs questions. Ils se trouvaient à cent lieues de soupçonner qu'en réalité Beatrijs aurait dû les recevoir. Ils connaissaient seulement Gwen comme le guide qui les menait à Leander.

Dans le hall, elle échangea salutations et amabilités avec les participants réguliers, s'informa sur les animaux domestiques, les enfants et les maris disparus. Quant aux nouveaux venus, elle leur indiquait les patères dans le couloir où accrocher leurs manteaux ruisselant de pluie et repoussait d'un geste les porte-monnaie déjà sortis : non, non, l'entrée est libre, mais, à la fin, vous pouvez déposer un don sur ce plateau si vous le désirez. Mince, elle avait oublié de mettre les bougies que les gens étaient libres d'emporter.

Elle rentra au pas de course pour les chercher. Dieu merci, la gestion des stocks n'avait jamais été une préoccupation majeure pour Timo. Tandis que les derniers spectateurs entraient un par un, elle disposa les bougies en cercle autour du plateau en cuivre. Cinq heures. Le moment était venu de fermer les portes et de débrancher la sonnette.

De retour dans la salle, elle donna un coup de gong. Les quelques bruits de voix cessèrent immédiatement. Elle rejoignit sa place à gauche de l'estrade et croisa les mains sur ses genoux. Au fond de la salle, elle entendit les pas de Leander. Il traversa la salle sans se presser en empruntant l'allée centrale. Parfois, il s'arrêtait un instant : il posait alors la main sur la tête de quelqu'un. À mesure qu'elle le voyait s'approcher, son cœur battait moins vite. Tous éprouvaient, elle comme les autres participants, l'influence apaisante et salvatrice de son énergie.

Il gravit les marches de l'estrade, s'installa derrière la table et étendit ses mains qui brillaient légèrement à cause de la vaseline dont il les avait enduites afin de favoriser la conduction. Avec la chemise noire qu'il portait, son visage dégagé par les cheveux peignés en arrière semblait plus pâle que d'ordinaire. Il considéra la salle.

— Bonjour et bienvenue, dit-il avec une simplicité cordiale. Certains d'entre vous me connaissent déjà. D'autres viennent pour la première fois. En pensant à ces derniers, tout particulièrement, je tiens à dire la chose suivante. Vous avez sans doute déjà rencontré des médiums, des magnétiseurs ou d'autres travailleurs spirituels. Ils n'ont pas su vous donner ce que vous recherchez. C'est pourquoi vous êtes venus ici.

Le silence se fit encore plus absolu qu'auparavant. Aucun des participants ne risqua le moindre geste.

— Si le but de votre visite est d'obtenir des messages de la part de défunts, vous vous rendrez compte que ma méthode ne ressemble pas à ce que vous connaissez. Mourir n'est qu'une tentative pour s'éveiller de la condition d'être humain et trouver un passage vers une autre dimension. Il m'est évidemment possible, si vous le souhaitez, de vous indiquer le stade atteint par votre défunt sur cette voie. Mais je ne souhaite pas les importuner avec des questions liées à l'existence terrestre. Il est de notre devoir de se détacher avec amour de ceux entrés dans la phase d'éveil. C'est le meilleur service que nous puissions rendre, à eux, mais aussi à nous.

Combien de fois Gwen n'avait-elle pas entendu Leander prononcer les mêmes mots ? Mais elle ressentait toujours le même remords lancinant. Après la mort de Veronica, les Anges en plein désarroi s'étaient plongées dans un petit poème avec l'aide de Timo. Marleen et Marise avaient courageusement récité le quatrain lors de la cérémonie après que le dernier adulte eut parlé. Gwen s'était même sentie fière de ce que ses filles avaient osé. Avec leurs cheveux rebelles retenus par d'innombrables épingles et chacune vêtue de chemises à carreaux identiques, sans taches ni déchirures. De leurs voix étouffées :

Si les larmes formaient un escalier
Et les souvenirs un pont,
Veronica, pour te ramener,
Tout en haut du ciel nous irions.

Comme on pouvait être égoïste, tous autant que nous sommes, quand on était plongé dans la tristesse. Ou désespéré à ce point, pouvait-on dire aussi. Elle songea : pardonne-nous, Vero, nous ne savions pas ce que nous faisions, vraiment pas.

Leander prit une gorgée d'eau, inspecta de nouveau la salle et reprit :

— Puis-je demander au premier d'entre vous ayant une demande à formuler de s'avancer ?

Une dame âgée avec un regard effarouché se manifesta immédiatement. Gwen se leva et prit la photographie qu'elle lui tendait. Tiens, encore le fils disparu comme par enchantement, laissant derrière lui une entreprise familiale en faillite et une femme avec trois enfants. Cela faisait au moins quatre ou cinq fois qu'elle voyait la dame et sa photo. Elle lui fit un signe encourageant de la tête. Ensuite, elle posa la photographie sur la table devant Leander.

Durant une fraction de seconde, ses yeux rencontrèrent les siens. Son regard semblait éteint, presque vide. Mais il se mit immédiatement à toucher la photo de ses doigts luisants et commença à parler, si concentré qu'il semblait à cent lieues du commun des mortels.

Inutile pour elle d'entreprendre de nouveau Timo avec l'histoire du fils disparu. Lorsqu'elle lui avait raconté les détails, il s'était exclamé : « L'asticot s'est tiré avec une autre tout bêtement, tu ne crois pas ? Il se trouve à Casablanca avec la caisse de l'entreprise et une nouvelle femme. Il avait peut-être bien d'excellentes raisons pour agir ainsi. Mais de quoi vous mêlez-vous enfin ? »

Du coup, elle avait raté la réponse de Leander. Elle reprit la photo qu'il lui tendait et la redonna à la dame qui rayonnait tant elle se sentait soulagée.

Le suivant faisait également partie des vieilles connaissances : le père de la fille noyée de Ijmuiden. Celle-ci s'était considérablement rapprochée de la lumière, vit immédiatement Leander, mais n'était pas encore arrivée au terme de ses épreuves. Dans l'imagination de Gwen, la pauvre enfant agitait de toutes ses forces bras et jambes au fond d'une eau trouble chargée d'algues tandis que l'air s'échappait de ses poumons. Mais, en réalité, cette lutte-là était terminée depuis longtemps. Il s'agissait à présent d'un tout autre combat.

Elle écoutait les paroles rassurantes de Leander.

Pourtant, il arrivait souvent qu'un sentiment pénible s'installe en elle à la perspective de tout ce travail qu'il fallait encore accomplir dans l'au-delà. Vous étiez encore loin du compte, une fois le dernier souffle rendu. Pour commencer, il fallait renoncer à vivre comme un être humain. Vos qualités ne vous étaient plus d'aucune utilité, et vos défauts ne vous excusaient plus de rien. Vous deviez vous défaire de tout ce qui faisait de vous un être unique et irremplaçable au cours de votre vie. Si jamais vous conserviez un regard nostalgique tourné vers qui vous étiez ou ce que vous faisiez, vous vous transformiez immédiatement en une variante cosmique de la femme de Lot : vous demeuriez prisonnier d'un des innombrables niveaux intermédiaires entre le monde terrestre et les sphères supérieures. Mais comment une petite noyée, si jeune encore, pouvait-elle faire pour ne pas désirer rejoindre son hamster, ou sa maison de poupée ou les bras puissants de son père ? Cela paraissait si injuste, et si dur aussi, d'exiger un tel effort d'une enfant qui ne savait pas encore nouer ses lacets.

Celui qui mourait jeune, affirmait cependant Leander, possédait généralement une âme ancienne, ce constat relevait presque d'une loi naturelle. Un jeune mort avait donc, pour ainsi dire, une longue expérience de la vie. Concrètement, il s'agissait presque toujours d'adultes qui fichaient en l'air leur réincarnation à un stade précoce, incapables de couper les ponts avec les vivants, et qui attiraient ainsi une tragédie sur eux et leurs proches.

Les visiteurs s'avançaient l'un après l'autre en tenant une photographie. Des instantanés représentant une bague perdue, héritage d'une grande valeur sentimentale, un adolescent à l'expression maussade qui avait

quitté la maison, le chien disparu d'un enfant handi-
capé. L'un dans l'autre, une session tout à fait
ordinaire.

À la fin de la réunion, Gwen rangea la salle. Elle éteignit les bougies, coupa le chauffage et trouva dans le
couloir un foulard oublié par un des visiteurs. Les gens
avaient, en repartant, si chaud à l'intérieur qu'ils en
oubliaient même la saison qu'ils retrouvaient en
sortant. Elle recueillit l'argent du plateau qu'elle purifia
en faisant brûler un petit morceau de bois de santal.
Après, seulement, elle se dirigea vers la loge. Leander
avait toujours besoin de quelques instants pour se
remettre.

Il était assis devant le miroir et se massait les tempes.
Son teint était gris, il avait l'air épuisé.

— Fatigué ? demanda-t-elle en posant les billets
devant lui.

Il lui fit juste un petit signe de tête.

— J'ai des pommes. Tu en veux une ?

— Non, je n'ai pas faim.

Il n'y avait qu'une seule chaise, elle resta donc
debout sur le seuil.

Tout à coup, il la regarda droit dans les yeux.

— Dis-moi, Gwen, avant que je n'oublie. Yaja pour-
rait-elle venir chez toi ce week-end ? J'ai besoin d'un
peu de temps pour reprendre des forces.

— C'est de nouveau son week-end ? demanda-t-elle
pour gagner du temps.

Elle avait promis à Timo d'enlever les ruches à
cadres avec lui. Impossible de le laisser seul pour faire
ce triste travail. Il avait mis toute son âme dans ces
ruches. Mais il n'y avait plus rien à sauver. Maintenant
que le rucher ressemblait à une ville fantôme, parsemée
des corps de faux bourdons et d'ouvrières aux ailes

252

tordues, il n'y avait plus qu'une seule solution : désinfecter et repartir de zéro.

Au printemps nous aurons de nouvelles colonies, pensa-t-elle, des abeilles plus qu'assez ! Simplement, comment pouvait-on avoir la moindre certitude ? Comme s'il existait ne serait-ce qu'une chose sur laquelle on puisse compter ! La nature elle-même n'était pas digne de confiance, malgré ses efforts pour vous amadouer avec ses rythmes réguliers. Aussi bien pouvait-il bientôt ne plus y avoir la moindre abeille sur terre. Il en était allé ainsi pour le dodo[1].

— Très bien, Gwen, dit-il. Alors je la dépose demain après-midi à la gare.

Il se leva avec une vivacité étonnante pour un homme de sa taille et l'embrassa. Elle sentit son haleine dans le cou.

— Autrement, y a-t-il du nouveau ? balbutia-t-elle en reculant d'un pas.

Pour une raison ou pour une autre, elle évitait de prononcer le nom de Bea.

Il secoua la tête. Il se rassit et fourra sans la regarder la pile de billets dans la poche de son pantalon.

Soudain, elle arriva au constat désagréable qu'il ne s'informait jamais de ses problèmes à elle. Tout indiquait décidément que ses astres présentaient de mauvais alignements. Elle avait admis, en confiance, que le retour de Babette marquait de manière définitive la fin d'une horrible période faite d'incertitudes. De plus, elle s'était attendue à ce que l'univers tout entier accepte comme une évidence qu'avec la disparition du bébé, elle avait eu largement son content

---

1. Oiseau de l'océan Indien de la taille d'un dindon. Cette espèce a disparu à la fin du XVIIe siècle. (*N.d.T.*)

d'ennuis. Et voilà que l'apiculture les lâchait. Vous pensiez arriver au bout du catalogue de vos malheurs, mais, sitôt la page tournée, un nouveau chapitre débutait comme si de rien n'était.

— Alors je m'en vais, dit-elle.

— Ne vaudrait-il pas mieux attendre que les bouchons aient disparu ? Viens, j'ai encore du thé. Il tendit le bras vers sa Thermos. Tu ne vas pas entreprendre tout ce voyage sans avoir bu quelque chose. Allez, Gwen, laisse-moi m'occuper de toi comme il faut.

Tout en consultant toutes les trente secondes sa montre, Laurens traversait au pas de course les longs couloirs carrelés de couleurs vives et gaies, où régnait l'odeur intemporelle de craie et de sueur d'enfants. Si on arrivait trop tard pour l'entretien chronométré de dix minutes, autant rester chez soi. Il répondit sans ralentir, par-dessus son épaule, au salut d'un père avec lequel il avait, par le passé, assuré la sécurité des enfants au passage pour piétons, sanglé dans un gilet de sûreté orange fluo. L'école attendait, à juste titre, un engagement véritable de la part des parents. Elle était, après tout, l'arène où se déroulait la vie quotidienne de leurs enfants. Niels y copiait les grands. Il apprenait ici plus qu'à la maison, avec son fossile de père ; il apprenait ici les choses qui comptaient pour un enfant de sept ans.

Laurens entra en trombe dans la classe de son fils, tout à sa joie d'être dans les temps, ou peut-être se sentait-il de si bonne humeur parce que le cadre était familier et sans surprises : un monde limpide fait de lecture et d'écriture et de cahiers dans lesquels la prof calligraphiait un « Bien » lorsqu'on avait réussi un exercice. Il n'y avait rien d'obscur ou de mystérieux en ces lieux.

— Ah ! Nicky, dit-il plein de reconnaissance.

La maîtresse de son fils était une jeune femme aux allures de hibou, vieille avant l'âge, au teint grisâtre à cause du tabac. Elle allait, de préférence, vêtue d'une jupe à carreaux écossaise à laquelle même l'épingle ne faisait pas défaut. Niels était tombé en adoration devant elle, à en croire ses comptes rendus quotidiens. Il jouait des sourcils avec attendrissement tandis qu'il détaillait sa façon d'écrire au tableau : « Avec la main gauche, p'pa, c'est très difficile ça, non ? » Elle constituait probablement la raison principale qui l'avait conduit à demander du gel pour les cheveux à la Saint-Nicolas.

— Bonjour, Laurens. Elle lui donna la main : Alors, vous vous en sortez un peu avec tout ça ?

Il opina au hasard.

— Quelles jolies décorations pour les fêtes !

La salle avait déjà revêtu les habits de Noël. De petites grappes de pommes de pin dorées pendaient du plafond au bout de rubans rouges, et l'appui de la fenêtre était occupé par l'alignement des travaux d'élèves : des bougies faites avec des rouleaux de papier toilette et une flamme réalisée par un travail de pliage en papier rouge. Elle suivit son regard et montra une bougie couverte d'étoiles argentées.

— Là-bas, c'est celle de Niels. Il trouve toujours le moyen de faire un travail original. Quelle imagination débordante !

Que la femme la plus importante dans la vie de son fils s'exprime avec tant d'éloges à son propos chassa d'un coup chez Laurens le souvenir qui était brutalement revenu : il ne s'était encore occupé de rien à la maison, ni boules ni guirlandes lumineuses.

— Il aime aller à l'école, dit-il avec entrain. Il adore sa maîtresse.

Il pensa : J'achèterai un magazine tout à l'heure, *Libelle* donne sûrement des conseils pour créer une bonne ambiance à la maison.

Elle rit.

— Et moi aussi, je l'adore. Du moment qu'il ne tente pas de m'enlever.

C'était sa plaisanterie habituelle.

Après les vacances d'automne, Niels avait raconté lui-même l'affaire lors d'une discussion de groupe. Nous avons enlevé ma tante. Le récit avait rencontré un franc succès et fait de lui le héros de sa classe. Il était revenu de l'école tout auréolé de cette admiration, le regard triomphant et marchant avec les pieds légèrement écartés. Voici l'homme. « Ils ont trouvé l'histoire super, papa. » Tu n'as probablement pas mentionné, Niels, quelles en ont été les conséquences pour ta tante ? Mais Laurens avait réussi à ravaler ses paroles. On ne pouvait pas continuer à déverser sur la tête de ses enfants des reproches cinglants à cause d'un jeu qui avait dégénéré. Il fallait faire en sorte de conserver une base de confiance. Lorsqu'on était à deux, on pouvait jouer alternativement le rôle du méchant. Tout seul, cela devenait impossible.

— Il y a un problème ? Nicky l'observa attentivement : Je veux dire, quelque chose que je devrais savoir concernant Niels ?

Il hésita. Il n'avait toujours pas digéré le méfait. Trouvait-elle vraiment normal d'attacher quelqu'un et de l'enfermer ? Elle voyait tous les jours des dizaines d'enfants, lui n'en avait que deux. Mais il n'osa pas aborder de nouveau le sujet. À aucun prix, il ne souhaitait prendre le risque de discréditer auprès d'elle son fils transi d'amour.

Elle dit :

— Je trouve qu'il se défend avec beaucoup de courage, étant donné les circonstances. Il travaille bien. Il n'a pas de problèmes de concentration. Il est sans aucun doute l'un des meilleurs en lecture, et les difficultés rencontrées en calcul commencent à appartenir au passé. En revanche, ce qui me frappe, c'est sa tendance à se refermer sur lui-même. Je ne sais pas toujours comment m'y prendre.

Elle le regarda d'un air candide, comme si c'était lui, l'expert.

— C'est un grand rêveur. Mais il ne doit évidemment pas s'isoler. Je m'efforce donc de temps à autre de le stimuler pour qu'il rejoigne ses camarades. Êtes-vous d'accord avec cette démarche, ou préférez-vous que je le laisse tranquille ?

Il croisa les jambes et regarda le plafond.

— Stimulez-le, je vous en prie.

— Des amis viennent-ils souvent jouer à la maison ? Ah non bien sûr ! Il va à l'étude, après la classe. Quand avez-vous eu pour la dernière fois un entretien là-bas ?

— Ce n'est pas la peine de tourner autour du pot, vous savez. Avez-vous l'impression que quelque chose ne va pas avec Niels ? Dois-je le conduire chez un psychiatre, ou un spécialiste de ce goût-là ?

— Pas du tout, dit-elle un peu trop rapidement, c'est un enfant qui a du chagrin et il est juste assez âgé pour en être conscient. Les premiers temps après un décès sont très confus, n'est-ce pas ? Alors pour un enfant… Je me souviens encore de la mort de ma grand-mère.

Elle lui adressa un pâle sourire. Il se sentit un parfait goujat, mais ne trouva tout simplement pas les ressources pour s'informer plus avant de ses souvenirs. Il appartenait à la nature des grand-mères de mourir, on le savait d'avance.

— Il existe de nos jours des groupes de travail sur le deuil pour les enfants. Désirez-vous que je m'informe à ce sujet ?

Niels dans un groupe de deuil. Alors Toby, trépignant d'enthousiasme et d'envie, voudrait lui aussi faire partie d'un groupe de deuil.

— Je peux réfléchir à la question ?

— Vous savez, demander de l'aide n'est pas un aveu d'échec, bien au contraire.

— Il y a autre chose ?

Elle réfléchit un instant.

— Dernièrement, il m'a demandé... J'étais très occupée, tout à coup il était devant moi, je me reproche de ne pas avoir mieux écouté.

— Que voulait-il donc ?

Elle pencha la tête en avant.

— D'après ce que j'ai cru comprendre, il m'a demandé si je voulais l'accompagner au cimetière.

Niels voulait-il montrer la tombe de Veronica à sa maîtresse d'école ? Qu'est-ce que ça pouvait signifier ? Mais la proposition était peut-être tout à fait normale. Peut-être était-ce même un signe positif. Voici où est enterrée maman. Elle est morte.

On frappa discrètement à la porte.

— Les suivants sont arrivés. Nicky se leva : Je vous appellerai cette semaine, d'accord ?

Un peu perplexe, il emprunta le même couloir pour regagner la sortie. Dehors, la neige avait cessé de tomber, mais l'atmosphère était chargée d'une humidité glaciale. Le revêtement de la chaussée brillait sous la lumière des lampadaires. Il remonta son col et enfourcha son vélo. Il pourrait être à la maison dans cinq minutes et libérer la baby-sitter de ses obligations. Mais il se souvint alors de sa décision prise quelques instants auparavant et se dirigea vers le centre-ville, en quête d'un kiosque pour se constituer une documentation solide sur Noël.

Peu après, il contemplait les linéaires chargés de revues aux couvertures festives. Le scintillement des bougies lui faisait de l'œil, dans les cheminées les flammes crépitaient à qui mieux mieux, les boules de Noël rehaussées d'une neige poudreuse chatoyaient dans des écrins faits de branches de sapins agencées avec art. Il se mit à feuilleter les publications de manière systématique. La tendance était au blanc cette année. On obtenait des effets fastueux et inattendus en disposant des boules argentées dans un compotier de verre. Si une bougie a coulé sur la nappe, toujours utiliser du papier absorbant et un fer à repasser tiède. Cette année, n'achetez pas un grand poinsettia, mais douze petits que vous intégrerez dans une couronne composée de lichens. Décorez l'arbre avec des perles que vous aurez enfilées vous-même. Tiens, cette dernière idée pourrait être intéressante pour Toby.

Deux filles pouffant d'un rire nerveux le frôlèrent pour attraper un exemplaire de *Yes*. Pendant une seconde, il se vit à travers leurs yeux : un homme triste et négligé avec un imperméable trempé, plongé dans la lecture de « Margriet et ses conseils d'hiver pour un intérieur encore plus chaleureux ». D'autres hommes achetaient *Nieuwe Revu* ou *Quote*. Ou *Playboy*, à cause de l'interview-événement du mois. Il se détourna légèrement et poursuivit sa lecture.

Dresser la table de Noël. Composer le menu. On passait aux choses sérieuses. Médaillons de dinde grillés au beurre d'olive. Filet de lièvre sauce aux canneberges. Papillotes de lapin au fenouil. Mozzarella au lait de bufflonne et sauce pistou. Pâté de foie de volaille fait maison. Tourte d'aubergines avec sauce au persil. Fricassée parfumée de moules à la feuille de brick. Strudel de pleurotes aux noix. Tomates à la ricotta en timbales. Salade de pommes de terre avec poulet fumé assaisonné à la coriandre. Mousse de maquereau sauce piquante. Beignets épicés aux pommes et fromage de chèvre. Lasagnes fruits de mer et sauce au vermouth. Jus au cidre. Soupe de crevettes avec crème au raifort. Risotto crémeux à la menthe. Rôti de dindonneau avec pesto fait maison. Champignons portobello au sirop balsamique et au roquefort.

Champignons portobello au sirop balsamique et au roquefort : sans qu'il sache pourquoi, cette recette lui donna le coup de grâce. Il remit le magazine sur le présentoir, incapable d'échapper plus longtemps au sentiment que tous les champignons portobello du monde ne pourraient pas effacer ce qu'il avait fait à ses enfants.

Quelqu'un tenta de se frayer un chemin jusqu'aux rayonnages en s'aidant d'un « Excusez-moi, monsieur » irrité. Il bloquait le passage mais se trouvait dans l'incapacité de mettre un pied devant l'autre. Qu'essayait-il de s'imaginer ? Qu'il lui suffisait de sortir de son chapeau un dîner à six services et une brassée de boules pour la décoration ? Par sa faute, l'école jugeait Niels mûr pour le psychiatre, et Toby ne devait probablement pas être dans un meilleur état. Il leur avait pris leur mère. Leur mère en chair et en os, du moins.

Il faut dire ce qui est, des semaines entières passaient

parfois sans que Veronica manifeste sa présence. Mais, au moment même où il se disait que toute l'affaire était le fruit de son imagination, où il se décernait avec soulagement un brevet de folie en bonne et due forme, elle semblait être passée lui faire un coucou à l'improviste, tout aussi aérienne et difficile à coincer que de son vivant. Il n'arrivait jamais à en être certain, ce qui rendait la situation d'autant plus éprouvante pour les nerfs. Ses conclusions se révélaient parfois fausses lorsqu'une explication parfaitement rationnelle rendait compte, plus tard, d'un phénomène fortuit. Mais, s'il se montrait capable de telles erreurs, aussi bien pouvait-il se tromper dans l'autre sens. Comment, dans ces conditions, se fier encore à son propre jugement ?

Une circonstance de cette nature s'était de nouveau présentée, un dimanche après-midi bruineux. Niels et Toby se disputaient à cause d'un crayon ou d'une petite voiture : beaucoup de bruit pour rien. C'en devenait trop pour lui. Il sortit. Les mains dans les poches, il se mit à faire les cent pas dans le jardin à l'abandon, taraudé par l'envie de fumer. Le désœuvrement le poussa à prendre un râteau afin de s'attaquer aux feuilles mortes. Il avait si longtemps repoussé le moment de mettre de l'ordre ici pour une bonne raison : le jardin avait toujours été le domaine réservé de sa femme. Le petit jardin urbain entouré de murs et orienté au nord ne permettait guère de prouesses, mais elle avait entretenu avec chaque plante et chaque buisson une relation personnelle. « Prends ce lilas là-bas, par exemple, Laurens. Quel épouvantail, en vérité. Mais lorsqu'il fleurit, je lui pardonne tout, année après année. »

Et c'était exactement là, juste sous son arbuste préféré, qu'il avait trouvé le sol net et parfaitement ratissé, avec, pour décoration, une double rangée de cailloux blancs. Les cheveux s'étaient dressés sur sa tête. Rien ne m'empêche de venir parfois faire un peu de jardinage, Laurens, si d'aventure l'envie m'en prend. Tu comprends ça, n'est-ce pas ? Là où je me trouve à cause de toi, il n'y a évidemment ni lilas ni saisons.

Si Niels et Toby apprenaient la vérité, ils ne pourraient plus jamais, au grand jamais, recouvrer leur confiance en lui. Ils grandiraient, en réalité, comme des orphelins, amers et endurcis. Son petit crocodile, son Superman : ce qu'il avait de plus précieux.

Le soir même, il décrochait son téléphone, même s'il tombait systématique sur le répondeur désormais, et même si Leander ne rappelait jamais.

De nouveau, quelqu'un avide d'un Spécial fête de Noël le bouscula dans le kiosque. Il se mit en mouvement avec lenteur. Un bouquet de ballons aluminium attendait le chaland près de la sortie. Un goût fade dans la bouche, il en acheta un pour Toby avec un Popeye imprimé dessus, et un pour Niels avec Superman.

À chaque longue et ennuyeuse journée succédait immanquablement une longue et ennuyeuse soirée. À moins qu'il n'y ait de la visite. Mais Beatrijs avait eu amplement le temps de constater que rares étaient les individus assez persévérants pour continuer à venir la voir semaine après semaine malgré les contraintes du quotidien. Ils ne pouvaient s'imaginer ce qu'être condamné à garder le lit deux mois durant signifiait. Après tout, elle non plus n'en avait pas eu la moindre idée. Impossible d'en tenir rigueur à qui que ce soit.

Elle observa la bosse de plâtre située à hauteur du genou, impatiente de revoir enfin les orteils de son pied gauche, désir impossible à réaliser lorsque la jambe se trouvait en traction, mais il fallait bien penser à quelque chose pour occuper son esprit. Bonjour les orteils, je ne vous ai pas oubliés. En fait, elle avait compté sur la présence de Gwen ce soir, car celle-ci passait presque chaque fois après la session hebdomadaire de psychométrie organisée par Leander. Lui-même, totalement éreinté à l'issue de la session, devait rentrer directement à la maison et ne pouvait se permettre un détour par la clinique. Mais aujourd'hui, Gwen n'avait visiblement pas été en mesure de sacrifier une demi-heure de plus. Probablement des choses plus importantes ou intéressantes à faire.

Elle réprima un soupir. Quelle bêtise de réagir ainsi : faire de ceux qui vous sont les plus proches et les plus dévoués la première cible de votre colère impuissante. Elle devait se féliciter d'avoir une amie comme Gwen, et Leander devrait en faire autant. Il tardait d'ailleurs à téléphoner.

Elle avait une bonne nouvelle. Elle se réjouissait de la lui raconter. Il allait être heureux.

Quelqu'un passa dans le couloir en poussant un chariot qui grinçait. À part ce bruit, le silence était total.

L'agitation la gagna et elle s'efforça de changer de position autant que possible. Les poulies crissèrent brièvement. Que pouvait-elle bien imaginer à présent pour se distraire ? Rien de ce qui l'entourait n'élevait l'âme. Pourquoi diable tout devait-il être si laid dans une clinique ? Ce Formica déprimant, ce rideau sans attrait ni caractère, les deux fauteuils recouverts en similicuir posés n'importe où, dans l'éventualité d'une visite ; il n'y avait rien qui puisse satisfaire l'œil. Les seules taches de couleur provenaient des cartes postales que Frank lui envoyait avec une régularité de métronome, et des dessins d'enfants affichés sur le panneau en face de son lit, sous la guirlande de roses en papier crépon confectionnée par Marleen et Marise. Ce travail possédait une force poétique inhabituelle, mais, comme le répétait Leander, elles avaient beaucoup à se faire pardonner.

J'étais la seule fautive, pensait-elle maintenant. Si je n'avais pas été prise de panique et tenté d'attirer coûte que coûte l'attention de Laurens lorsque je l'ai entendu farfouiller dans la remise, je ne me trouverais pas ici. Qui aurait l'idée de se jeter du lit sur le sol sans pouvoir amortir le choc ?

L'attente commençait sérieusement à lui porter sur les nerfs. Le sang cognait dans ses veines, elle avait chaud, elle voulait des draps frais, propres et bien repassés. Elle s'empara brusquement de la télécommande posée sur le chevet à l'esthétique affligeante, et alluma la télévision au-dessus de son lit. Mais si elle mettait le casque, elle n'entendrait plus le téléphone. Pendant un certain temps elle regarda des images qui, muettes, n'avaient plus aucun sens.

Dieu soit loué, le téléphone. Elle rajusta sa coiffure par réflexe. Quelques tractions lui permirent de se redresser contre les coussins dans son dos, puis elle décrocha.

— Tu peux me passer Gwen ? demanda Bobbie.

Sa respiration était si précipitée que Beatrijs percevait comme de petites explosions dans l'écouteur.

— Ah, Bob, c'est toi. Gwen n'est pas là.

— Elle est déjà en route vers la maison ?

— On dirait bien, oui.

— Bon ben d'accord, dit Bobbie avec un ton suggérant qu'elle se trouvait sur le point de raccrocher. Tout va bien.

— Non, parce que Babette a des crampes et Timo est allé voir le comptable. Je me retrouve toute seule à faire front, Beatrijs. Je ne sais pas si je tiendrai le coup.

Elle vit aussi clairement que si elle avait été présente les plis soucieux se creuser sur le visage en forme de lune de Bobbie. Dès que la moindre chose arrivait à Babette, la mobilisation était générale. On la surveillait avec les yeux d'Argus.

— Pourquoi tu n'appellerais pas le médecin pour lui demander conseil ?

— Tu sais ce qu'il m'a dit, ce rabat-joie ? Posez-lui donc une bouillotte sur le ventre ! À ce compte-là, moi aussi, je suis médecin. Babette devrait prendre du Doliprane, tu ne crois pas ? Elle n'arrête pas de pleurer, avec la bouillotte et tout. C'est un vrai scandale !

Elle réfléchit rapidement. Ne jamais exclure le pire. Encore un peu, et elle se retrouverait avec une appendicite aiguë. Babette ne leur avait pas été rendue, comme par une providence divine, pour qu'ils la perdent de nouveau.

— As-tu le numéro du comptable de Timo ?

— Mais je ne peux pas l'appeler maintenant ! Timo est là-bas pour nous faire *défaillir*. Nous sommes en train de *défaillir*, tu sais. Alors si je le dérange au mauvais moment, je risque de tout fiche par terre.

Pourquoi Gwen ne lui avait-elle jamais révélé l'étendue de leurs problèmes ? Vous vous trouviez clouée au lit pendant quelques mois, et déjà plus personne ne vous considérait comme un interlocuteur valable ! Qui sait ce que l'on a bien pu lui cacher encore. Pour l'épargner, bien sûr, pour lui éviter des cogitations inutiles, mais quand même.

— Écoute Bobbie, la santé de Babette a plus d'importance que les affaires d'argent. C'est aussi ce que pense Timo. Donc, tu l'appelles. Et s'il proteste, dis-lui simplement que je t'ai obligée à le faire.

— Bon, eh bien dans ce cas.

Le ton de sa voix trahissait le peu d'illusions que la démarche faisait naître.

— Écoute, il te sera reconnaissant de l'avoir prévenu, rien d'autre. Il dira : « Alors ça, c'est typiquement notre Bobbie, toujours pleine de bon sens quand il le faut. » D'ailleurs, tu le vois bien toi-même ! Si tu ne m'avais pas trouvée dans la petite maison...

— Tu parles, trouver quelqu'un. Il ne faut pas être un génie.

— Eh bien, moi, je pense qu'il faut un talent tout à fait particulier.

— Pas moi, dit Bobbie. Il y a les gens qui cherchent, et ceux qui trouvent. Mais, si tu y tiens, je vais appeler ce type.

Et elle raccrocha immédiatement. Beatrijs raccrocha également de son côté, quelque peu déconcertée par le caractère incisif de son intervention. Plus fort encore, elle allait rappeler Bobbie dans dix minutes pour connaître l'évolution de la situation. Et, s'il se révélait que celle-ci n'avait pu rassembler assez de courage pour continuer, elle réussirait à lui soutirer le numéro du comptable et prendrait l'affaire en main.

Le téléphone sur le chevet sonna de nouveau.

— Bonjour, déesse, dit Leander, comment...

— Babette ne va pas bien.

Un silence tomba. Puis il reprit :

— Ce n'est rien.

— En es-tu sûr ?

— Crois-moi, au moment où Gwen rentrera à la maison, ce sera passé.

Elle respira de nouveau et, immédiatement, elle

sentit son cœur déborder d'amour et de fierté. Grâce à lui, tout était clair, stable et sûr.

— Ouf, heureusement ! Dis, c'est la session qui a duré si longtemps pour que Gwen soit encore sur le chemin du retour ? Tu dois être bien fatigué alors.

— En effet, et donc j'aimerais que cette conversation ne dure pas trop longtemps.

— D'accord. Mais dis-moi, tu savais que Gwen et Timo vont droit à la faillite ? Nous devons naturellement les aider. À quoi pourrait nous servir tout l'argent qui s'accumule sur mon compte, si eux se trouvent au bord du gouffre ?

— Prunelle de mes yeux, attends une seconde.

Il craignait toujours qu'elle ne se fasse tort de quelque manière. Mais, vraiment, l'argent ne faisait pas défaut.

— C'est un devoir pour moi de leur venir en aide, je trouve. Et, qui plus est, cela me fait plaisir.

— Gwen abhorre tout ce qui la relie à la matière. C'est ce qui fait d'elle un être d'une exceptionnelle pureté. Et chez une telle personne, tu veux arriver avec des sacs pleins de billets ?

— Oui, enfin, je pensais à un prêt sans intérêt, par exemple.

— Est-ce que tu écoutes ce que je te dis ? Tu appelles cela aider, mais en fait tu tires Gwen vers le bas ; tu l'enfonces dans la boue de l'ici-bas si tu ne changes pas d'idée.

— Ne raconte pas de bêtises, dit-elle, tout à coup prise par le doute.

— Je suis sérieux. Analyse donc la nature de tes motifs. Que retires-tu au bout du compte de cette masse d'argent que tu accumules ?

Il la trouvait indigne. Il pensait d'elle ce qu'elle avait

toujours pensé de Frank lorsqu'il tenait à payer leur séjour à *L'Écluse*. Ou peut-être se disait-il qu'elle agissait sous l'impulsion d'une sorte d'intérêt personnel ? Mais c'était impensable, non ?

— Quoi qu'il en soit, ils ont besoin d'argent, avec leurs cinq filles. C'est d'abord pour cette raison que je le fais.

— Comme si tu leur devais quelque chose, à ces gens. Si tu veux mon opinion.

Elle se tut. Lorsque, cet après-midi en question, un groupe d'enfants surgissant derrière elle l'avait assaillie alors qu'elle se rendait chez Bobbie, sa première pensée avait été : Seigneur, encore un de ces jeux brutaux que les Anges affectionnent. Mais comme l'attitude consistant à jouer le jeu était fort appréciée par les enfants, elle se laissa bander les yeux et conduire jusqu'à la maison de vacances. Arrivée sur place, ces petits gangsters l'avaient embobinée de la tête aux pieds avec une corde. Comme qui dirait une vraie tante Chipolata. Donc Niels, ce voyou, était également de la partie. Après l'avoir bâillonnée avec un foulard qui avait un goût de sueur enfantine, ils l'avaient abandonnée sur un des lits et pris ensuite la poudre d'escampette. D'un certain point de vue, la plaisanterie était vraiment réussie : elle n'arrivait plus à bouger, même pas le petit doigt, littéralement. Et cela représentait un grand honneur, bien sûr, que d'avoir le droit de participer à un jeu. Évidemment, ce qui était bien dommage pour les enfants, c'est que la joie serait de courte durée. Dès que Leander allait remarquer son absence et se demander où elle pouvait bien se trouver, il *verrait* automatiquement ce qui s'était produit et viendrait la délivrer.

— Je suis sérieux, Beatrijs. Je dois parfois te

défendre contre tes propres initiatives. Tu ne dois rien à ces petits terroristes.

— Mais arrête, à la fin ! explosa-t-elle soudain.

Il prétendait la défendre, mais l'avait totalement abandonnée l'après-midi en question. La colère bourdonnait dans sa tête.

— Tu profites du moindre prétexte pour t'en prendre à Marleen et à Marise, et aussi à Niels si l'occasion t'en est donnée. Mais toutes tes critiques ne sont, pour toi, rien d'autre qu'une manœuvre de diversion. Car à qui d'autre, d'après toi, dois-je le plaisir de moisir dans cette clinique ? Eh bien ?

Il ne dit mot, comme abasourdi. En se rendant compte qu'elle n'aurait jamais oser s'exprimer ainsi s'il s'était trouvé ici en face d'elle, elle s'interrompit, perdant le fil de ses idées.

Il dit :

— À strictement parler, tu ne dois ta chute qu'à toi-même, c'est exact. Pourtant je ne t'en ai jamais parlé, n'est-ce pas ? Moi aussi, cela fait des mois que je suis obligé d'improviser, mais cela n'aide personne si tu te sens coupable, mon petit soleil.

Pour une raison ou pour une autre, elle revit tout à coup avec précision la jeune noyée d'Ijmuiden dont il avait parlé récemment : l'enfant qui luttait pour la vie alors qu'elle devait avoir l'impression qu'une immense main noire lui enfonçait la tête sous l'eau. L'air lui manqua et, suffoquant, elle s'écria :

— Mais enfin, pourquoi fais-tu toujours comme si Yaja n'y était pas ? Alors que c'est elle qui a tout manigancé ! Elle m'a attirée là-bas avec le prétendu appel de Bobbie !

Il dit lentement :

— Beatrijs. Qu'est-ce qui te prend ? Je ne te connais

269

pas ainsi. Tu n'es pas femme à attribuer tes erreurs de jugement à une fille de treize ans. Si tu n'avais pas bu autant de champagne, tu te serais sans aucun doute rendu compte que ce n'était pas Bobbie qui t'appelait, et toute cette... aventure t'aurait été épargnée.

Ce détail n'avait pris toute son importance et provoqué sa chute qu'au moment où elle avait eu terriblement envie de faire pipi. En cet instant de désespoir où elle ne put plus se retenir et se soulagea dans le matelas, tout s'éclaira : c'était Yaja sur mon portable, tout à l'heure. Yaja avait réussi avec un talent quasi diabolique à imiter Bobbie, mais, au moment de raccrocher, elle avait lancé un « Ouaich ! » par manière de salut. Et, avec cette certitude, la panique avait commencé, c'est alors que la corde s'était mise à la comprimer, et elle avait manqué de s'étouffer à cause du tampon de laine qu'on lui avait enfoncé dans la bouche.

— Elle voulait me faire du mal. Elle voulait...

— Elle t'aime, dit-il sans s'énerver. Tes affirmations me paraissent donc être une projection, Beatrijs. Ou, pour le moins, une situation où tu fais deux poids et deux mesures. Lorsque tu parles des trois autres vauriens, il s'agit d'un jeu d'enfants. C'est l'un ou l'autre. Tu n'es pas d'accord ?

Mais pour les autres, ce n'était réellement qu'un jeu. Plus tard, alors qu'elle se trouvait déjà à la clinique, Marleen lui avait montré la demande de rançon avec un rire ingénu. « Et ça, on l'aurait envoyé à Leander avec un de tes doigts, tante Bea. C'est cool, hein ? »

D'une voix terne, Beatrijs reprit :

— Tu lui as au moins demandé de s'expliquer sur son rôle ?

— Explique-moi donc toi d'abord la raison pour

laquelle nous sommes obligés d'aborder cette question. D'après moi, tu t'ennuies tellement là-bas que tu te mets à divaguer en ressortant de vieilles histoires.

— Donc tu ne lui en as même pas parlé ?

— Tu n'ignores pas que je ne suis autorisé à la voir qu'une fois par mois. À bien compter, je ne l'ai donc revue qu'un seul week-end. Et tu sais aussi que le programme est très chargé durant cette période.

— Quel programme ? Pour autant que je sache, tu restes la plupart du temps au lit pendant deux jours.

Beatrijs devenait de nouveau furieuse.

— Oui, mais cela s'explique notamment parce que vous avez un thème karmique à débrouiller, vous deux, et cela produit des tensions qui me...

— Leander, je n'étais même pas présente le dernier week-end ! J'étais ici, accrochée à mes poulies ! Tu te trouvais seul avec elle !

Il reprit sur un ton posé :

— Je m'efforce de réagir avec le plus grand calme à tes accusations confuses, mais si tu mets à crier et à me couper la parole, j'abandonne.

Malgré ses tremblements, elle fit de son mieux pour retrouver assez de sang-froid pour être en mesure de poursuivre la conversation. Mais pourquoi de tels efforts ? Elle connaissait à présent, et avec une douloureuse acuité, la raison pour laquelle elle n'avait jamais voulu aborder ce sujet de front. Jamais il ne prendrait sa défense contre Yaja.

— Et je t'assure qu'avec ce silence entêté, tu n'obtiendras rien. Tu sais que je suis allergique aux manipulations. Je vais raccrocher et me mettre au lit. Et je branche immédiatement le répondeur à cause de ton ami Laurens. Passe une bonne nuit, déesse. Espérons que le matin t'apportera sérénité et clairvoyance.

Et il était parti.

Elle posa le récepteur. Elle savait exactement à quel point il se sentait au bout du rouleau après une session et méritait qu'on le ménage : elle avait choisi le mauvais moment pour exploser. Bien sûr, il lui pardonnerait, il lui pardonnait toujours tout lorsqu'elle le lui demandait. C'était ce qui rendait leur façon d'être ensemble si exceptionnelle. Il ne faisait pas de comptes d'apothicaire et se montrait toujours prêt à mettre les compteurs à zéro. Prêt à faire preuve d'une patience infinie pour la remettre dans le droit chemin. Mais il serait bon d'inverser les rôles à l'occasion.

Une infirmière entra en tirant derrière elle un chariot avec des bassins de lit.

— On va vous préparer pour la nuit. Êtes-vous prête ?

C'était une jolie blonde avec une bouche magnifique et des dents d'une blancheur immaculée. « Plus de moyens pour les métiers de la santé », avait évidemment proclamé Laurens en la voyant un jour s'activer dans la chambre.

La mine réjouie, la fille déclara, tandis qu'elle s'emparait d'un bassin :

— J'ai entendu de bonnes nouvelles vous concernant.

Beatrijs se ressaisit.

— Oui, ils feront une nouvelle radio demain et, si l'état du genou est satisfaisant, on m'enlèvera tout de suite le plâtre. Et alors, si le kinésithérapeute réussit rapidement à me mettre sur des béquilles...

Elle se souleva des deux mains en tirant sur le perroquet au-dessus du lit et attendit le bassin.

— Avec un peu de chance, vous pourriez rentrer

chez vous dès samedi ou dimanche. Vous êtes contente ou est-ce que la perspective vous préoccupe ?

Elle se posa doucement sur les rebords froids de l'Inox.

— Mouais, fit-elle en hésitant.

— Les gens réagissent souvent ainsi après une hospitalisation de longue durée. Quand le moment est enfin venu, ils commencent à s'angoisser. Il faudra sûrement un temps d'adaptation après votre retour, mais, vous verrez, cela sera beaucoup plus facile que vous l'imaginez.

Beatrijs fit pipi. Était-ce vrai, et se trouvait-elle simplement sous l'emprise d'un sentiment tout ce qu'il y avait de plus banal ? Dans ce cas, il lui fallait rappeler Leander afin de lui expliquer la raison de son état qui était si... si *instable*. À cause de leur accrochage, il ne savait même pas qu'elle pourrait rapidement quitter la clinique.

— Je reviens tout de suite avec votre somnifère, dit l'infirmière en rabattant les couvertures.

— Prenez tout votre temps.

Mais, en tendant la main vers le téléphone, elle se rappela que Leander avait évidemment branché le répondeur depuis longtemps. À cause de Laurens. Une anxiété diffuse la gagna insensiblement. Ce n'était pas la première fois que Leander faisait allusion aux appels désespérés que Laurens lui adressait régulièrement, même la nuit ou à des heures impossibles. Laurens qui cherchait de son propre chef à prendre contact avec Leander représentait déjà en soit une curiosité, mais qui réclamait son *aide* ? C'était une démarche qu'en vérité elle avait vivement espéré lui voir faire un jour, mais, sur ce point, Laurens s'était toujours montré incorrigible. Laurens tenait à s'occuper de ses affaires comme il l'entendait. Tout le monde le savait. « Mais tu n'es pas là, quand il m'appelle, une fois de plus, parce qu'il voit des fantômes », répétait à chaque fois Leander lorsqu'elle tentait de désamorcer ses histoires en riant.

Elle n'était pas là-bas, d'accord. Elle était couchée ici, tandis que la vie continuait. On pouvait lui raconter n'importe quoi. Cette pensée l'effraya.

Depuis tout ce temps où elle végétait sur cette maudite couche, elle avait réussi à éviter d'approfondir cette question. Même devant Laurens, qui lui rendait visite à intervalles irréguliers et toujours à la hâte, elle n'avait jamais abordé la question. Après tout, le dialogue sur ce point ne pourrait être que pénible et même douloureux. « Pour qui me prends-tu, Beatrijs ? Tu ne vas tout de même pas te laisser berner ainsi et croire que je voudrais avoir affaire avec ce monsieur ? Fais attention, ce formidable succès avec Babette lui est monté à la tête. Maintenant, il va se mettre en tête de sauver tout le monde, sans y être invité. »

Un malade condamné à rester alité pendant des mois ne pouvait se permettre de vouloir connaître les tenants et les aboutissants de chaque fait. S'immiscer dans des situations où l'on n'était pas en mesure de jouer un rôle actif ne vous apportait rien sinon des frustrations. Mais maintenant qu'elle se trouvait, soi-disant, sur le seuil de la vie normale, impossible de rester en marge. D'ici peu, elle serait de nouveau à la maison et deviendrait partie prenante de ce qui se passait entre les deux, qu'elle le veuille ou non.

La première fois où Laurens lui avait rendu visite, il tenait par la main un Niels tout penaud. « Nous venons demander pardon et offrir le baiser de l'amitié. » Niels lui avait apporté une grande boîte en forme de cœur avec des chocolats à la liqueur de cerise ; le garçon avait acheté le cadeau avec son argent de poche, détail qui n'avait pas manqué d'être souligné. « Niels l'oublie parfois, mais il est, en réalité, un gentleman, avait ajouté Laurens. Lui et moi espérons que sa tante Chipolata et petits fours trouve dans son cœur la force de lui pardonner, hein Niels ? »

Il avait toujours eu ce talent pour faire le bon geste. C'était un trait de caractère qui forçait la sympathie. Mais il était également un homme du monde, avec son entreprise et ses relations d'affaires : on acquérait automatiquement une grande habileté dans ce domaine. Elle pouvait difficilement reprocher à Leander son manque d'agrément dans ce domaine, il était tourné vers des sphères plus élevées. Et, en fin de compte, ces charmes se révélaient superficiels : si elle se laissait impressionner, la faute en revenait à ses propres imperfections.

Pas de jérémiades. Prise par une certaine tension, elle rechercha la position la plus confortable possible et sonna pour qu'on lui apporte le somnifère. En attendant l'infirmière présente, elle se concentra sur des pensées agréables et sans conséquences. La vision, si longtemps différée, de ses orteils, dès demain peut-être. La fin des douleurs musculaires et des escarres. Contempler de nouveau le monde à la verticale. Sentir le vent dans ses cheveux. Un nouveau livre de cuisine avec des recettes dont le succès était garanti. Le goût des chocolats à l'alcool de cerise.

Avait-on uniquement pour objectif un tour habile et séduisant, n'ayant qu'une visée utilitaire, si l'on apprenait à ses enfants que des excuses pouvaient être nécessaires, justifiées et bienvenues ? Si Yaja était simplement venue la voir en lui présentant une plante carnivore sans dire un mot, cela aurait suffi ! Et si Leander *n'osait pas* demander à sa fille de s'expliquer ? Yaja l'avait déjà appelé « froussard ».

Fort heureusement, son amant dormait depuis longtemps et n'avait pas accès à ses pensées. Ce n'est pas toi, Beatrijs, je ne te reconnais pas. C'est uniquement ton ego qui s'exprime. Crois-moi, ce n'est pas toi.

Elle farfouilla dans le tiroir du chevet à la recherche du flacon d'huile essentielle pour se masser le front. La fiole se trouvait hors de sa portée. Elle dépendait du bon vouloir de l'infirmière. Où était passée cette délicieuse petite blonde à la bouche magnifique ? Plus de moyens pour les métiers de la santé, lors de sa petite visite avec Niels, Laurens avait eu pour seul but de travailler sur son ego à elle, en lui dépeignant ses *sentiments* comme quelque chose dont on devait tenir compte, comme s'ils avaient la moindre importance ; on restait justement suspendu comme une marionnette débile au bout de ses ficelles tant que l'ego demeurait aux commandes. Au moment seulement où l'on réussissait à rompre les chaînes de l'ego, on se sentait pousser des ailes. Dans le cas contraire, on continuait de se traîner comme une pauvre mouette mazoutée boitillant sur la grève, au lieu de planer librement au-dessus des vagues, au-dessus des nuages même, porté par un battement d'aile majestueux et puissant.

— Je suis là, dit une voix familière tout près de son oreille. Pourquoi ces larmes ?

Elle ne put lui expliquer. Elle détourna le regard, tendit la main, paume vers le haut : donnez-moi ma pilule maintenant, accordez-moi l'oubli.

— Il ne faut jamais perdre espoir, vous savez.

Mécaniquement, elle secoua la tête. Elle essuya ses joues humides avec le tissu rêche de la taie.

L'expression n'était-elle pas « ne jamais perdre *courage* » ? Elle regarda sa main. « Infirmière, je n'ai pas encore eu mon somnifère. »

Où donc était passée l'infirmière ? Beatrijs cligna des yeux. La chambre était déserte. Apparemment, elle avait somnolé, sans s'en rendre compte. Étrangement, elle se sentait parfaitement alerte et lucide. Exactement ce que Vero disait toujours : « Si tu ne dors pas, au moins tu te reposes. » On aurait dit qu'elle avait reçu des forces nouvelles pour l'encourager à aller plus loin. Demain, elle demanderait sans détour à Leander ce que Laurens lui voulait.

Le carambolage, provoqué par le verglas à cette heure tardive, avait entraîné un embouteillage. L'incident donnait au moins à Gwen une bonne excuse pour expliquer le retard incompréhensible avec lequel elle revenait d'Amsterdam. Mais lorsque, roulant à une allure d'escargot sur la seule voie disponible, elle passa enfin devant la tragique imbrication de tôles tordues et de vitres éclatées, elle se recroquevilla tout de même sur son siège. Comme la vie était fragile. D'un moment à l'autre, tout pouvait vous filer entre les doigts. Elle ne put s'empêcher de se demander où elle irait si elle était arrachée à la vie maintenant, en cet instant précis.

En ce moment, sa Klaar et sa Marianne croyaient de tout cœur à l'enfer. Gwen ignorait à quelle source elles avaient puisé leur conviction, espérant simplement que ce ne soit pas une vie antérieure. Les filles faisaient montre d'une imagination sans borne dans leur description de ces lieux épouvantables. Dans leur vision, l'enfer était une sorte de monstrueux centre d'incinération d'ordures ménagères avec des lacs de soufre enflammés où l'on pratiquait des tortures interminables. Un homme sinistre ressemblant à Zorro parcourait l'empire des morts, il s'appelait Stan, c'était le chef, et il pulvérisait les os de tous au moyen d'une grande faux, même les dents parfois. Le jour y était transformé en une nuit noire et la température se révélait « mille fois plus brûlante que l'eau qui bout ». En écoutant ces récits, Timo partait invariablement d'un rire tonitruant.

L'image de son mari riant de l'enfer s'imposa à elle. Comme c'était naïf de sa part, ou était-ce l'expression d'un refus obtus de s'interroger sur l'immatériel ? Mieux valait se concentrer sur la route, sous peine de percuter la glissière de sécurité. La saleuse était déjà passée sur cette section, mais on n'était jamais sûr de rien.

Non, on n'était jamais sûr, en effet, du moment où votre vie prenait un tour que l'on n'avait pu prévoir. Autrefois, elle se serait révoltée contre une pensée aussi fataliste et en aurait appelé au bon sens, mais l'enlèvement de Babette l'avait aidée à sortir du rêve ou chacun paraissait maître de son destin. Tout n'était que hasard et chaos, et cette idée l'effrayait. Chaque chose devait avoir son explication et une finalité. D'après Leander, telle était bien la réalité, seulement celle-ci se déployait à un niveau cosmique qui nous échappait en tant qu'être humain. Il y avait donc bien une force agissante, quelque part. Cela lui donnait l'impression d'un point d'appui. Elle devait à Leander, et uniquement à lui, de ne pas sombrer.

Elle sentait ses lèvres sur les siennes, ses mains sur sa peau. Elle ne savait pas si elle était heureuse ou si elle avait honte. Elle ne savait même pas si elle avait réellement envie de repenser aux heures qu'elle venait de vivre. La chose s'était produite naturellement. Mais il ne pouvait être question d'une impulsion soudaine : il l'avait appelée déesse.

Durant la dernière partie du voyage, sur la route verglacée longeant le canal, elle roula au pas. Les pavés aux pièges cachés luisaient dans la lueur des phares. Et voilà qu'apparaissait la silhouette de la ferme, sa maison. Toutes les lumières étaient déjà éteintes. Contrairement à son habitude, elle se gara dans la cour devant la façade. Elle descendit. Ses pieds faisaient crisser le gravier que Bobbie ratissait une fois par semaine, les lèvres énergiquement serrées ne formant plus qu'un trait : « J'aime que ce soit net. »

Elle observa la maison dans laquelle dormaient son mari et ses filles. Les années les plus heureuses de son existence s'y étaient déroulées. Ses gamines rebelles y avaient été conçues et y avaient vu le jour, dans le lit à trois pieds. Ici, elle avait ri jusqu'aux larmes avec Timo ; ici, elle s'appelait Mop.

Il faisait froid. Elle percevait le gel dans l'air qui avait un goût métallique et dur.

Arrivée dans la cuisine, elle jeta son manteau sur une chaise et mangea, debout près du réfrigérateur, un morceau de fromage. Une pile instable de classeurs et de chemises occupait la table. Oui, bien sûr : Timo avait dû se rendre ce soir chez le nouveau comptable. Des années durant, Frank avait pris en charge leur bilan et la déclaration de leurs revenus. Même en période de vaches maigres, il avait réussi à les sortir du rouge en déployant des trésors d'ingéniosité. Mais depuis que Beatrijs et lui s'étaient séparés, ils n'avaient pas trouvé convenable de profiter de ce service d'ami rendu à titre gratuit. Quant à le payer, le tarif horaire qu'il pratiquait le leur interdisait alors que le nouveau comptable ne réclamait qu'une fraction de cette somme. Seulement, il leur incombait un travail beaucoup plus important. Les années insouciantes où Frank s'arrangeait avec une boîte à chaussures remplie de factures étaient révolues. Si Beatrijs n'était pas tombée dans les bras de Leander...

Elle se dit : C'est avec cette rencontre que tout a commencé, jusque-là notre vie était parfaitement réglée. Maintenant, nous n'avons même plus d'abeilles.

Elle ne voulait pas creuser la question. Elle éteignit la lumière, monta à l'étage où elle se brossa les dents et se lava le visage à l'eau froide. Debout devant le miroir, elle étudia les petites lignes qui se dessinaient autour de la bouche et des yeux. Était-elle encore présentable telle qu'elle se voyait, ou le temps des crèmes hydratantes et régénératrices approchait-il ? La peau n'avait jamais été son point fort, c'était le résultat de la vie au grand air. Beatrijs, qui passait son temps à l'intérieur, ne présentait pas encore la moindre ride. Mais la graisse jouait également un rôle. Les gens corpulents conservaient un visage lisse sur une durée plus longue. À cause de tout ce temps passé au lit, elle semblait d'ailleurs avoir pris au moins dix kilos. Cela lui promettait une douloureuse période de restrictions.

Si elle ne s'était pas brisé le genou avec cette chute stupide, elle et Leander auraient été mariés à présent.

Gwen se déshabilla, étudia en passant son profil dans le miroir et mit sa chemise de nuit. Un besoin presque irrépressible de dormir seule cette nuit s'empara d'elle. Que le mariage laissait donc peu de place pour soi. Et on se voyait, en plus, contraint de justifier chacun de ses déplacements. Il s'agissait juste de s'embrasser un peu, pensa-t-elle pour se défendre.

Sur la pointe des pieds, elle entra dans la nursery pour voir si Babette dormait tranquillement.

L'obscurité l'empêcha tout d'abord de distinguer Timo, assis près du berceau avec leur enfant sur les genoux. La découverte des deux figures lui donna un choc. En un éclair, elle se fit le tableau des deux qui l'attendaient sûrement depuis des heures, le père et la fille, dans un silence accusateur. Pourquoi arrives-tu si tard ? Où es-tu allée durant tout ce temps ? Qu'est-ce que tu as fait ? Et avec qui ?

— Désolé, il y avait un embouteillage monstre, marmonna-t-elle, les yeux baissés.

— Ssst. Elle vient de s'endormir.

Sa main décrivit lentement des cercles au niveau du ventre de Babette.

Gwen baissa la voix automatiquement.

— Elle était agitée ?

— Elle hurlait à rameuter tout le pays à cause d'une colique.

— Tu lui as donné une infusion de fenouil ?

— Oui, évidemment.

— Mais elle est beaucoup trop grande pour faire une colique, non ? Est-ce que le médecin...

— Il est venu spécialement pour l'examiner, il y a une heure et demie. Elle n'a pas de fièvre, donc ça ne peut pas être grave. Peut-être avons-nous modifié trop rapidement son régime alimentaire. En général, une banane écrasée passe très bien, mais pas chez elle apparemment.

C'était donc elle la fautive. Elle avait une sainte horreur des biberons. Donner à téter un embout en caoutchouc lui procurait, maintenant encore, une sorte de malaise, presque une aversion. Et chaque repas de bébé apportait la même question. Entre quels bras Babette avait-elle bu à la tétine durant deux mois ? Du côté de l'enquête, ils disaient que les voleurs d'enfants étaient dans leur très grande majorité de pauvres bougres à l'esprit dérangé et des êtres pitoyables. « La plupart du temps, ils se révèlent incapables d'expliquer leur geste. Ils prennent le bébé, poussés par une pulsion soudaine. "C'était un si beau bébé, diront-ils plus tard, j'ai toujours voulu avoir un bébé comme celui-là." Ça n'avance à rien, madame, vous pouvez me croire. » D'après eux, ne rien savoir des circonstances apparaissait, en réalité, infiniment moins frustrant qu'une vaine confrontation avec un de ces détraqués. Leur message : laissez tomber l'affaire maintenant.

— Tu peux l'aider encore un peu à dormir ? Moi, je n'en peux plus, dit Timo.

— Va vite te coucher.

Elle sentit le bras libre de Timo lui effleurer la hanche lorsqu'elle prit sa relève. Timo, qui connaissait l'infusion de fenouil et les goûters aux fruits, qui ne battait jamais en retraite devant des langes sales ou des pleurs sans fin.

Il s'étira un peu, se massa la nuque, fit le moulin à vent avec ses bras.

— Bobbie m'a appelé à propos de l'état de Babette juste au moment où je me trouvais chez le comptable. Elle se sent toujours si responsable.

Elle ne put s'empêcher de penser que, seul avec Bobbie, il s'en tirerait tout aussi bien.

Étoiles

Chaque vendredi après-midi était consacré au travail manuel. Ils avaient alors suffisamment appris, disait toujours Nicky.

Aujourd'hui, ils allaient faire un ciel étoilé à partir d'une feuille double d'un papier noir épais. Ils devaient commencer par recopier l'étoile de Bethléem dessinée sur le tableau, avec sa longue traîne flottant au vent. Ensuite, ils piqueraient un grand nombre de trous dans le papier. Et, pour finir, ils replieraient une bande de papier de la partie inférieure sur laquelle ils feraient une série d'entailles avant de coller le bord en un demi-cercle sur un morceau de carton. Lorsque vous serez à la maison, votre mère, ou ton père ajouta Nicky, placera une bougie chauffe-plat derrière. Alors, la lumière de la flamme traversera les petits trous et ce sera comme si de véritables étoiles scintillaient dans le ciel.

Niels peignit son étoile de Bethléem en argenté, avec une bordure dorée. Au crayon, il ajouta quelques nuages. Ce ne fut qu'après de nombreuses hésitations que, satisfait du résultat, il entreprit de les passer à la peinture blanche. Le fond étant noir, les nuages restèrent un peu gris et transparents, comme de vrais nuages.

Restait à espérer qu'il y ait un chauffe-plat quelque part à la maison. Certains objets faisaient tout à coup défaut désormais. Il s'en rendait compte en général en constatant leur présence chez Perry ou Gijs. Un vase avec des fleurs. Un chandelier et sa bougie. De petites assiettes de gâteaux ou des chocolats arrangés avec soin. « Holà ! commence par les disposer joliment », disait la mère de ses amis, quand un membre de la famille revenait avec un sachet de biscuits pris dans l'armoire. Fort heureusement, elles ne voyaient pas, comment papa, Toby et lui piochaient leurs petits gâteaux directement dans le paquet.

Nicky passa près de lui tandis qu'il étalait la colle sur le carton. Il retint son souffle. Le bruit que faisait sa jupe : wouch, wouch. Elle s'arrêta.

— Ce sera magnifique, Niels. Mais d'où t'est venue l'idée des nuages ?

Il regarda sa taille, n'osant lever les yeux plus haut. Avec toi, les étoiles brillent même à travers les nuages.

Il tint ses pouces fermement appuyés sur le papier tandis qu'elle s'éloignait. Elle trouvait que son ciel était beau. Dès que la colle eut séché, il écrivit en grandes lettres sur le socle en carton : « Pour Nicky, de la part de Niels. » Ils avaient tous deux pour initiale un N et ce constat lui fit de l'effet. Il considéra les nuages qu'il avait peints les yeux mi-clos. Peut-être devrait-il devenir pilote, il pourrait alors emporter Nicky dans son avion à réaction très haut dans le ciel. Sur le bord du nuage le plus gros, il dessina rapidement une petite figurine qui agitait la main. C'était maman qui les voyait passer. Ses cheveux flottaient au vent et ses yeux rayonnaient : elle était fière de le voir piloter un appareil rapide comme l'éclair. Elle avait toujours aimé ça, l'aventure, la vie sauvage. Sa mère n'avait jamais eu peur de rien.

À la fin du cours, il s'attarda près de sa place. Il avait longuement réfléchi à la meilleure façon de s'y prendre. Cette fois-ci, il attendrait simplement que tout le monde soit parti. La classe s'était vidée de ses occupants. On entendait des cris et des rires dans le couloir. Par la fenêtre, il vit des mères avec leurs bicyclettes dans la cour. D'une certaine manière, cette scène lui rappela que Toby et lui pouvaient rentrer directement chez eux aujourd'hui, papa le leur avait dit ce matin. Il avait une surprise pour eux.

Une surprise. Et si son père les attendait à la maison avec un gâteau parce que c'était son anniversaire ? Autrefois, maman l'avait toujours averti à temps par un mot dans le creux de son oreille, de manière à lui laisser le temps de faire un joli travail pour papa. Les grandes personnes connaissent toutes les dates par cœur. Mais pas lui. Rien qu'en imaginant la déception de son père s'il découvrait que l'on avait oublié son anniversaire, il fut presque saisi de nausée. Il n'aurait même pas pour lui un ciel avec des étoiles qui scintillaient ! Est-ce qu'il allait effacer le nom de Nicky ? Pour papa, de la part de Niels.

— Qu'est-ce que tu fais là, avec cette mine embarrassée ?

Nicky se dirigea vers lui à travers la salle de classe déserte. Se penchant en avant, elle examina de nouveau son travail. Elle se mit à rire.

— Ça alors, comme c'est gentil mon garçon ! Je le mettrai sur le manteau de ma cheminée dès que je serai rentrée.

Il lui remit son ciel à contrecœur.

Le sourire disparut de ses lèvres. Elle pointa son doigt.

— C'est ta maman ?

Il fit oui de la tête. Évidemment. Quand il s'agissait d'elle, les gens adoptaient parfois des attitudes tellement étranges et embarrassées.

— Tu sais ce que je pense ? dit Nicky lentement.

Elle s'accroupit et le regarda avec un air grave. Je pense que ça te ferait plaisir d'aller un jour avec moi sur la tombe de ta maman. Non ?

Il resta sans voix.

— Je comprends ça très bien, tu sais. C'est normal. Je connais toutes les mères. J'aimerais bien avoir l'occasion de saluer la tienne. Tu veux que nous organisions cette visite durant les vacances de Noël ? Nous lui apporterons des fleurs et nous lui dirons : voici Niels et Nicky, Veronica. Je sais qu'elle nous entend, là-haut sur son nuage. Et maintenant aussi, d'ailleurs.

Elle caressa le papier noir.

Sa maman l'entendait, bien sûr, ce n'était pas une nouvelle, mais la raie dans les cheveux de Nicky formait une ligne si droite, et ses yeux brillaient tant, et elle connaissait le nom de sa mère ! Si son père avait fêté son anniversaire aujourd'hui, elle le lui aurait certainement dit à temps, comme maman l'avait toujours fait. Son cœur devint soudain plus léger. Il s'écria :

— Est-ce qu'on a encore des anniversaires quand on est mort ?

Elle réfléchit un instant. Son nez était si mignon et le petit bouton près de sa lèvre si drôle.

— Oui, pourquoi pas ? On le fête sûrement au ciel. C'est évidemment de là que vient l'expression : être sur un petit nuage.

Il ne comprit pas ce qu'elle voulait dire, mais son rire était si charmant, et ses dents si joliment carrées. Et, quand elle marchait, sa jupe faisait wouch, wouch.

— Qu'en penses-tu, Niels ? À quoi ressemblerait une fête d'anniversaire dans le ciel ?

— Il y aurait des guirlandes !

— Oui, bien sûr. Et les anges porteraient leur robe réservée aux grandes occasions. Et...

— ... il y aurait des vases avec des fleurs et des assiettes pleines de gâteaux !

Elle rit de nouveau.

— J'en suis sûr, fit-il en bombant le torse.

Elle se redressa.

— Je vais arranger ça avec ton père, d'accord ? Et ainsi nous irons au cimetière ensemble, toi et moi. Je passerai te prendre en voiture.

Il se sentait exactement comme une plaquette de beurre posée sur le vaisselier d'une cuisine bien chauffée.

Laurens avait pris son après-midi, il était pressé et soucieux. Un problème survenu sur une des presses rendait son absence particulièrement malvenue. Contenant à peine son impatience, il avait tout d'abord acheté au coin d'une rue un arbre de Noël décoré avec profusion et tout poisseux de résine, puis l'avait transporté jusqu'à la maison sur son vélo. Il était ensuite monté au grenier chercher les boîtes portant la mention « Noël », de la main de Veronica. Il n'y en avait pas moins de quatre. Puis, il avait remis son manteau, attaché de nouveau l'arbre collant sur son porte-bagages et s'en était allé échanger celui-ci contre un autre, plus grand, qu'il installa dans la véranda dès son retour. La décoration lui avait pris des heures. Il eut les plus grandes difficultés à faire fonctionner les guirlandes électriques. Leur clignotement n'augurait rien de bon.

Maintenant, il buvait une tasse de thé pour souffler. L'idée était mauvaise, constata-t-il rapidement. Des pensées fiévreuses refirent immédiatement surface. Tant pis, va pour les boules de Noël dans un plat en verre, comme préconisé dans un magazine. Dans le tiroir sous le four qui n'avait pas servi depuis longtemps, il trouva un plat rectangulaire en verre aux salissures noirâtres dans les angles : la trace des recettes que Veronica avait encore cuisinées, lasagnes, choucroute à l'ananas. Il lui avait un jour offert un tablier sur lequel était imprimé le torse nu d'une femme. Veer avec ce tablier d'un goût douteux.

Il récura le plat, y posa les boules qui lui restaient. Le résultat se révéla inesthétique au possible. Minute ! Il restait du sucre glace après leur séance récente de beignets au micro-onde. Le front plissé, il en saupoudra les boules soudain enneigées. À les voir ainsi dans le pyrex, elles ressemblaient surtout à une préparation culinaire de Beatrijs. Peut-être faudrait-il ajouter quelques branches de l'arbre. Oui, tu vois bien, la chose commence à ressembler à une composition de Noël. Il ne manquait plus qu'une touche de rouge, un ruban par exemple. Il scruta la pièce. Aller prendre à l'étage le tee-shirt de l'un des garçons et le déchirer en lanières ? Il était assez fou pour le faire.

Mieux vaudrait se décider pour des bougies, ce n'était pas ce qui manquait. Dans une des boîtes se trouvait encore un paquet intact de bougies de *L'Écluse*. Une bougie dans chaque coin et une dernière au centre ; le tour était joué. Il les alluma l'une après l'autre, fit couler un peu de cire au fond du récipient, puis les tint fermement en place, les doigts encore collants à cause du sucre.

Il avait fini juste à temps : déjà, il entendait Niels et Toby dans le couloir. Vite, il poussa les boîtes sous la table, remit la saupoudreuse dans l'armoire et alla se placer, mal à l'aise, à côté du sapin. « Venez voir dans la véranda, les enfants ! » cria-t-il d'une voix aiguë. Dans le plat avec les boules, la première bougie chavira lentement, comme pour souligner la futilité de ses efforts et leur caractère pathétique, peut-être.

Toby, en chaussettes, entra en trombe mais s'arrêta aussitôt. « Pa-pa ! » s'exclama-t-il, fixant l'arbre de Noël avec des yeux ronds comme des soucoupes.

— C'est beau ?

— Oui, mais p'pa ! Il faut pas l'accrocher tout en haut, la pendule ?

— Ah oui ! dit Laurens. Qu'est-ce que je ferais sans toi. Il souleva son fils et lui donna rapidement un baiser sur sa nuque minuscule : Voilà, donne-lui la place qui lui revient.

Assis sur son bras, Toby se mit à réorganiser la décoration de l'arbre, tout en entonnant un *Douce Nuit* à tue-tête. Ce que ses chevilles étaient fines, et froides.

— Alors crocodile. Je suppose qu'à l'école aussi vous avez mis la petite pendule tout en haut de l'arbre ?

Toby s'arrêta de chanter et le considéra d'un air étonné.

— Non, mais c'est pas comme ça que maman faisait toujours ?

Il fut sur le point de lui dire : impossible que tu sois au courant. La mémoire n'entrait en action qu'après la troisième année, c'est du moins ce que Veronica avait toujours prétendu, attribuant le phénomène à quelque

289

cause biochimique. Mais cesse donc, Laurens ! Nombreux étaient les albums avec des photographies prises durant les Noëls des temps heureux. Inutile de chercher ailleurs l'explication.

Niels fit à son tour son entrée. Enlève ton manteau, Niels... ou non, laisse tomber.

— Ces jours-ci, nous allons nous amuser comme des fous tous ensemble, les garçons.

— Pourquoi est-ce qu'il clignote aussi lentement ? demanda Niels. C'est plus cool quand ça va plus vite.

Il se dirigea vers le fil alimentant la guirlande et, manipulant le transformateur, appuya sur un bouton qui avait échappé à l'attention de son père. Les lumières se mirent instantanément à clignoter deux fois plus vite. D'ici peu, nous aurons tous la tête comme une pastèque.

Toby se mit à rire. Il montra le plat avec les boules, posé sur la table.

— La bougie, là, elle est complètement de travers !

— Mais qu'est-ce que c'est ? demanda Niels avec circonspection.

— Ce n'est pas moi qui ai eu l'idée, se hâta de préciser Laurens. C'était dans un article du *Margriet* : « Pour que la fête soit encore plus réussie. » La suggestion m'avait paru amusante.

— C'est pas mal du tout, je t'assure, papa. Mais moi, je vais te faire un ciel étoilé. J'ai appris aujourd'hui comment en faire un.

— Moi aussi !, s'écria Toby.

— T'en es pas encore là. Ce n'est pas ce qu'on fait en moyenne section, ballot.

Laurens prit une bouteille dans le réfrigérateur et versa trois grands verres de jus de pomme, qu'il posa ensuite sur la table. Avec le sapin comme maître de cérémonie, on aurait dit que ce Noël était comme tous les précédents, et que Veronica allait entrer à tout moment dans le jardin d'hiver. Peut-être aurait-il mieux fait de ne prendre aucune initiative ?

Niels avait déjà apporté la boîte avec le petit matériel et en avait tiré une feuille de papier. Il dessinait pour Toby, qui s'était installé à genoux sur une chaise, une grande étoile. Puis ils se mirent au travail.

Ce fut un moment exceptionnel de la journée pour Laurens qui pouvait, en leur présence, rester assis à ne rien faire, au lieu de courir à gauche et à droite pour régler quinze problèmes en même temps. Il se sentit apaisé. Il dégusta son jus de pomme. Il observa ses enfants, et fut pris d'amour pour eux. Il pensa : Pour cette nouvelle année, les choses seront très simples. Je rentrerai tous les jours dès trois heures et demie, et j'emporterai en peu de travail à la maison ; finalement, je peux tout aussi bien rédiger les devis ici sur mon portable. Après les vacances, fini l'étude pour Toby et Niels. Tout le monde à la maison, avec papa, et on passera du bon temps.

Toby labourait sa feuille à coups de crayon, surveillant avec un œil d'aigle les tours de main de son grand frère pour les copier. De temps en temps, Niels jetait un regard méprisant de côté, mais évitait de faire le moindre commentaire. Bravo, Niels. Paix sur la terre.

Des sablés avec les motifs de saison, un tulband[1], du spéculoos fourré : il ramènerait tout à la maison.

Niels dit à Toby :

— Regarde donc, les nuages, il faut les faire très grands parce que maman doit aller dessus.

---

1. Pâtisserie traditionnelle : sorte de génoise en forme de turban, d'où son nom. (N.d.T.)

— Oh, le ciel !

Toby continuait de maltraiter sa feuille. Un peu plus tard, il demanda :

— Ça va durer encore combien de temps sa mort ?

— Gros bêta ! C'est pour toujours, bien sûr !

— P'pap ! Papa ! Niels dit que...

— Tu le sais bien, Toby ? La mort c'est pour toujours. Niels l'a très bien dit.

— Elle devra rester pour toujours sous terre dans cette boîte ?

— Cercueil, corrigea Niels.

Impassible, il dévissa le couvercle d'un pot de gouache.

Les larmes se mirent à ruisseler sur les joues rondes de Toby.

— Je veux pas ça, je veux pas !

— Mon chéri, viens voir papa.

Laurens tendit ses bras vers lui.

— Ne fais pas tant de chichis, dit Niels. Tu peux encore lui parler normalement, pas vrai ? Tu peux être sûr qu'elle t'entend.

Le cœur battant, Laurens se leva et prit Toby dans ses bras.

— Comment ça, Niels ? Tu parles avec maman ? Et qu'est-ce qu'elle te dit ?

— Rien de spécial, fit Niels en haussant les épaules.

— Je veux faire pareil ! sanglota Toby.

Laurens se sentit perdre pied. Il pensa : Qu'essaies-tu donc de faire, Veronica, pourquoi ne laisses-tu pas Niels tranquille ? Dis-moi ce que je dois faire pour mettre un terme à cette situation. Venge-toi sur moi, mais laisse une chance à Niels et à Toby d'avoir confiance en moi. Ne persécute pas nos enfants avec une connaissance qui gâchera leur vie. Ne les écrase pas sous le poids de la vérité.

Toby assis sur son bras, il alla vers l'évier où il déchira un morceau de papier essuie-tout afin de le moucher. Il était prêt à tout pour qu'elle ait satisfaction. Seulement, comment pourrait-il jamais le lui expliquer ? Elle restait sourde à toutes ses invocations. Sourde, quels que soient ses efforts.

— Niels, dit-il sans se retourner, comment fais-tu donc, lorsque tu parles avec maman ?

Un silence se fit. Puis Niels dit :

— Tu en fais autant, pas vrai ? Je t'ai souvent entendu.

Toby l'attrapa par le col de sa chemise.

— Je vais continuer à pleurer, tu sais, papa, je vais continuer à pleurer encore très très longtemps.

— Si c'est comme ça, je vais continuer à te consoler aussi longtemps qu'il le faudra, jusqu'à ce que tu n'aies plus de larmes.

Sa mâchoire se crispa un bref instant. Et lui, vers qui pourrait-il se tourner ? Se risquerait-il une fois de plus à tenter sa chance avec Leander ? Il osait à peine s'avouer le nombre de fois où il avait fait appel à ce dernier et, pour comble, à chaque fois en vain. Dès que la panique le saisissait, il cédait presque systématiquement à la tentation de lui téléphoner. Il en concevait un sentiment de honte et de vulnérabilité d'être tombé ainsi en son pouvoir. Car telle était bien la situation. Cet homme pouvait le détruire si l'envie lui en prenait. Mais demander de l'aide n'était pas un aveu d'échec, Nicky le lui avait encore dit lors de leur dernière rencontre.

— C'est fini. Il ne manque plus qu'une bougie chauffe-plat, déclara Niels.

Et soudain une idée s'imposa. Pour sûr, Leander l'avait continuellement envoyé paître, en général dès les premiers mots. Mais se montrerait-il aussi irascible s'il apprenait que Niels avait sa mère continuellement autour de lui ? Il pensait que l'objectif de Laurens était d'obtenir un résultat pour son propre compte, et, pour cette raison, il refusait toutes ses tentatives. Parce que son amour-propre avait été mis à mal, ou à cause d'une quelconque règle ésotérique ou spirituelle qui interdisait une telle démarche. Mais invoquer son aide pour un enfant était une tout autre question qui recevrait sans aucun doute un accueil plus favorable.

Il devait se rendre chez lui. Sonner à la porte, tout simplement, et dire : Leander, je suis un âne, je n'ai pas réussi à être clair jusqu'à maintenant. Écoute-moi, je t'en prie, seulement cinq minutes. Je dois protéger mes enfants, voilà la question.

Rien de plus logique. Si cela n'avait dépendu que de lui, il se serait mis en route dès cet instant. Mais Leander habitait de l'autre côté de la ville et c'était déjà l'heure de pointe : il ne pouvait pas laisser Niels et Toby seuls à la maison pendant une durée indéterminée, il n'avait jamais fait une chose pareille. Les prendre avec lui et les faire attendre dans la voiture ? La discussion ne serait pas nécessairement très longue. Après tout, il ne s'agissait que de fixer un rendez-vous. Leander ne serait pas disponible sur-le-champ.

— Est-ce que nous avons un chauffe-plat à la maison ? voulut savoir Niels.

— Ah non, zut ! dit-il. Il reposa Toby : Mais nous allons en acheter un tout de suite. Et comme il est déjà tard, nous prendrons la voiture.

Gwen observait Bobbie hacher à la vitesse de l'éclair les poireaux destinés à la soupe de pois cassés. Il était temps de faire rentrer les filles qui patrouillaient encore dans le jardin à la nuit tombée : par moments, un cri vengeur retentissait jusque dans la cuisine aux fenêtres fermées. Il faisait chaud près de la cuisinière, et le volume de la radio était poussé plus que d'habitude. Elle se sentait à la fois agitée et apathique, quoique Veronica lui eût expliqué que la chose était impossible. Même si on avait l'impression d'être en proie à vingt émotions contradictoires, on ne les vivait pas simultanément, d'après elle, mais les unes après les autres. Une seule émotion, passant comme un flash, chaque nanoseconde : le cœur humain était incapable de les mélanger.

Elle déplaça le saucisson fumé sur la droite du plan à découper afin que Bobbie n'ait pas le sentiment d'être la seule à faire la cuisine. Puis elle fixa les plinthes poussiéreuses sans les voir. Comme ce serait bon de parler en confiance avec Veronica, de lui demander conseil. Elle aurait immédiatement relativisé la situation. Gwennie, arrête de te lamenter, profites-en, à qui tu fais du tort avec tes malheureux rêves éveillés, à personne, pas vrai ?

— C'est bizarre, tu ne trouves pas ? dit Bobbie tandis qu'elle faisait glisser les morceaux de poireaux dans la casserole, les rêves que l'on peut faire. Tu ne devineras jamais, Gwen. Cette nuit, j'ai rêvé que je me mariais avec Laurens. C'est vraiment le summum de l'absurdité, hein ?

— En effet, fit-elle vaguement.

Beatrijs n'avait-elle pas un jour sous-entendu que Vero aurait fait un écart, elle aussi ? La circonstance lui revenait, c'était le soir où Babette avait disparu. Elle

295

avait dû mal comprendre, il était impossible que ce soit vrai. Veronica et Laurens avaient formé un couple solide et heureux, encore fou amoureux l'un de l'autre après des années. Cette façon que Veronica avait de le regarder, avec ce clin d'œil qui vous faisait sentir presque honteux de l'avoir surpris.

Comment les autres les voyaient-ils, Timo et elle ?

— Je n'avais aucune idée de comment faire de la place chez moi pour Niels et Toby, dit Bobbie en continuant son bavardage. L'histoire du mariage me paraissait déjà étrange, mais enfin, ce sont des choses qui arrivent. Seulement, on tient aussi, dans ces conditions, à avoir une chambre pour les enfants de la personne. Elle regarda autour d'elle : Nous n'avons pas de saucisson ?

— Ici, répondit Gwen.

— Oui, je vois bien. Mais y en a pas plus ?

— Il va falloir que nous nous en contentions. À en croire Timo, nous ne mangerons bientôt plus que des céréales Brinta.

— Et bien, c'est grâce à elles que Reinier Paping a gagné le marathon des onze villes [1].

— Bobbie ! On croirait entendre Veronica.

— C'est par elle que je l'ai appris.

Bobbie coupa le saucisson en tranches presque transparentes. Elle se mit à rire de bon cœur.

— Si Veronica était encore vivante, jamais je n'aurais pu rêver que je me mettais avec Laurens. C'est pas vrai ?

Veronica n'aurait pas ri le moins du monde. Elle aurait solidement secoué Gwen. Tu te sors ça de la tête,

---

1. Elfstedentocht : course d'endurance sur glace de deux cents kilomètres reliant onze villes de Frise, au nord des Pays-Bas. *(N.d.T.)*

pas d'histoire avec le mec d'une amie, et encore moins d'une de tes meilleures amies, qui, par-dessus le marché, se trouve à l'hôpital. Tu as perdu l'esprit, ma parole.

Bea rentrerait demain chez elle. Elle avait appelé spécialement pour l'annoncer.

Gwen se dit : Parfait, cela m'évitera d'autres faux pas, voilà comment les choses vont se passer, la messe est dite, fin de l'histoire. C'était une perspective angoissante que de revoir Beatrijs et Leander ensemble, ce qui ne manquerait pas d'arriver, dans un avenir plus ou moins proche. Elle en voulait déjà à Beatrijs du malaise qu'elle éprouverait, le moment venu.

— Je portais une robe rose, fit Bobbie d'une voix rêveuse. Et Klaar et Karianne étaient demoiselles d'honneur. À l'église, l'orgue jouait cette musique, tu sais bien : pa-PA-pa-paaa ! Tous chantaient en chœur. Toi aussi, Gwen. Tu avais un chapeau avec des plumes de paon dessus, tu ne t'en rendais pas compte, heureusement, sinon tu serais morte de honte devant Frans Bauer et Marco Borsato[1], assis à côté de toi. C'était comme dans un rêve. Et d'ailleurs, c'en était un. Super, hein ?

— J'aimerais bien partir en vacances.

Bobbie leva la tête, dérangée dans ses pensées.

— Qu'est-ce qui te fait dire ça ?

C'était comme si Gwen y était. Une semaine, rien que pour elle, et pour ses rêves et ses pensées. Rien qu'une seule misérable petite semaine. Était-ce réellement trop demander ? Bientôt les filles n'auraient plus classe et ce serait de nouveau, jour après jour, de l'aube

---

1. Frans Bauer (1973) et Marco Borsato (1966) sont deux chanteurs populaires néerlandais. (N.d.T.)

à tard le soir, un chahut incessant. Elle n'aurait plus une seule seconde à elle.

— Mais nous ne pouvons pas partir ! Je ne peux tout de même pas claquer la porte du magasin.

— Eh bien alors, tu restes ici !

Où donc était-ce écrit que, dans une famille, il fallait toujours tenir compte de tout le monde et faire passer les intérêts des autres avant les siens ? À cause des abeilles de Timo, elle était demeurée cloîtrée ici pendant quinze ans sans interruption. Mais, maintenant que les dernières populations venaient de mourir, elle était enfin libre. Soudain, la situation devenait claire comme de l'eau de roche.

Bobbie cessa de tourner la soupe.

— Comme si cela ferait plaisir à Timo de partir sans moi ! Ça, c'est un peu fort de café.

— Pas de problème, Timo n'aura qu'à rester avec toi à la maison. Elle finit par s'irriter pour de bon : Et les filles n'ont pas non plus besoin de venir, sinon elles risqueraient de rater une leçon de judo ou un autre événement essentiel. Et Babette reste aussi puisqu'elle ne se rend même pas compte d'où elle se trouve, pourvu que quelqu'un lui enfonce un biberon dans la bouche, et peu importe qui.

— Mais alors, tu seras toute seule.

Troublée, Bobbie fit passer son doigt le long du cordon avec la clé.

— Oui, c'est affreux, n'est-ce pas ?

Soudain, Bobbie sembla voir un espoir briller dans les ténèbres.

— Alors tu resteras tout simplement avec nous tous ?

— Je vous enverrai une carte postale si j'ai la nostalgie.

— Non, vraiment, je serais trop malheureuse. D'accord, Gwen, impossible de faire autrement. Je viendrai avec toi.

— Ah, mon Dieu, soupira Gwen.

Elle eut envie de taper sur quelque chose ou quelqu'un. Au même moment, Timo entra, avec une figure longue comme un jour sans pain, suivi de Yaja qu'il était allé chercher à la gare. Tout en lui suggérait son intention de s'éclipser le plus rapidement possible.

Ben voyons, Timo, rajoutes-en encore une louche. Mets-moi encore quelques obligations et responsabilités sur le dos.

— Yo, dit Yaja à la cantonade et elle jeta son sac par terre.

Elle portait une robe en velours rouge sang qui descendait jusqu'aux chevilles, avec un méchant blouson en faux cuir.

En la voyant entrer, Bobbie avait changé de couleur.

— Ce type vient aussi ? demanda-t-elle avec inquiétude à Timo.

— Calmos, dit Yaja. Elle prit un morceau de saucisson sur la planche et le mit dans la bouche : Mon père m'a larguée ici parce qu'il était crevé.

— Oui, et bien ça nous fait une belle jambe, rétorqua Timo en roulant des yeux.

Cette présence imprévue l'avait réellement mis en fureur. « Nom de Dieu, Gwen, nous avons déjà assez de problèmes pour ce week-end, il faut nettoyer le rucher, faire l'inventaire des stocks du magasin et de la production des bougies, et tu savais, toi aussi, que j'avais demandé à Laurens de venir jeter un dernier coup d'œil sur la comptabilité et, puisqu'on aborde le sujet, nous ne sommes pas en position, actuellement, d'avoir une bouche de plus à table et de gaspiller de l'essence pour des allers-retours à la gare. »

— Tu es, et de tout cœur, la bienvenue parmi nous, dit Gwen pour énerver Timo, ou parce que Leander s'était toujours montré sensible à la gentillesse qu'elle témoignait envers sa fille. Si ça te fait plaisir, tu pourras donner le prochain biberon à Babette.

Son mari la regarda comme si elle était devenue folle.

— Je ne suis pas d'accord. Il faut que nous fassions attention aux aliments qu'elle prend et à la manière dont elle mange.

— Oh ! Timo, dit une Bobbie effrayée, est-ce qu'hier soir je ne lui aurais pas bien fait faire son rot ? C'est à cause de ça qu'elle a eu ces problèmes ?

— Mais non, ma grande. C'est à cause de cette banane.

— Ce que Timo veut dire, intervint Gwen, c'est que je suis la fautive. Pas vrai, Tiem ?

Tandis qu'elle faisait disparaître le saucisson, tranche après tranche, Yaja suivait la conversation avec intérêt. La bouche pleine, elle demanda :

— De quoi souffrait Babette ?

— D'une colique. Je lui ai donné un aliment qu'elle n'aurait pas dû manger.

— C'est fou comme le petit bout s'est démené, dit Bobbie en secouant la tête. On aurait juré qu'elle était possédée par le diable.

Gwen ne put s'empêcher de penser à Stan, chef de l'enfer, d'après Klaar et Karianne. Stan le Marchand de noises, tel devait être son nom complet. Tenait-il le compte de vos péchés, de vos infidélités et de vos pensées immorales, et frottait-il alors ses petites mains charbonneuses l'une contre l'autre avec un plaisir anticipé ? À la vérité, elle s'en fichait complètement. Elle vivait maintenant. L'heure était venue de prendre des risques. Elle avait besoin de vivre dangereusement.

Comme si elle avait deviné ses pensées, Bobbie s'écria tout à coup :

— Dites ! Écoutez ce que j'ai à dire. Gwen et moi, nous partons en vacances.

Gwen s'adressa promptement à Yaja :

— Je vais chercher Babette. Tu verras toi-même que la petite rayonne de santé.

— Cette Babette, dit la jeune fille. Il lui arrive toujours un truc. C'est génial.

Gwen se sentit vaguement nauséeuse. Comment pouvait-elle ne serait-ce que jouer avec l'idée de perdre de vue sa petite puce durant une semaine ? C'était tenter le diable. Le psychopathe était toujours en liberté. Si seulement l'influence de Leander s'étendait à la justice d'ici-bas, tous les problèmes seraient résolus depuis longtemps. Mais, à ce niveau, même lui demeurait impuissant.

Elle rejoignit rapidement la chambre de Babette, mobilisant son énergie pour chasser jusqu'à la moindre pensée concernant Leander. Elle se penchait sur le berceau pour soulever sa fille endormie, lorsque Timo arriva à grands pas derrière elle.

Plus étonné que contrarié, il demanda :

— Qu'est-ce que c'est que ces histoires de vacances, Mop ? Tu ne sais pas que nous ne pouvons en aucun cas nous le permettre ? Bientôt Bobbie y croira dur comme fer.

Elle s'efforça de trouver les mots adéquats.

— Je suis au bout du rouleau, c'est tout.

Il se tortilla comme un enfant pris en faute.

— Si, toi, tu as besoin de te mettre au vert, si c'est ça le problème… Je veux dire, je ne voudrais pas que tu t'épuises complètement. D'abord toute cette agitation à cause de Babette, et maintenant les emmerdements financiers. Il n'y a personne chez qui tu pourrais passer quelques jours ?

Non, plus maintenant. Car Vero était morte et Beatrijs rentrait dès demain déjà. Que sa vie actuelle lui semblait pauvre en comparaison des jours heureux !

— Chez Laurens, par exemple, poursuivit Timo. Suppose que je prenne Niels et Toby pendant quelques jours durant les vacances de Noël. Le calme régnera là-bas, et tu n'auras plus besoin de courir dans tous les sens.

Cette générosité l'agaça au plus haut point.

— Et tu penses t'en sortir ici avec toute la marmaille ? Arrête un peu. Rien que Yaja, c'est déjà trop pour toi. Qu'est-ce que je suis censée faire chez Laurens ? Du shopping avec lui ?

Elle eut un rire désagréable.

— Cela lui fera sûrement plaisir de te dorloter un peu. Il t'adore, Gwen. Et puis, vous pourriez faire une sortie, visiter un musée, que sais-je.

— J'en ai marre enfin. Tu as l'intention de me pousser dans ses bras ? Tu veux te débarrasser de moi ?

— Je ne fais que te demander ce dont tu as envie.

Rien ne tombait plus mal qu'une réponse raisonnable en ce moment.

— C'est formidable, alors tu cherches à caser ta femme chez un autre. C'est toujours bon à savoir.

Soudain le calme dont il avait fait preuve disparut. Il la saisit par le poignet et l'attira brutalement vers lui. Plongeant son regard dans le sien, il lui lança : « Mais qu'est-ce qui te prend ? »

302

Elle se dégagea d'un geste brusque. « J'en ai ras le bol ! Ras le bol de tout ! »

Babette se réveilla en sursaut et se mit à pleurer, de grosses larmes tombant en cascade des paupières encore lourdes de sommeil. Elle agitait les bras et les jambes virant du rose au rouge de colère ou d'inconfort, ou de faim, difficile à dire, d'une couche pleine, d'un trop chaud ou d'un trop froid... quel malheur d'être si petite et de ne pouvoir rien expliquer, ni ce dont on avait besoin, ni ce qui vous manquait, et pas plus ce qui faisait souffrir ou la raison de toute cette agitation. Gwen souleva sa fille et la serra contre elle d'un geste presque mécanique.

— De tout ? reprit Timo amèrement. Ça fait beaucoup. Tu ne vas pas m'annoncer maintenant que j'en fais partie ?

Elle lui tournait le dos. Le bébé toujours hurlant dans les bras, elle alla se poster devant la fenêtre. La nuit était complète déjà dehors : elle ne voyait rien d'autre dans la vitre que son propre reflet.

— Si, c'est le cas en ce moment.

Le ton était froid et dur, comme si quelqu'un sans le moindre sentiment avait parlé. Que faisait-elle ? Quels dégâts allait-elle provoquer ? Mais elle n'avait pourtant pas la moindre envie de revenir sur ses paroles. Cette indifférence lui plaisait bien, en fait. Pourquoi devrait-elle prendre des gants ?

Derrière elle, Timo dit :

— Que se passe-t-il, Gwen ?

Il devait élever la voix pour couvrir les pleurs de Babette.

— Tu m'as entendue, non ?

Elle continua de fixer la vitre, butée.

— Pourtant je suis toujours parti du principe que

nous serions ensemble pour le meilleur et pour le pire. Mais à peine nous arrive-t-il une tuile avec les abeilles que déjà tu jettes l'éponge.

Sa stupéfaction fut si grande qu'elle se retourna.

— Tu penses vraiment...

Il lui prit Babette des bras et la souleva dans les airs.

— Baisse d'un ton, mon amour.

Les hurlements du bébé diminuèrent un peu. Gwen baissa les yeux. Peut-être ferait-elle mieux de lui laisser ses illusions. Il n'y avait que Timo pour penser que tout gravitait autour des abeilles. C'était si naïf. Oui, mais en même temps si superficiel, si stupide, tellement au ras des pâquerettes. Il la regardait et ne voyait rien, il ne sentait rien de ce qui se passait en elle. Elle aurait pu s'offrir sept amants. Voilà l'importance qu'elle avait à ses yeux, son utilité.

— Gwennie, nous avons eu de mauvaises années par le passé. Mais nous avons toujours surmonté les épreuves. Tu sais ce qui fait notre force ? Nous sommes comme les mauvaises herbes.

— Parle pour toi !

Il pinça les lèvres un bref instant, puis ajouta :

— En attendant, je pense que les filles vont bientôt devoir prendre leur potage. On descend, tu viens avec moi ?

Comme elle ne répondait pas, il sortit de la chambre avec Babette. Comme un chien battu, ou comme un monument de tolérance et de maîtrise de soi ? Elle ne savait que penser. Mais quelle importance si elle lui avait piétiné le cœur ? Il s'y entendait également. Des mauvaises herbes ! Toujours le compliment à la bouche, le Timo.

« Allez bouge, Mop ! » se dit-elle à haute voix, vouant brusquement un profond dégoût à son surnom, tandis qu'elle commençait de ramasser avec des mouvements énervés les petits vêtements tombés à terre. Impossible de rester une seule seconde à ne rien faire dans cette maison. Même si vous aviez toutes les raisons de fendre le crâne de votre mari, il valait mieux d'abord lancer une machine, sous peine de ne jamais venir à bout de la montagne de linge. Et lorsqu'en toute honnêteté vous expliquiez clairement la situation, on vous envoyait passer quelques jours ailleurs. Chez Laurens, qui plus est.

Soudain elle s'immobilisa, tenant une pile de bodys humides et malodorants. Était-il vraiment aussi innocent, Timo, qu'il aimerait le faire croire ? Il savait parfaitement que Laurens et Leander étaient comme chien et chat. Si elle s'installait copain-copain dans la maison de Laurens, Leander le prendrait très mal. Voilà donc l'explication. Ce n'était pas le moins du monde pour profiter d'un repos bien mérité qu'on l'expédiait chez Laurens, le seul objectif de Timo était de susciter une réaction négative de Leander la concernant. Dieu, comme c'était machiavélique. On croyait connaître quelqu'un, on croyait qu'il se désolait à cause de ses abeilles et du paradis apicole perdu, avec son pré ensoleillé embaumant mille senteurs, son miel aux reflets d'or s'écoulant des rayons, l'opulence de ses vastes séchoirs chargés de bougies – durant une fraction de seconde, elle crut se voir travailler dans l'atelier en fredonnant, et son cœur se serra – et ce jardin qui exigeait tant d'entretien, avec tous ces vieux arbres qui engendraient une mousse indestructible, et... Elle avait perdu le fil. Furieuse, elle conclut : de toute façon, Timo avait bien autre chose en tête.

Il ne manquait plus que ce soit elle qui lui ait soufflé l'idée. Elle lui avait raconté comment Laurens s'était présenté un jeudi soir, juste avant la séance, devant la salle au sous-sol, planqué comme un passager clandestin parmi les visiteurs. Leander l'avait fermement prié de partir. Celui qui se révélait incapable de fiche la paix à sa femme décédée se trompait d'adresse en venant le voir. Mais Laurens ne s'était pas laissé éconduire aussi facilement. Apparemment ils en étaient presque venus à se battre.

C'était le même soir où elle avait crevé un pneu sur le trajet de l'aller et dû attendre plus d'une heure l'arrivée de la dépanneuse du Touring-club. Autrement, elle aurait peut-être pu calmer Laurens à temps.

Elle rassembla les derniers vêtements de bébé, se dirigea vers la salle de bains avec la pile et mit le tout dans la machine à laver. Laurens serait là demain pour aider Timo avec la comptabilité. Elle devait tirer profit de l'occasion pour avoir une discussion sérieuse avec lui, entre quatre yeux. Il devait rendre à Veronica sa liberté. Pourvu qu'il comprenne ce qu'elle lui dirait : elle est en train de se réveiller en y mettant toutes ses forces. Elle essaie de s'éveiller, et tu la retiens. Est-ce vraiment ton but ?

La voix de Marleen monta du rez-de-chaussée : « M'man ! maman ! Tu fais quoi, m'man ? »

Elle eut un moment d'hésitation. Puis, sous le coup d'une impulsion subite, elle se déshabilla, ouvrit le robinet de la douche et se mit sous le jet, prise d'une lubie soudaine. Sous l'eau chaude, elle se nettoya de tous ceux qui faisaient appel à elle. Être toujours prête pour Pierre, Paul, Jacques, assurer le bonheur de chacun, même celui des morts, elle en avait assez.

Même si aucune lumière ne brillait à l'intérieur et s'il savait sa démarche inutile, Laurens appuya tout de même trois, quatre fois sur le bouton de la sonnette. Il dut se retenir pour ne pas tambouriner sur la porte : dans la voiture, qui se trouvait garée juste à côté, ses enfants pouvaient suivre tous ses gestes.

Une demi-heure à peine s'était écoulée depuis que cette idée lui était venue. Étant donné l'heure, il était fort probable que Leander soit en route pour la clinique afin d'arriver au début de la visite. Tandis qu'il balayait la rue du regard dans l'espoir de voir la silhouette élancée se profiler au loin, il aperçut une petite brasserie située juste en face. Joindre l'utile à l'agréable, n'était-ce pas l'expression toute trouvée ?

Il se dirigea vers la voiture et ouvrit la portière du côté de Niels.

— Et si nous allions nous offrir un bon steak frites ?

Son fils, qui étudiait l'étiquette de la boîte de bougies chauffe-plats posée sur ses genoux, leva la tête en plissant les yeux avec un air soucieux.

— Alors on ne va pas manger à la maison ?

— Tu as remarqué combien j'ai travaillé dur cette semaine ? J'ai gagné tout plein d'argent, tu sais.

Un peu plus tard, ils se trouvaient tous trois attablés près de la fenêtre. Les rubans rouges la découpaient en minces carreaux aux coins tapissés de neige artificielle, mais on voyait encore suffisamment à travers. Il disposait, en principe, d'au moins une heure. Un sentiment qui ressemblait au bien-être l'envahit. Les voilà donc installés tous ensemble, bien au chaud dans un sympathique bistro de quartier où, sur le bar, trônait une plante verte poussiéreuse ornée de quelques boules de Noël. À la serveuse, d'apparence négligée mais d'humeur joyeuse, qui venait vers eux, il commanda de la bière, du coca, et trois steaks frites avec de la compote de pommes.

— Tu sais quelle est la meilleure façon d'attraper un lapin, papa ? demanda Toby.

Un doudou vivant pour le petit : quelle bonne idée !

— Tu sais quoi ? Demain nous serons chez Timo. Il y aura certainement des lapins à vendre dans le coin.

Ils pourraient construire ensemble un clapier dans le jardin, il avait déjà envie de s'y mettre, un clapier avec une grande cage grillagée.

Se cachant derrière sa main, Niels souffla à son père : « C'est une devinette. »

Les yeux de Toby brillaient.

— Il faut se cacher derrière un arbre et puis imiter le bruit d'une carotte ! et il éclata de rire.

Avec le dédain de celui qui se sait plus fort que les autres, Niels dit :

— Qu'est-ce qui est rouge et couché sur la plage ? Vous ne voyez vraiment pas ? Le Chaperon rouge en vacances !

Toby ne s'en remettait pas. Encore un peu et on ne pourrait plus le déplier tellement il se tordait de rire.

— Qu'est-ce qui est vert et gros ? Un éléphant déguisé en salade.

— Pas si vite, je ne les retiendrai jamais, dit Laurens en riant.

Il but une gorgée de bière.

— Pourquoi les chauves sont-ils alcooliques ? Parce qu'ils n'ont pas peur d'avoir mal aux cheveux. Et maintenant, papa, j'en ai une super pour quand tu seras à ton travail. Tout le monde se fait avoir. Qu'est-ce qu'on a comme enfant avec un préservatif jaune ? Alors ?

Tout à son plaisir, Niels observait son père en plissant les paupières.

— Un préservatif ?

Il reposa son verre.

— Un préservatif jaune.

Visiblement, dès l'école primaire, on donnait aux enfants des renseignements sur les MST et le sida. Est-ce grâce à la maîtresse ou dans la cour de récréation que Niels avait eu connaissance de ce genre d'information ? Quelle importance après tout. Un élan soudain de reconnaissance lui donna presque le vertige : ses enfants menaient une vie sans lui. Ils se sortaient des blagues entre copains et apprenaient avec d'autres adultes que lui. Il ne constituait pas leur seule balise pour garder le cap. Lorsqu'il n'était pas à la hauteur, les dommages ne se révélaient pas nécessairement irrécupérables.

— Des enfants jaunes, dit-il.

Niels éclata d'un rire moqueur.

— On n'aura pas d'enfants du tout !

— Ça alors. Elle est bien trouvée.

Une expression inquiète avait commencé à se dessiner sur le visage de Toby. Laurens enchaîna rapidement :

— À ton tour maintenant. Devine : je vois ce que tu ne vois pas, et ce que je vois est noir. Qu'est-ce que c'est ?

Durant tout le dîner, ils explorèrent la salle pour trouver des objets noirs, verts, rouges ou bleus. Laurens jetait de temps à autre un coup d'œil à l'extérieur. Des gens encapuchonnés ou portant un bonnet circulaient dans la lumière des réverbères, revenant du travail ou en quête de divertissements. Leur haleine dessinait des lambeaux de nuages dans l'air froid. En face, la maison était toujours plongée dans l'obscurité.

Le repas achevé, il devint plus difficile de préserver la bonne humeur de Niels et Toby. Ils avaient envie de rentrer afin de compléter leur ciel étoilé avec les bougies.

— Encore un peu de patience, les garçons. J'ai droit à mon café. Niels, un autre mot pour « voiture » en cinq lettres.

Il tira Toby sur ses genoux et lui donna son stylo pour lui permettre de dessiner sur la nappe en papier.

— « Tacot ».

— Holà, champion, pas si vite ! Un autre mot pour « caisse »…

— « Boîte », marmonna Toby.

— C'est pas juste, celle-là était beaucoup trop facile, dit Niels avec indignation.

— Un autre mot pour « machine ». Il compta sur ses doigts. Huit lettres.

Zut, le café arrivait déjà. Il regarda rapidement par la fenêtre.

— Une machine ? reprit Niels. Mais une machine pour faire quoi ?

— Pour faire du café, par exemple.

Il n'y avait qu'à le laisser refroidir, c'était la meilleure solution pour le moment.

Toby commençait de s'accrocher à lui. Niels bâillait.

— Niels, je te fais cadeau de la première lettre. C'est un « a ».

Si Leander avait repris le chemin de la maison immédiatement après avoir rendu visite à Beatrijs, il pouvait arriver d'un moment à l'autre. Je me suis comporté comme un idiot, Leander. J'aurais dû immédiatement te dire qu'il s'agissait de protéger mes enfants.

Il se redressa sur son siège. Son action prenait enfin un tour juste. Et n'oublions pas la voie de recours que représentait encore Beatrijs. Jusqu'à présent, la honte l'avait dissuadé de faire appel à elle. Elle-même n'avait jamais abordé la question, bien que Leander l'ait sans aucun doute tenue informée de ses appels et de tout le reste. Elle jugeait certainement que ses échecs permanents ne constituaient qu'un juste retour des choses. Mais si Niels avait besoin d'aide, elle volerait à son secours sans la moindre hésitation.

— « Appareil », dit Niels, apparemment surpris par sa trouvaille.

— Bingo, Superman, toutes mes félicitations.

— Mais maintenant, j'ai plus envie, vraiment.

Vite, il se pencha de nouveau vers la fenêtre.

— D'accord, alors on joue au pendu, OK ?

— Tu passes ton temps à vérifier que nous n'avons pas une autre contravention. Si on rentrait à la maison ?

— Ou bien le jeu des proverbes. Ces phrases qui... que tout le monde répète. Vous travaillez déjà sur les proverbes avec Nicky ?

Il avait mis en plein dans le mille. En entendant le nom de sa maîtresse, Niels changea instantanément et son regard se fit vague et amoureux.

— Tu sais ce qu'elle dit toujours, p'pa ?

— Non, mon chéri.

— Tant qu'il y a de la vie...

— Il y a... ?

Au même instant, il vit Leander s'engager dans la rue, légèrement courbé pour lutter contre le froid. Tout doucement, pour ne pas réveiller Toby, il se leva et déposa l'enfant endormi sur sa chaise.

— Surveille Toby, Niels, je n'en ai pas pour longtemps. Je suis de retour dans trois minutes et ensuite nous rentrerons tout de suite à la maison.

— Mais tu vas faire quoi ? Papa !

311

Un autre mot pour « vie », en quatre lettres. Il sortit du café au pas de course, sans mettre son manteau.

Leander se tenait devant la porte d'entrée, cherchant les clés dans sa poche. Il avait sans doute entendu des pas s'approcher, car il regarda tout à coup par-dessus son épaule. Ses traits se durcirent.

Laurens se glissa prestement entre lui et la porte, tout en levant les deux mains en un geste d'excuse.

— Désolé, je sais que ça a l'air ridicule de débarquer de manière imprévue…

Leander avait blêmi.

— Alors là, tu dépasses les bornes.

— Donne-moi juste le temps de t'expliquer la situation. Il ne s'agit pas de moi, il s'agit…

— Laisse-moi passer.

Laurens serra ses mains l'une dans l'autre pour s'empêcher d'agripper l'autre par la manche. La dernière fois, déjà, le geste avait eu un effet néfaste.

— Il s'agit de Niels et Toby, ils ont besoin de ton aide, je les ai emmenés avec moi, ils attendent dans le café en face, pose donc toi-même la question à Niels.

La rencontre prenait mauvaise tournure, il ne se montrait pas assez clair, l'enjeu était trop important.

Leander avança la tête et remonta les épaules.

— Si tu ne me laisses pas entrer, j'appelle la police. Tu en arrives même à faire le guet devant chez moi, c'est inacceptable.

Il se força à garder son calme.

— Aide mes enfants, s'il te plaît. Je t'en supplie.

Une expression de dégoût parcourut les traits de Leander.

— Tu n'es qu'un misérable snob, Laurens. Je t'ai dit et répété qu'il existait des tas de médiums auxquels des gens comme toi peuvent s'adresser. Pourquoi ne vas-tu pas voir l'un d'eux plutôt que de me poursuivre et t'imposer ces humiliations ?

Il vit le visage de Niels se dessiner derrière la fenêtre du café, de l'autre côté de la rue. Le nez appuyé contre la vitre, le petit garçon regardait à travers l'un des carrés rouges voilés de neige. Tout à coup, il trouva les mots qu'il fallait.

— J'ai découvert que Niels a de longs dialogues avec Veronica. Cela doit cesser.

— Ah bon, et c'est à moi d'en donner l'ordre à ta femme ?

— Oui, si possible.

C'était la conversation la plus longue qu'ils aient jamais eue depuis plusieurs mois. Cette fois tout allait bien se passer.

Leander inclina son corps longiligne en avant.

— Peut-être que les visites de sa mère consolent ton fils. Tu as déjà pris en considération cette éventualité, ou ne penses-tu jamais qu'à ta petite personne ?

Ce fut comme s'il recevait un coup de poing en pleine figure.

— Mais c'est toi qui m'as affirmé que le contact avec des entités liées à l'ici-bas représentait un danger ! Tu l'as dit toi-même ! Et maintenant tu prétends…

L'autre le toisa comme s'il était un insecte particulièrement répugnant.

— Voilà exactement la raison pour laquelle je refuse d'avoir affaire avec toi : ton seul objectif est de me prendre en flagrant délit de je-ne-sais-quoi. Sous le couvert de tes histoires pitoyables, ta seule et maladive mission a consisté dès le début à essayer de me percer à jour comme l'imposteur que je serais, et à me clouer au pilori. Fort heureusement, j'ai conduit Yaja à la gare cet après-midi pour qu'elle aille chez Gwen. Sinon tu aurais forcé ma porte en l'embobinant avec tes salades. Du coup, tu serais maintenant installé comme un prince dans mon salon. Alors tu dégages, ou je ne réponds plus de rien.

— Non, attends ! Je vais te...

Les mâchoires crispées, Leander gronda :

— Tu te trompes si tu t'imagines que tu peux me donner des ordres ou m'intimider. Je te prie instamment de me laisser tranquille. Et cela vaut également pour ma fille.

Ce n'était pas le moment de se laisser déstabiliser par des insinuations grotesques.

— Mais alors réglons la question et tu seras débarrassé de moi. Je te paierai largement.

— En ce qui me concerne, c'est une proposition immorale.

— Alors tu dois décider toi-même de la manière dont je pourrais te récompenser.

— Je ne pense pas en ces termes. Ma récompense, c'est le travail. Plus la liberté, naturellement, de décider que je ne me salirai pas les mains avec toi.

Avec une lucidité aussi soudaine que désagréable, Laurens pensa : Pourquoi est-ce que je m'obstine finalement à parler avec ce type ignoble ? Pourquoi ne pas partir sur-le-champ et décider, une fois à la maison, de chercher un médium sur Internet ? Il reprit d'une voix mal assurée :

— En continuant à m'envoyer bouler, tu me livres en réalité aux esprits des ténèbres. C'est ton intention ? Tu veux me donner une leçon ? Tu souhaites que je...

Lui-même se rendit compte qu'il adoptait le ton de celui qui réclame une raclée. Et, tout à coup, il comprit à quel point cette impression se révélait juste. Au cours des mois passés, l'idée ne lui était même pas venue de consulter un autre que Leander, pour la simple raison que l'écrasante autosatisfaction de ce dernier faisait partie d'un ensemble. En se condamnant à quémander les bonnes grâces de Leander, à le supplier, à ramper dans la poussière, il s'imposait une épreuve si odieuse qu'elle en devenait purgative. Suivre cet homme comme un chien, voilà le moyen qu'il avait trouvé de payer pour un acte autrement resté impuni.

— Je ne souhaite rien du tout. Dans mon univers, tu n'existes même pas.

— Je comprends, répondit Laurens, mais, cette fois, son humilité était feinte.

Pour une raison inconnue, le charme était rompu, maintenant qu'il en comprenait la nature. Il ferait mieux d'imaginer une autre méthode pour étouffer son sentiment de culpabilité, car sa tentative n'apportait ni à ses enfants, ni à lui-même, le moindre avantage.

— Je ne te dérangerai plus. Et encore bonne soirée.

Il se retourna et traversa la rue, étonné de sa propre réaction.

Derrière la fenêtre du café, Niels se détendit comme un ressort. Il se mit à agiter la main avec entrain.

Laurens répondit de la même manière, conscient qu'il n'avait rien résolu. Durant un bref moment pourtant, il ressentit un immense soulagement. La confrontation était terminée, il redevenait un homme libre. S'il ne faisait pas attention, il finirait par croire qu'en abandonnant le jeu de son propre chef, il avait porté un rude coup à Leander.

Il entra dans le café et régla l'addition au comptoir. Ses deux fils l'attendaient, prêts pour le départ, la fermeture Éclair de leur blouson remontée jusque sous le menton.

— Le père de Yaya a dit quoi ?

— Pas grand-chose d'intéressant. Eh bien, si nous allions nous occuper de vos ciels étoilés ?

Ils prirent le chemin du retour. À travers les vitres de la véranda, les guirlandes de l'arbre de Noël leur réservèrent un accueil radieux. Ils les débranchèrent puis allumèrent les bougies qu'ils venaient d'acheter. Dans l'obscurité, tous trois contemplèrent le scintillement des petits ciels étoilés. Ils rappelèrent à Laurens les étoiles dans les yeux de Veer, et, immédiatement, un abîme s'ouvrit devant lui, un abîme d'angoisse, mais aussi de tristesse, de vide et de désir. Pouvoir recommencer uniquement ce soir-là. Il vendrait son âme au diable pour en avoir la possibilité, mais, auparavant, il lui fallait penser aux actions à mener dès maintenant.

Niels se glissa sous la couette avec le souvenir heureux d'une superjournée. Il était fier comme un coq d'avoir réussi à faire rire son père avec ses devinettes. Peut-être que ça l'amuserait aussi d'entendre ce que les grands disaient dans la cour de l'école. Si j'avais une tronche comme la tienne, je la porterais dans un sac à dos. Ça déchire. Détends le string. Va te faire refaire une tronche. L'éléphant déguisé en salade, c'était amusant pour un enfant de l'âge de Toby, mais il fallait dire ce qui était, la plaisanterie avait fait rire son père, vraiment, avec un verre de bière à la main, comme dans les publicités à la télévision.

L'ambiance était toujours bonne quand elle ressemblait aux pubs, avec ces gens qui mangent tous ensemble du saucisson ou des chips.

Il tira le pull de maman de sous son oreiller, et l'effleura avec la joue. Maman, aujourd'hui j'ai fait rire papa et j'ai appris au morpion à faire un ciel avec des étoiles, et tu sais quoi ? Un jour, pendant les vacances de Noël, Nicky viendra me chercher avec sa voiture.

Cette dernière perspective paraissait tellement incroyable : vraiment, ça déchirait à fond. Il serait assis à côté d'elle dans sa Rover violette, et peut-être lui tiendrait-elle même la main tandis qu'ils marcheraient tous deux dans le cimetière. Elle avait des mains si douces, et, lorsqu'on observait ses doigts, on se demandait alors pourquoi les gens avaient des demi-lunes si parfaites sur les ongles, était-ce le hasard ou y avait-il une raison ?

Il poussa un profond soupir et s'apprêtait à se retourner lorsque son père entra. Celui-ci tira les rideaux, plia son pantalon qu'il rangea dans l'armoire, puis s'assit sur le bord du lit pour régler le réveil. Il ne ressemblait plus du tout au père de la publicité. Il était de nouveau renfermé et triste. Niels se redressa sur un coude. Il lui envoya un coup de poing contre l'épaule. « Va te faire refaire une tronche, p'pa ! » Et, plein d'assurance, il se mit à rire.

Son père reposa le réveil et passa la main sur les contours de ses yeux.

Avait-il entendu la boutade ? Toute l'allégresse de Niels s'évapora. Rire une fois tous les cent ans, ce n'était pas suffisant. Il fallait s'amuser tous les jours.

Sans crier gare, son père demanda :

— Dis-moi, Niels, c'est agréable de parler avec maman, ou cela te fait-il peur ?

Il ne sut que répondre. Ce n'était ni l'un, ni l'autre, c'était normal. Est-ce qu'ils n'avaient pas déjà abordé le sujet, cet après-midi même ?

— Attends, je vais poser la question autrement. Tu aimerais que ces échanges cessent, ou est-ce qu'ils te manqueraient ?

— Ils me manqueraient bien sûr, répondit-il avec étonnement. Mais ça ne va pas s'arrêter, si ?

— Si tu n'aimes pas ces conversations, tu peux le dire à maman, voilà ce que je veux que tu saches.

Son père se pencha en avant, la tête entre les mains.

Alors que les mères de Perry et de Gijs discutaient ensemble, il les avait entendues dire combien c'était dur d'élever deux enfants quand on se retrouvait seul et qu'il fallait, de plus, gagner l'argent de la famille. Pourvu que son père n'atteigne pas un état d'épuisement tel qu'il jette l'éponge. Il devait imaginer une façon de l'égayer.

— Tu te demandes peut-être la raison pour laquelle je m'obstine à revenir sur cette question, mais c'est parce que je m'inquiète parfois de... Mais qu'est-ce que tu fais ?

Niels plongea sous le lit et farfouilla dans la boîte qui s'y trouvait entreposée. Il mit presque immédiatement la main sur le flacon au bouchon doré. Il était toujours rempli aux deux tiers.

— Niels, ce n'est pas le moment de...

La voix de son père se noua lorsqu'il aperçut la bouteille de parfum.

— C'était à maman, tu le savais ? Tu en veux un peu ?

Il dévissa rapidement le bouchon. L'effluve familier se répandit. Il saisit son père par le poignet, inclina le flacon et imprégna sa manche de quelques gouttes. Puis il avança la manche sous ses narines.

— Il faut respirer profondément, c'est ce que je fais toujours, moi aussi.

Le front de son père était devenu moite. Immobile, la manche pressée contre le nez, son regard se perdait dans le vide. Seule sa mâchoire bougea un instant comme s'il voulait parler, mais il s'en révélait incapable. Après quelques minutes, ses épaules furent animées de secousses régulières.

— Tu n'aimes pas l'odeur ? demanda Niels.

Son père ferma les yeux, puis les ouvrit de nouveau.

— C'est donc toujours comme ça que tu fais, dis-tu ?

— T'as une drôle de voix.

— Désolé. Il s'éclaircit la gorge : Je te remercie, Superman, et bonne nuit.

Il se leva rapidement et quitta la pièce, titubant comme un homme qui aurait trop bu.

Niels se laissa retomber en arrière. Ce qu'il y avait de bête avec les grandes personnes, c'était qu'elles ne révélaient jamais, avec des mots simples, leurs pensées ou leurs sentiments. C'est pourquoi on ne pouvait vraiment pas les aider, malgré tous nos efforts.

Détends le string, papa ! Furieux, il sortit de son lit pour aller fermer la porte et éteindre la lumière. Dans l'obscurité, il se pelotonna de nouveau sous la couette. Le flacon de parfum avait roulé jusqu'au centre du matelas : il en sentait la forme dure contre son flanc. Il remonta l'objet à la surface et le posa d'un coup sec sur son chevet. Et dire que l'idée de sa mère lui avait paru si bonne lorsqu'elle la lui avait murmurée dans le creux de l'oreille quelques instants plus tôt.

Certitude

Chaque pas que Beatrijs faisait, soutenue par ses béquilles, ne cessait de l'émerveiller : elle avançait, incontestablement ; elle progressait. À l'allure d'un escargot, il est vrai, mais après avoir vécu si longtemps au ralenti, le mouvement revêtait un caractère inimaginable, presque magique. Tandis qu'elle traversait péniblement, mais sans l'aide de quiconque, le long couloir menant à la sortie de la clinique, elle se vit tout à coup sous un jour nouveau : une femme qui, le souffle court à cause d'un fou rire, prend place sur une terrasse ensoleillée ou part en week-end faire les boutiques à Paris. Une femme énergique, sexy et insouciante, jamais à court d'idées amusantes. Le sentiment d'avoir un sol stable sous les pieds, une base solide pour prendre appui, vous métamorphosait.

Voici enfin le hall avec les ascenseurs.

Elle leva une béquille et enfonça les trois boutons en jubilant.

Leander, qui portait deux sacs remplis de cartes, de dessins d'enfants, d'affaires de toilette et de pyjamas avachis, remarqua :

— Maintenant, il y en a trois qui vont monter.

— Ne fais pas ton radin, toi. Je ne rentre plus dans un seul ascenseur.

Elle lui sourit tout en se donnant une petite tape sur le derrière. La position couchée, lorsqu'elle se prolongeait, était dramatique pour la ligne. Souvent, elle s'était sentie comme une taupinière en croissance constante, ou une repoussante bouse de vache, mais, sans qu'elle sache pourquoi, ces idées lui paraissaient aujourd'hui de simples chimères. Il n'y avait, pour ruminer ce genre de pensées, que des femmes privées d'amour et solitaires, qui n'avaient jamais eu la possibilité de se promener le long de la Seine avec leur amant. Les gens gros étaient plus heureux, tout le monde savait cela. Mais, en réalité, son poids n'avait pas d'importance. Durant deux mois, elle n'avait été qu'un genou : il était plus que temps que le reste de son corps participe à la fête. Elle se représentait déjà comment Leander, avant même de franchir le seuil de la maison, arracherait ses vêtements et la lécherait de haut en bas puis de bas en haut, lentement, intensément, comme si elle était un cône glacé. Pendant les visites, comme on ne savait jamais qui pouvait entrer sans crier gare, ils avaient dû se contenter d'expédients. On ne lisait ni n'entendait jamais rien de sensé sur les relations sexuelles au cours d'un long séjour hospitalier.

La première porte s'ouvrit et ils entrèrent dans la cabine. Celle-ci se trouvait déjà occupée par deux auxiliaires de cuisine qui bavardaient à côté de leur chariot où s'entassaient des plateaux-repas, si bien qu'il lui fut impossible de partager avec Leander ses intentions à haute voix. Elle aurait aimé passer son bras sous le sien, malheureusement les béquilles l'en empêchaient. Elle réprima un fou rire presque hystérique.

Au rez-de-chaussée, elle attendit sur un banc près de

la porte à tambour, pendant qu'il allait chercher la voiture. C'était une matinée sombre, typique du mois de décembre. Mais le manque de lumière, si déprimant en d'autres circonstances, n'avait aucun effet sur elle. Elle rentrait à la maison. Le kinésithérapeute l'avait laissée dans l'incertitude sur son jour de sortie jusqu'à hier dans l'après-midi. En y repensant, le fait qu'il ait retardé sa réponse avait eu une conséquence positive car, sinon, elle se serait retrouvée avec Yaja sur les bras. Leander avait dit, la mine déconfite : « Si j'avais su que tu obtiendrais le droit de sortir dès aujourd'hui, j'aurais pu la garder ici pendant le week-end. »

Il était vrai, bien sûr, que chacun devait continuellement s'efforcer à être bon. Mais il n'était peut-être pas indispensable de s'y employer tous les jours.

Ils parlèrent peu sur le chemin du retour. Leander, qui avait horreur de conduire, se raidissait au volant. Elle n'allait pas commettre l'erreur de le toucher maintenant. Elle regarda donc droit devant avec la même attention que lui, pour lui apporter son soutien. Les feux de signalisation changeaient de couleur, les tramways surgissaient avec leur sonnerie aigrelette, de téméraires cyclistes paraissaient n'avoir d'autre but que le suicide, les chiens faisaient leurs besoins sur le trottoir. Le simple caractère mouvant du décor sollicitait déjà ses forces à l'extrême. Elle était épuisée lorsqu'ils s'arrêtèrent devant la porte d'entrée. Peut-être aurait-elle mieux fait, à la clinique, de prendre un fauteuil roulant pour se déplacer sur une si grande distance. Restait à descendre de la voiture sans placer trop de poids sur la mauvaise jambe. Une béquille à gauche, une béquille à droite. Pas de vertige maintenant. Encore quelques secondes, et elle pourrait s'étendre sur une chaise longue.

Leander passa devant elle, avec les sacs. Craignant de glisser ou de tomber à la renverse, elle le suivit à petits pas lents et laborieux. Lors des exercices, le kinésithérapeute marchait toujours derrière elle, les mains autour de sa taille, ou de ce qui en restait. « Très bien. Très bien. Très bien. » Grâce à lui, elle s'était prise pour une championne. Il soutenait à présent quelqu'un d'autre, bien sûr, ou alors il faisait la grasse matinée à côté de sa femme. Peut-être avait-il accepté qu'elle quitte la clinique juste pour ne pas avoir à se lever de bonne heure aujourd'hui.

« Bienvenue à la maison », dit Leander. Il ouvrit grand la porte.

Elle entra en claudiquant. Et, immédiatement, l'intérieur la frappa : le couloir étroit et nu aux murs éraflés, l'ambiance triste, l'absence de couleurs.

— Du café ? demanda Leander.

— Attends une seconde.

Elle regarda autour d'elle d'un air démuni. C'était donc ça ce dont elle avait rêvé durant ce temps, dans les oubliettes en Formica de la clinique ?

— Commence donc par t'asseoir.

Il se dirigea vers la cuisine.

Elle se traîna dans le salon. Les deux fauteuils élimés en velours côtelé beige disparaissaient sous de vieux journaux. La vaisselle sale était posée çà et là à même le plancher. Une coquille d'œuf souillée couronnait la pile instable de lettres que personne n'avait ouvertes. La corbeille n'avait pas été vidée depuis des mois, semblait-il. La maison avait exactement le même aspect que lorsqu'elle était venue s'installer chez Leander. Tout manifestait, avec la même évidence criante, qu'il était incapable de s'occuper de lui-même. Il avait *besoin* d'elle.

Tandis qu'elle déplaçait une brassée de linge afin de pouvoir s'asseoir sur sa chaise longue, elle prit une fois de plus conscience que, sans lui, elle ne servirait tout bonnement à rien. Qui, au bout du compte, rendait-elle *heureux* ? Les enfants, oui, les enfants de ses amies : ils pourraient toujours compter sur elle pour un kidnapping, ici ou là. Seulement, ils en prenaient quand même pour leur grade, après coup. Flûte, même dans son rôle de tante, elle n'obtenait pas un franc succès.

Leander entra dans la pièce. Il posa une tasse de café devant elle puis s'installa dans son fauteuil près de la cheminée éteinte, pleine de cendres.

— Et bien. Nous voici revenus. Qu'est-ce que tu regardes ?

Elle prit brutalement conscience de la réalité : au cours des derniers mois, alors qu'elle aspirait à retrouver une vie normale, elle songeait toujours plus ou moins à son ancien appartement. Les meubles d'époque soigneusement cirés, les coussins et les tapis aux couleurs vives, la bibliothèque débordant généreusement de livres, sa collection de porcelaine d'*Alice au pays des merveilles* derrière les délicates fenêtres de cristal de la vitrine.

— Je t'ai posé une question, Beatrijs. Quelque chose ne va pas ?

Elle éluda.

— C'est étrange comme on voit les choses avec un regard neuf, après avoir été absente pendant un certain temps.

— Oui, ça vous remet les idées en place. Après, on apprécie d'autant plus son environnement, tu ne trouves pas ?

— Non, dit-elle tout de go. Je ne trouve pas, non.

— Mais c'est comme ça, tu sais.

— C'est peut-être ce que tu penses, mais cela ne signifie pas que j'en pense autant.

Il la regarda d'un air incrédule.

— C'est comme ça, te dis-je, un point c'est tout. Mais laissons tomber le sujet. Quels sont tes désirs, pour aujourd'hui ?

Elle pensa : un nouveau papier mural. Avec un motif de fleur de lys, par exemple, et un liseré formant un joli contraste. Toute sa vie, elle s'était entourée d'objets qu'elle avait choisis avec soin et réflexion. La beauté entrait en résonance avec l'âme, elle vous élevait. Du style, de d'allure... N'était-ce pas, après tout, une manière de montrer que l'on embrassait la vie avec reconnaissance ?

— Tu as envie de te reposer, ou est-ce que tu en as justement assez ? Tu n'as qu'un mot à dire, déesse.

Tout à coup, elle eut peur de fondre en larmes.

— Laisse-moi un peu. Je ne sais pas moi-même ce qui m'arrive. Quelque part, ce retour est une déception.

Il eut l'air froissé. Peu après il se leva et quitta la pièce.

Immédiatement, son humeur éplorée fit place à l'irritation. Elle n'avait pas la moindre envie de lui courir après. Elle but son café. Il aurait très bien pu acheter une douceur pour l'accompagner. Et prévoir un bouquet de fleurs. Ce n'était pas si difficile de rendre la vie un peu plus agréable. Son regard parcourut le salon. Peut-être devrait-elle demander à Frank si, à la réflexion, elle pouvait tout de même garder le secrétaire en noyer. Si elle le plaçait contre le petit muret et que les vieux fauteuils en velours disparaissaient... Le téléphone sonna, et elle tenta de récupérer ses béquilles. Mais, à en juger par le silence, Leander avait déjà décroché dans son bureau, juste au moment où elle se levait.

Puisqu'elle était déjà debout, elle en profita pour musarder dans la pièce. Elle avait besoin de toucher les objets, de changer leur disposition, d'imprimer sa marque sur les choses : je suis de retour.

Leander revint :

— C'était Yaja.

— Ah.

Elle prit une expression neutre. Ne pas juger, Beatrijs. Car tu sais, déesse, quand tu portes un jugement, tu figes tout. Et, en effet, n'en allait-il pas ainsi ? Elle en avait simplement perdu l'habitude durant ces huit dernières semaines. Vingt-trois heures par jour sans lui. Vingt-trois heures par jour, pour que la vie retombe dans la même rengaine, encore et toujours.

— Elle me demande si je veux bien venir la chercher. Elle ne se plaît pas du tout chez Gwen.

— Bah, laisse-la donc s'y faire un peu. Dans moins d'une heure elle aura sûrement retrouvé le sourire.

— Donc, il va falloir que j'y fasse un saut.

— Un saut ? Le trajet dure une heure et demie ! Et toi qui n'en peux plus après dix minutes au volant. Elle ne peut pas prendre le train ?

Elle regretta immédiatement ses paroles, car elle donnait ainsi pour ainsi dire son aval au retour de Yaja.

— Si je vais la chercher, j'en profiterai pour parler avec Gwen. Et je préfère ça à ce que Yaja revienne toute seule, avec sa tête des mauvais jours.

Voilà qui était gentil de sa part, et prévenant. Elle ne trouva rien à y opposer. Sauf qu'il ne faisait pas preuve de beaucoup de considération pour elle en jouant le taxi pour sa fille le jour même où elle sortait de clinique ; mais si elle exprimait cette idée, elle donnerait sans nul doute l'impression d'être puérile, dominée par son ego, soumise à ses *émotions*. Se surprenant elle-même, elle déclara :

— Je viens avec toi.

— Tu es sûr que c'est une bonne idée ? Tu dois te ménager.

L'idée se révélait formidable, en réalité. Tout valait mieux que d'être obligée de se morfondre ici en contemplant les fauteuils en velours. Ce serait un plaisir d'être chez Gwen et Timo. Elle avait à présent hâte de s'échapper. Peu importait qu'elle défasse ses sacs plus tard, il n'y avait rien à l'intérieur qui n'ait fini par l'agacer prodigieusement au fil des mois.

— Autant partir tout de suite.

— Je préfère que tu restes à la maison. Le voyage sera beaucoup trop fatigant pour toi.

— Ce n'est pas comme si j'étais malade.

Elle lui envoya un petit coup dans les côtes et clopina vers l'entrée. Dans le couloir, elle mit son manteau. Une fois là-bas, elle saisirait l'occasion pour faire parler Gwen de ses difficultés financières. Elle était une femme investie d'une mission, voilà ce qu'elle était. Et pourtant, cela ne cessait de la tracasser : elle fuyait au plus vite la maison qui était la sienne. Afin d'atténuer cette mauvaise impression, elle se dit : je dois m'accorder plus de temps pour m'habituer, c'est un grand changement, voilà tout.

Ce n'est qu'une fois installée dans la voiture qu'elle se souvint de son projet de faire l'amour pendant des heures avec Leander. Son désir était-il resté sans suite à cause de l'étrange impression de distance qu'elle ressentait ? Mais n'était-ce pas dû, justement, à l'absence d'un véritable contact physique durant un laps de temps si long ? Déconcertée, elle posa la main sur le genou de Leander.

— Tu m'as manqué, tu sais.

— Nous allons rattraper ça, répondit-il en serrant un instant ses doigts.

Son cœur fit un bond tant elle se sentait soulagée.

— J'étais en train de penser à l'avenir, Beatrijs. Le jeudi soir restera réservé pour Gwen et moi. Tu comprends ça, n'est-ce pas ?

— Oui, c'est parfait.

— Elle a été partie prenante de ces séances dès le début. Au fil du temps, nous en sommes arrivés à former une bonne équipe.

— Très bien.

— Introduire des modifications serait inutile.

Elle retira sa main. Une certaine tension se développa en elle. N'avait-elle pas déjà répondu que la question était réglée pour ce qui la concernait ? Pourquoi s'obstinait-il à revenir à la charge ? Elle croyait avoir oublié ce sentiment diffus, mais il était de retour : elle devait se mettre en alerte.

Il lui jeta un regard en biais.

— Tu n'imagines pas des choses avec cet arrangement, dis-moi ?

Déstabilisée par son attitude, elle ne répondit pas.

— J'avais raison, tu commences déjà à faire la tête.

— Mais pas du tout.

— Est-ce que tu te rends compte que tu m'as contredit durant toute la matinée ? Je vais finir par avoir mal à la tête.

— Mais je disais justement…

— Et voilà, tu recommences. On dirait que tu cherches à provoquer une scène.

— Pourquoi, au nom du ciel, ferais-je ça ?

— Ce n'est pas à moi qu'il faut le demander.

Peut-être était-elle vraiment plus contrariée qu'elle ne voulait se l'avouer.

— On dirait que tu n'es pas content que je sois de nouveau à la maison, explosa-t-elle.

— Voilà qui me paraît être une projection.

C'est fou ce qu'elle détestait ce mot. Il ne se laissait jamais réfuter. Tu fais une projection. Non, je ne fais pas de projection. Mais si, tu fais une projection. Et si tu ne faisais pas de *projection*, en effet, alors tu étais en train de *juger*. Ou tu *réglais un compte*. Dès qu'elle se risquait à des paroles embarrassantes, il lui renvoyait la balle en l'accusant d'un quelconque crime, au lieu d'examiner attentivement sa doléance.

— Tu pourrais peut-être aussi tout simplement m'écouter. Elle devint brusquement si furieuse que sa voix se fit stridente : Tu n'as même pas acheté des fleurs pour la maison. Et dès que tu n'es pas d'accord avec moi, tu quittes la pièce l'air fâché. Et tu ne m'as pas un seul instant...

— Mais qu'est-ce qui te prend tout à coup ?

Elle n'en savait rien. Tout ce qu'elle désirait, en réalité, c'était qu'il tende les bras vers elle.

— Je te parle de Gwen, et toi, tu déverses immédiatement sur ma tête toutes sortes de reproches dont je ne t'ai jamais entendu dire un mot. Tu ne vas quand même pas me raconter que tu es jalouse parce que je vais continuer de travailler avec elle ?

— Pas du tout !

— Si c'était vrai, tu ne crierais pas ainsi. Non, arrête Beatrijs. Oui, tu as crié. Tu m'entends, je te *dis* que tu as crié. Encore un peu et tu vas t'imaginer qu'il y a quelque chose entre Gwen et moi. Et alors, j'aurais beau prétendre sur tous les tons que ce n'est pas le cas, une fois que tu t'es mis une idée dans le crâne, je n'ai plus la moindre chance d'être traité avec équité. Rien à faire, c'est ton caractère.

Elle serra les mains, le souffle coupé. Quelle était cette lutte fantôme dans laquelle elle se retrouvait engagée ?

— Alors tu sais quoi ? C'est tout bête, je vais te donner raison par avance, étant donné que tu t'es fixée là-dessus. Cela va nous épargner beaucoup d'énervement. D'accord, Gwen et moi entretenons une relation passionnée, il nous est impossible de nous passer l'un de l'autre. Satisfaite ?

Un dégoût profond s'empara d'elle brusquement.

— Je trouve que ta manière de raisonner n'élève pas le niveau de la discussion.

Il n'eut aucune réaction.

Elle observa son profil hautain.

— S'il te plaît, Leander.

Il persistait dans son silence.

— Ne commençons pas pour rien une dispute idiote.

Il demeura impassible.

— Dis quelque chose ! D'abord tu me pompes l'air avec ton vocabulaire à la noix, et l'instant d'après tu es une tombe !

— J'ai dit ce que j'avais à dire.

Ils n'échangèrent plus un mot durant le reste du trajet. Beatrijs s'efforçait de mettre de l'ordre dans le flot de ses pensées. Si elle n'était pas coincée avec ces stupides béquilles, elle aurait dit à Leander de s'arrêter et elle serait descendue de voiture. En quête d'assistance, elle regarda les champs défiler sous le ciel hivernal. Elle ne risquait pas de trouver rapidement un taxi dans les parages. À peine formula-t-elle cette pensée qu'elle fut choquée de cette réaction. Ils étaient ensemble depuis moins d'une demi-journée, et déjà elle voulait s'en aller ? Elle ne pouvait y croire. Elle avait juste perdu ses repères à cause d'un alitement prolongé, elle n'avait plus l'habitude des relations humaines, et ses attentes concernant le retour à la maison avaient été déraisonnables. Demain, ils en riraient ensemble.

Au cours de la dernière partie du trajet, le long du canal, Leander parut se dégeler un peu. Il se mit à parler du paysage, du temps qu'il faisait et de la qualité de la chaussée. Si elle fut contente de constater que le silence oppressant était enfin rompu, un corps étranger restait planté dans son cœur, un éclat douloureux et glacial.

Devant la ferme, une voiture était déjà garée, un break rouge avec des autocollants aux couleurs joyeuses sur la lunette arrière. Au moment même où elle reconnut le véhicule, Leander remarqua d'une voix neutre :

— On dirait que ton ami Laurens est là aussi. Il n'a vraiment peur de rien !

— Tu reconnais sa voiture ? fit-elle, de nouveau tendue comme un arc.

— Oui, elle était garée juste devant notre porte hier soir, tandis que Laurens faisait le guet sous le porche. Il m'a mis le grappin dessus alors que je revenais de la clinique.

Après un silence, elle lui dit d'une voix monocorde :

— Vraiment ? Et tu ne me le dis que maintenant ?

— Quelle importance ? Je l'ai fait déguerpir.

Et c'est la raison pour laquelle, les mots sortirent de sa bouche sans qu'elle puisse en interrompre le flot.

— Il refait surface ici, dans l'espoir que tu acceptes

enfin de lui parler ? Leander, il ne savait même pas que nous serions ici aujourd'hui, ou dans les environs. Voici deux heures, nous l'ignorions, nous aussi.

— C'est vrai, mais lui savait fort bien que Yaja passait le week-end ici. Je le lui ai dit moi-même.

Le désarroi la gagna. Mon Dieu, penser que Laurens poursuivait sérieusement Yaja de ses assiduités paraissait infiniment plus absurde que son intention d'obtenir des informations de Leander ! Même un gamin aurait compris ça !

Pas Leander, apparemment, car il ajouta :

— Bref, avec la présence de Laurens, nous avons une raison supplémentaire de ramener Yaja.

D'où tenait-il donc ces idées paranoïaques ? Elle en eut la chair de poule. Lorsque les gens se persuadaient de manière obsessionnelle qu'eux-mêmes ou leurs proches étaient harcelés, que se passait-il alors dans leur tête ?

Mais on ne pouvait poser certaines questions sans mettre en péril, du même coup, son propre bonheur. La voix de Veronica sonnait encore à son oreille. Elle était en nage et, pour s'empêcher de continuer sur cette voie, elle s'accrocha brièvement à l'image de son amie qui se dressait devant elle comme un repère fidèle et rassurant. Elle se souvint de l'occasion, peu de temps avant sa mort, où Veronica lui avait fait part de la curiosité inhabituelle avec laquelle Laurens avait réagi à son aventure. « Il ne cesse de me demander des précisions qu'il ferait mieux d'ignorer. » Partant de l'idée que le caractère absurde de la situation le ferait rire autant qu'elle, elle lui avait sans plus réfléchir raconté l'affaire. C'était stupide. Rien de nouveau sous le soleil : on pensait connaître quelqu'un comme sa poche, et malgré cela, après bien des années, tel trait de caractère inattendu apparaissait au grand jour. Comment s'en accommoder ? Comment refermer la boîte de Pandore, lorsque l'on voyait soudain des choses auxquelles on aurait préféré ne pas être confronté ? La suggestion de Beatrijs : « Concentre-toi pendant un certain temps sur ses bons côtés et ne fais pas trop attention au reste. » Mais Veronica, abattue, avait répondu : « Cela ne marchera jamais, j'ai trop tendance à pinailler. Ce serait plutôt ton registre. S'il y a une chose que tu possèdes, c'est bien le don d'admirer tes semblables. »

À côté d'elle, Leander dit :

— Hier, j'aurais dû me montrer beaucoup plus dur avec lui, ce sale fouineur.

Il descendit et fit le tour de la voiture. Il attendit pendant qu'elle se débattait avec les béquilles.

Son genou ne pouvait que la faire souffrir après avoir gardé la même position durant une si longue période, mais elle s'en aperçut pourtant à peine. « Le don d'admirer ses semblables », voilà ce que Veronica avait dit. Elle ne possédait pas tant ce don. Avec l'impression vague d'avoir été dépossédée de quelque chose, elle s'extirpa de la voiture et clopina derrière Leander vers l'entrée de la ferme.

Dans la cuisine de tante Gwen régnait, comme toujours, le plus grand désordre, mais on voyait que les choses avaient du plaisir dans la façon dont elles étaient disséminées. Sinon pour quelle raison une chaussette élirait-elle domicile dans la corbeille à fruits, ou un morceau de fromage avec un couteau planté de biais dans une passoire renversée ?

Niels s'imagina qu'à la nuit tombée, lorsque les gens dormaient, tous les objets se racontaient leurs aventures. Vous ne devinerez jamais ce qui m'est arrivé aujourd'hui, chère cuillère en bois. Parbleu, monsieur gant de cuisson, ne me forcez pas à tout vous révéler. S'il avait été un objet, il se serait bien plu dans cette cuisine, lui aussi ; sinon, il aurait aimé se trouver dans un catalogue de cadeaux pour les fêtes, parmi de superbes modèles de Dinky Toys, choisis avec soin pour faire plaisir à quelqu'un.

Ces idées saugrenues lui plaisaient, mais, après un certain temps, il comprit qu'elles lui venaient à l'esprit uniquement pour éviter qu'il ne pense à d'autres choses. Tout se passait comme s'il y avait dans sa tête un petit bonhomme mettant toute son énergie à lui écrire des lettres amusantes, rien que pour le distraire. Malgré le capharnaüm familier, l'atmosphère dans la maison était différente. Plus pesante. Plus étrange. Babette dormait paisiblement dans son berceau, le trouble ne venait donc pas de là. On avait pourtant l'impression que dans une de ces encoignures sombres et sans ordre se cachait l'innommable, prêt à frapper, à achever une chose mise en mouvement il y a long-temps, peut-être par accident. Mais n'était-ce pas caractéristique des malheurs et des catastrophes de ne jamais les voir arriver ?

À côté de lui, Toby se concentrait sur son chocolat qu'il buvait bruyamment, mais Niels sentait que son frère risquait à tout instant de recommencer à s'ennuyer. Comme dehors, juste avant de prendre le chocolat. Et cela alors qu'ils s'étaient bien amusés dans le rucher où normalement personne n'avait le droit d'aller. Tout le monde y était fort occupé à démolir les ruches et à en transporter tous les morceaux. Pendant quelque temps, il avait participé aux travaux avec une énergie farouche, aspirant à montrer aux filles qu'il tenait son rang. Non, mais ! Cependant, lorsque Toby, dont les bras se révélaient trop courts pour toutes ces activités, s'était mis à renifler, sa tante avait dit : « Rentre avec lui à la maison, Niels, tu y trouveras papa et Timo, et prenez une boisson chaude. »

Et c'était ainsi qu'ils se trouvaient maintenant à cent lieues de toute action. Si Toby avait un jour la chance de devenir un objet, lequel serait-il ? Une petite chose bête, évidemment. Un bâton de glace, par exemple. Seulement, le morpion ne manquerait pas de se dire immédiatement qu'il appartenait à un Magnum. Exaspéré, il lui envoya un coup dans les côtes.

En entendant les hurlements de son petit frère, leur père leva les yeux des dossiers volumineux sur lesquels oncle Timo et lui étaient penchés, à l'autre bout de la table de la cuisine. Il remonta ses demi-lunes sur le front.

— Niels, si tu tiens absolument à faire des âneries, va les faire ailleurs.

— Eh ! Laurens, excuse-moi, mais comment se fait-il que ces chiffres soient justes d'après toi ?

Oncle Timo tapota une des colonnes.

— C'est la comptabilité du magasin. J'ai bien l'impression que chez Bobbie tout est impeccable, au centime près.

Niels souffla à Toby, en se cachant derrière sa main :

— Tu deviendras le minable bâton d'une glace à l'eau.

Son cadet était d'un avis différent. Il s'énerva et se mit à marteler le grand frère de ses petits poings.

— Niels ! Toby !

Oncle Timo se redressa aussi à son tour et s'appuya contre le dossier de sa chaise.

— Yaja se trouve en haut, les enfants. Allez donc vous amuser tous ensemble.

Niels inspira profondément. Il cessa de parer les coups de Toby.

— C'est vrai, Yaja est ici ?

— Oui, elle passe le week-end avec nous.

Oncle Timo se replongea dans le dossier avec les chiffres.

Peut-être était-ce l'explication de la menace sourde qu'il avait perçue à l'instant : Yaja se trouvait dans la maison. Il n'avait aucune envie de rencontrer la grotte à stalactites. Seulement, si elle acceptait de s'amuser avec Toby, il pourrait peut-être, lui, retourner au rucher. Il se mit debout et tira le morpion derrière lui. En passant près de son père, celui-ci l'arrêta. À voix basse, il lui dit : « Ne te laisse pas entraîner dans des jeux que tu pourrais regretter par la suite, compris ? »

Machinalement, Niels hocha la tête. Puis, poussant son petit frère devant lui, il sortit de la cuisine en courant, traversa le couloir, grimpa l'escalier.

La porte de la chambre d'amis, donnant sur le palier, était ouverte. Couchée de tout son long sur le lit du bas, Yaja feuilletait un magazine. Les longues mèches de ses cheveux noirs et mats retombaient négligemment au-delà du bord du matelas. Elles étaient si longues qu'elles touchaient presque le sol. Elle leva les yeux et les regarda avec une expression mauvaise.

— Putain, fit-elle, voilà les nains !

— Salut, dit Niels en montrant le moins possible ses sentiments.

Toby s'inquiéta :

— C'est mon lit. Je dors toujours là quand on est ici.

— Et alors ?

Yaja referma la revue. Elle mit tant d'effort à bâiller que l'on voyait jusqu'au fond de sa gorge. Puis elle s'assit sur le bord du lit et se gratta sous l'aisselle d'un air absent, après quoi elle renifla le bout de ses doigts.

— Je m'ennuie à mourir. Tout ce qu'il y a à faire ici, c'est de travailler dans ce champ dégueulasse. Et si t'as pas envie d'aller en chier, tu te débrouilles toute seule. Encore heureux que j'aie appelé mon père. Elle claqua des doigts : Il va bientôt venir me chercher.

Toby se hissa sur le lit à côté d'elle.

— Niels dit que je deviendrai un bâton de glace à l'eau.

Une lueur d'intérêt anima le visage de Yaja.

— Ah oui ? Et comment vas-tu t'y prendre ? Dans une prochaine vie peut-être ? Crétin ! C'est impossible de se réincarner plus bas qu'une plante ou un animal, tu captes ? Et pour arriver à ce résultat, il faut au moins avoir buté cinquante-huit incapables ou coupé les mains de ta mère, banane.

S'ils n'accéléraient pas le mouvement, son père arriverait bientôt et Niels perdrait toutes ses chances de retourner au rucher faire admirer sa puissante musculature.

— Tu ne voudrais pas lui lire une histoire ? Il aime beaucoup *Le Livre de la jungle*. L'album se trouve dans la chambre de Klaar et Karianne.

Yaja ne parut pas l'entendre. Se servant de ses ongles noirs comme d'un râteau, elle ôta les cheveux qui lui pendaient devant le visage, découvrant ainsi, au-dessus du fard blanc, une fine bande rose, comme une peau nouvelle se formant sous une croûte, ou comme s'il y avait deux Yaja, l'une cachée derrière la cuticule dure de l'autre. Elle dit lentement :

— Sais-tu ce qui serait le pied pour moi ? De me réincarner sous la forme d'un chat. On peut s'installer sur les genoux de tout le monde, on vous caresse toute la journée, et tout le monde vous adore.

Au même instant, une porte claqua dans le couloir et Babette se mit à pleurer en chevrotant.

— Et pour le mériter, il suffit de mener une vie de tire-au-flanc. Ça, c'est encore le plus beau. L'expression d'envie avait quitté le visage de Yaja : Allons voir ce qui se passe avec Babette.

Elle risquait de lui échapper. Tenant Toby par la main, Niels courut à la suite de Yaja vers la chambre du bébé. La nursery sentait le talc et le linge mouillé. Babette hurlait au fond du berceau, le visage rouge comme une tomate. Elle serrait les poings, agitait les jambes. On aurait dit qu'elle menaçait à tout moment d'exploser.

Yaja la souleva.

— Mais qu'y a-t-il, mais qu'y a-t-il, mon adorable petite chose ? roucoula-t-elle avec une voix de fausset.

— Elle veut peut-être un biberon, risqua Niels. Les bébés mangent toute la journée, tout le monde sait ça.

Yaja mit Babette dans ses bras et se mit à la bercer vigoureusement.

— D'après moi, elle a envie de faire une promenade dans son chariot. Ce Timo lui a construit une voiture trop marrante. Hier, j'ai fait une marche d'au moins une heure avec elle. Hé, la petite brailleuse, ferme ton clapet, sinon ils finiront par croire ce que Bobbie a raconté sur toi.

— Elle a raconté quoi ?

Le goût du sensationnel se peignit sur le visage de Yaja.

— La dernière fois, Babette avait l'air d'être malade, mais, d'après Bobbie, elle était en réalité possédée par le diable. C'est cool, hein ?

Niels ne pipa mot, décontenancé. Et, par réaction, Babette se tut également. Elle était encore cramoisie et son nez fripé gardait la marque des pleurs. Elle saisit une poignée de cheveux de Yaja et tira.

— Possédée par le diable, répéta Yaja, solennelle. Vous voyez bien.

— Moi aussi ! s'écria Toby, tout feu tout flammes.

— Il ne faut pas non plus exagérer, toi, arrête de planer.

Toby trépigna. Il devint presque aussi rouge que Babette. « Si ! »

Niels bouillait de partir. Une fois les ruches à cadres démolies, elles allaient être brûlées. Il n'était pas sûr de pouvoir un jour pardonner à Toby si celui-ci lui faisait rater cette flambée.

— J'ai ça aussi, avec le diable ! cria son petit frère.

— Attends un peu, reprit Yaja. Elle parut soudain s'animer : Si tu veux, je peux faire un test pour voir si tu as raison. Comment faisait-il déjà, le mec, dans *L'Exorciste* ? Je reviens tout de suite.

Le visage de Toby s'éclaira.

— Allez, d'accord, dit Niels rapidement.

Avant que Yaja ne puisse changer d'avis, il avait déjà quitté la nursery, heureux d'avoir casé Toby. Il descendit en vitesse, annonça, une fois dans la cuisine, au dos de son père qu'il se rendait au rucher, attrapa son blouson et sortit en courant. Nulle trace de fumée à l'horizon : il arriverait probablement à temps.

Il piqua un sprint sur l'allée gravillonnée, passa devant la maison de Bobbie, puis plongea dans les fourrés pour prendre un raccourci. C'était ici qu'ils avaient joué au Mangeur d'homme, l'été dernier. Des années semblaient s'être écoulées depuis.

Il s'immobilisa à la lisière du rucher. Ce matin

encore, on distinguait nettement la physionomie qu'avait toujours eue le champ, avec la double rangée de ruches posées sur leurs pieds instables et, près de la grange, le rayonnage avec les ruches-paniers destinées aux colonies errantes. Mais, durant son absence, les filles n'étaient pas restées les bras croisés : plus rien ne rappelait le domaine où son oncle circulait, toujours en sifflotant avec son costume de cosmonaute et son enfumoir, où les abeilles allaient et venaient, des pelotes de pollen sur les pattes arrière. Partout gisaient des planches brisées que les Anges transportaient avec des mines décidées jusqu'au bûcher qui atteignait déjà une hauteur appréciable. Klaar et Karianne s'acharnaient à réduire à l'état d'allumettes un fragment de bois, au moyen d'un pied-de-biche. Leur mère prenait un peu de repos, appuyée sur une fourche. Elle aperçut Niels et lui fit un grand signe. Malgré la gaieté du geste, elle avait l'air triste et fatiguée.

Il se souvint soudain à quel point il s'était emporté contre elle cet été parce qu'elle semblait avoir complètement oublié sa mère. Sa colère avait été si grande, qu'il avait également souhaité la disparition de Babette pour lui donner une leçon. Qu'il soit impossible de faire disparaître quelqu'un par un simple souhait importait peu, il avait voulu lui tendre un piège. Et peu importait également qu'elle ne soit au courant de rien. Lui le savait. Il s'approcha en traînant les pieds.

— Salut, Niels. Timo et Laurens sont toujours en train de travailler ?

— Je n'en sais rien.

Afin de ne pas être obligé de la regarder, il fixa obstinément les monceaux de bois.

— Quelle pagaille, hein ?

Il hocha timidement la tête.

— Et dire que nous ne sommes pas loin de la journée la plus courte de l'année. Normalement nous aurions dû commencer depuis longtemps le nourrissage. L'abeille d'été a une durée de vie de six semaines, mais l'abeille d'hiver vit pendant six mois. Tu savais ça ?

— Arrête, m'man, dit Marleen en jetant un faisceau de planches par terre. On dirait papa.

— Ah bon ?

Gwen avait l'air assez étonnée.

— Incroyááble comme la grappe maintient par elle-mêême une température préciise de dououze degrés, se moqua Marise.

Klaar et Karianne éclatèrent de rire.

— Oui, au cours de la trêve hivernale, le nombre d'abeilles constituant un essaim se réduit spontanément à un quart du total, déclara Marleen à Marise.

— Nom d'une pipe ! Marise se frotta les mains tout en parlant : On ne se lasse jamais de les observer, pas vrai ? C'est un perpétuel étonnement.

Gwen se mit à rire aussi maintenant. En prenant le ton de celle qui peine à reconnaître les faits, elle dit :

— Oui, eh bien, l'enthousiasme n'a jamais fait défaut ici, en tout cas. Allez, les filles, il nous reste encore beaucoup de boulot. Niels, tu nous donnes un coup de main, toi aussi ?

Il était honteux d'avoir voulu lui faire tant de mal cet été. De toutes ses forces, il tenta d'imaginer quelque chose qui lui fasse plaisir à entendre.

— J'ai beaucoup appris sur les abeilles avec oncle Timo.

— Je veux bien te croire.

Elle prit la fourche en main.

— Par exemple... Il réfléchit intensément : Une

341

population forme en réalité un seul être vivant, parce que les abeilles ont toutes exactement le même but qui est de rester ensemble et en bonne santé.

La remarque la toucha, elle dit :

— En voilà une leçon !

Puis elle se détourna.

Marleen lui envoya un coup dans l'épaule.

— T'as l'intention de te remuer un peu, mauviette ?

Il cracha immédiatement dans ses mains, courut jusqu'au bord du champ et se mit à transporter des planches.

Laurens ôta ses lunettes. Il se frotta les yeux.

— Cela dépendra évidemment beaucoup de la rapidité avec laquelle tu pourras te mettre à récolter de nouvelles populations, au printemps prochain, dit-il, mais, dans les grandes lignes, l'entreprise a toujours tourné de manière si régulière que l'obtention d'un crédit relais ne devrait pas poser de problèmes. Et, d'après la comptabilité, les ruches qu'il faut maintenant détruire sont déjà amorties. Il faut envisager la situation comme une relance d'activité.

Il leva la tête. N'avait-il pas entendu Toby pousser un cri de frayeur à l'étage ? Mais le silence était déjà revenu.

— Ça ne me dit rien, cette histoire de relance, répondit Timo.

Il se versa une nouvelle tasse de café.

— C'est comme ça qu'on dit de nos jours, lorsqu'on remonte la pente après être tombé au fond.

— Sérieusement, tu crois que c'est possible ?

— Je tenterais sûrement le coup, si j'étais toi. Et reprends un comptable digne de ce nom. Les économies compenseront largement le salaire que tu lui verseras, je t'assure.

Il lui lança un sourire encourageant, espérant qu'il voyait juste. Lorsque l'on souhaite ce qu'il y a de mieux pour quelqu'un, le jugement s'en trouve parfois faussé.

Timo se laissa aller en arrière.

— Quel soulagement, mon vieux...

On frappa discrètement à la porte de la cuisine et il se retourna. Laurens regarda également par-dessus son épaule.

— Beatrijs, dit Timo.

Son visage s'éclaira en la voyant.

— Holà, Timo, dit Beatrijs dans l'embrasure de la porte.

Leander se tenait à côté d'elle. Timo bondit sur ses pieds, s'approcha d'elle et l'embrassa.

— Ça alors, ils ont fini par te laisser partir ? Comment tu te sens sur tes deux jambes ?

— Pas très stable. Maniant avec prudence ses béquilles, Beatrijs s'avança dans la pièce, visiblement tendue et mal à son aise : Bonjour, Laurens. Tu es là aussi ?

Il demeurait interloqué. Comme un automate, il tira une chaise pour qu'elle puisse s'asseoir.

— En voilà une fille courageuse ! Il fallait que tu viennes tout de suite nous montrer tes nouvelles acrobaties ?

Elle eut un rire nerveux.

— Je ne m'y suis pas encore faite. Ouf, cela fait du bien de s'asseoir !

— Tu n'as pas besoin d'un support pour ta jambe ? dit-il pour repousser le moment où il lui faudrait saluer Leander qui s'approchait à pas lents.

343

Il avait peur de débiter des absurdités dès qu'il ouvrirait la bouche. Mais un calme étrange se fit rapidement en lui. Ce qu'il pouvait dire de plus absurde se résumait au pire à : D'un certain point de vue, tu n'avais pas tort en affirmant que je ne pensais qu'à moi.

— Je file chercher Gwen, dit Timo. C'est fou ce qu'elle sera contente de te voir, Beatrijs.

Joignant le geste à la parole, il se faufila à côté de Leander et franchit la porte de la cuisine. Indéniablement, il devait y avoir des avantages à être un Timo.

Un silence s'installa. Puis Leander dit :

— On aura décidément tout vu, Laurens. Nous sommes venus chercher Yaja.

Il se posta près de l'évier et examina ses mains.

Laurens sentit immédiatement tous les signaux passer au rouge tant l'antipathie qui montait en lui était intense.

— Parfait, dit-il en se levant. Mais puisque vous êtes là, je pense que Bobbie aura plaisir, elle aussi, à discuter avec Beatrijs.

Avec le sentiment d'être le plus grand lâche que la terre ait porté, il s'engagea dans le couloir conduisant au magasin. L'ampoule faiblarde sous laquelle il avait agrippé pour la première fois Leander, voici bien des mois, menait toujours une existence précaire au bout de son fil. C'est ici qu'ils avaient parlé. Le dialogue n'avait mené à rien, mais alors pourquoi sa conscience le travaillait-elle ainsi ? Était-ce parce que, de manière inattendue, il y avait bien eu un résultat, mais qu'il ne possédait tout simplement pas la grandeur d'âme nécessaire pour reconnaître cette avancée ?

Il poussa la porte du magasin, l'esprit encore absorbé par ce débat intérieur.

Assise derrière le comptoir, Bobbie dormait. Elle ronflait doucement, la tête penchée de côté. À en juger d'après son bloc-notes, elle n'avait pas eu un seul client jusqu'à maintenant.

Il lui toucha l'épaule.

Elle se redressa d'un coup.

— Tiens, Laurens, fit-elle, recouvrant immédiatement ses esprits. Tu tires une de ces têtes !

— Dis-moi honnêtement : est-ce que je suis un lâche ?

Elle rit.

— Pas tout le temps, non.

— Eh bien, tout n'est pas perdu. Beatrijs est là. Tu as sûrement envie de lui parler.

— Formidable. Mais alors, il faudra que tu surveilles le magasin.

Qu'elle était belle, la solution ! Plein de gratitude, il répondit :

— Cela va sans dire.

Elle enleva sa blouse et la lui donna.

— Fais bien attention en rendant la monnaie, hein. Les bougies roulées sont en promotion cette semaine.

— Deux pour le prix d'une ?

— Ben oui, tu pensais à quoi ?

Elle l'examina tout à coup comme si elle doutait de ses capacités.

— Bobbie, tout est sous contrôle. Je t'assure, il ne peut rien arriver.

Une fois qu'elle eut quitté la boutique, il passa la blouse après une légère hésitation, ignorant si telle avait été l'intention de Bobbie. Le vêtement le serrait aux entournures, mais quelle importance ? Si seulement on pouvait s'approprier, en même temps que le costume, la personnalité de quelqu'un. À n'en pas douter, le cœur de Bobbie était bien plus serein que le sien.

Il prit place sur sa chaise. Il croisa les bras sur le comptoir et posa sa tête dans leur creux. L'image de Niels, hier, avec le parfum de Veronica dans la main lui revint à l'esprit et, de nouveau, ce fut comme si le sol se dérobait sous ses pieds.

Pendant tout ce temps, elle n'avait jamais cherché à le persécuter. Comment aurait-elle pu ? Elle était morte. Voilà son véritable châtiment : elle était morte, elle appartenait définitivement au passé, elle était partie pour toujours.

Ils avaient essayé de la ranimer. Pendant une partie de la nuit, il était resté à côté d'elle, près du moniteur, anéanti par l'angoisse et les remords. Lorsque les derniers espoirs s'étaient évanouis, le médecin de service lui avait expliqué que personne, même jeune et en excellente santé, n'était à l'abri d'une rupture d'anévrisme à l'issue fatale.

Seulement, dans le cas présent, il y avait bien une raison. Ce soir-là, il l'avait soumise pour la énième fois à un interrogatoire épuisant concernant son aventure récente dans le train. Dès son retour du travail, sans même enlever son manteau, il s'était lancé dans une violente diatribe. Pris d'inquiétude, Niels était venu aux nouvelles, et était entré au moment où il la traitait de traînée.

— C'est quoi, une traînée ?

Il avait réussi à se dominer, mais pas pour longtemps. À peine les enfants furent-ils couchés que déjà ses sentiments meurtris reprirent le dessus.

— Allez, raconte un peu, vous avez joui en même temps ?

— Laurens, c'est toi que tu fais souffrir avec toutes ces questions.

— Ou il a été un gentleman ? Il t'aura laissé la priorité avant de décharger son sperme.

— Arrête de me harceler, je suis à bout.

— Et d'ailleurs, jusqu'à quel point vous êtes-vous déshabillés ? Comment dois-je vous imaginer dans ce train ? Il pouvait mettre la main sur tes nichons ?

— C'est malsain, tu sais, ta façon...

— Je pense bien ! C'est plus sain de se faire sauter par le premier ado venu. Au fait, il avait déjà des poils sur les couilles ? Veronica ? Je t'ai posé une question !

Il ne savait même plus ce qu'il voulait, mais il puisait dans ses questions une énergie renouvelée. Pendant des heures il avait continué ainsi, la repoussant dans ses retranchements. Il voulait tout connaître dans les moindres détails, finalement incapable de distinguer si son écœurement visait uniquement Veronica, ou s'il en était, lui aussi, l'objet. Il avait insisté encore et encore avec le vague espoir de retrouver son calme le jour où il aurait fait l'inventaire complet de tout ce dont sa femme était capable. Qu'il ne puisse se représenter chaque geste le rendait fou.

Mais, quoi qu'il manœuvrât, provoquât, menaçât, implorât, elle n'avait presque rien lâché. Il n'en serait que plus malade, avait-elle dit. Ah oui ? Vraiment ? Quelles proportions spectaculaires avaient donc pris leurs exploits pour qu'elle juge nécessaire de lui cacher les faits ? Si des informations plus précises risquaient de le rendre hystérique, cela ne pouvait avoir qu'une seule signification : le problème était beaucoup plus important qu'il ne l'avait craint. Alors il ne s'agissait plus d'un accident de parcours, mais d'un épisode inoubliable.

— J'aurais depuis longtemps oublié l'affaire, Laurens, si tu ne t'entêtais pas à y revenir, jour après jour.

— Ah bon, donc c'est comme ça que tu fonctionnes ? Tu t'en fous de qui te plante sa queue entre les jambes, une petite baise et on retourne à l'ordre du jour ?

Et même si elle ne se montrait guère loquace, chaque mot qu'il réussissait à lui extorquer augmentait ainsi indéniablement le poids de sa faute. Avec toute la force de sa volonté, Laurens la maintenait au pied du mur, réceptif jusqu'aux moindres détails à ses contradictions, inversions ou faux-fuyants. Il n'avait rien d'autre pour s'accrocher que sa propre obstination. Il suffisait de continuer, voilà tout. Personne ne résisterait à un tel interrogatoire, conduit sans terme ni répit.

Était-elle déjà brisée ?

Elle l'avait regardé calmement et dit : « Tu es ridicule, tu sais ça ? »

Mais ce calme n'était qu'une apparence. Ses lèvres tremblaient. Elle était devenue aussi blanche que la chemise qu'elle portait et la sueur avait perlé sur son front. Ses yeux s'étaient révulsés. Elle avait ouvert la bouche comme si elle étouffait, puis glissé avec un mouvement latéral de la chaise, sur laquelle elle était restée assise toute la soirée, murée une fois de plus dans un silence entêté, et, après être tombée sur le sol avec un bruit mat, elle était demeurée étendue à ses pieds.

Pendant une seconde, il avait cru à un subterfuge. Elle se serait jetée à terre par accablement, un peu comme Toby faisait parfois lorsqu'il était excité au-delà de ses forces. Elle allait l'agripper par les chevilles et le conjurer de mettre un terme à son supplice.

Le souvenir l'ébranla avec tant de violence qu'il quitta sa place derrière le comptoir et fit les cent pas dans le magasin. Se pouvait-il que, même dans le cerveau d'une femme aussi alerte et en bonne santé que Veronica, un vaisseau sanguin en vienne spontanément à se rompre ? Mais cette probabilité ne devenait-elle pas infiniment plus grande lorsqu'une personne était sans arrêt provoquée, tourmentée, mise sous pression ? Dans ses derniers instants, elle a dû se dire : Laurens préfère encore me voir morte, plutôt que de ne plus en parler.

Et pourquoi ? Pour l'unique raison qu'il avait rapporté toute l'histoire à lui-même. Parce qu'il n'avait pensé, en effet, qu'à lui. Et qu'il avait continué ainsi, même après la mort de Veronica. Il avait arraché sa femme à sa tombe et l'avait transformée en une ombre vengeresse.

De ce point de vue également, Leander avait vu juste. Il ne l'avait pas laissée partir avec un geste d'amour, il ne lui avait pas accordé le repos. Bien au contraire. Arrive un peu ici, Veronica, viens me faire payer mes erreurs. Son raisonnement reposait là-dessus : en soldant les comptes, on finissait par acquitter sa dette. Voilà le but : sa culpabilité était réduite à néant. Effacée.

Il s'immobilisa devant la fenêtre et regarda dehors. La cour avait l'air abandonnée. Nul mouvement sur la route longeant le canal. C'était une journée maussade, une de ces journées où la plupart des gens préféraient rester bien au chaud. Pour Veer, le temps n'avait jamais eu d'importance. Elle aurait eu plaisir aujourd'hui à faire une grande promenade, et lui décrire après son retour les courlis cendrés qu'elle avait vus dans un pré inondé, ou le couple de cygnes d'une espèce moins connue, pas des cygnes tuberculés en tout cas, ils étaient beaucoup plus fins, peut-être s'agissait-il de cygnes sauvages descendus de la lointaine Laponie pour hiverner ici.

Il sentit les regrets l'anéantir. Douze années durant, elle avait été son alliée, sa compagne, drôle, avisée, belle comme le jour. Elle avait pris le large en sa compagnie et lui avait permis de garder le cap, elle l'avait taquiné et s'était moquée de lui. Pas un jour n'avait passé sans qu'elle trouve le moyen de l'étonner, elle l'avait réchauffé jusqu'à la moelle, elle lui avait appris à jouer au poker et à repasser ses chemises, et l'avait toujours soutenu, présente à son côté dans sa petite robe couleur bleuet. Et lui n'avait même pas su rendre justice à sa mémoire.

Gwen avait dit, après l'enterrement : « C'est étrange, mais lorsque la mort vient si brusquement, je me dis toujours que le destin existe. »

Mais quand bien même la mort prématurée de sa petite Veer, suite à une hémorragie cérébrale un soir de printemps, eût été fixée par avance, ils auraient également pu se trouver ensemble au lit et faire l'amour à ce moment-là. Voilà ce qui importait.

Clignant des yeux pour chasser les larmes, il se dirigea vers l'étagère où Bobbie empilait avec tant d'art les pots de miel. Il prit du miel de thym, celui qui était excellent pour les voies respiratoires. Devant le comptoir, il sortit son porte-monnaie et régla en faisant l'appoint. Il mit l'argent dans la caisse, glissa le pot dans sa poche et traça un trait dans le bloc-notes de Bobbie.

Le nettoyage du rucher avait affecté Gwen plus que prévu. Elle se promenait comme une âme en peine sous les tilleuls décharnés, longeant les parterres où chaque année au printemps avaient fleuri le skimmia, la giroflée des murailles et le mahonia ; puis le bleuet de champs, la lavande, la verge d'or et l'herbe aux vipères en été ; et enfin la bruyère, la renouée grimpante et une grande quantité d'asters violets avec un cœur jaune à l'automne : à chaque fleur sa saison. Tout avait été si clairement ordonné. Presque comme s'il existait une certaine forme de permanence qui ne pouvait que se perpétuer paisiblement.

Les enfants traînaient les derniers morceaux de bois vers le bûcher. Le moment de l'allumer approchait. Elle se demanda s'il fallait appeler Timo, et la question la troubla. Ne savait-elle donc pas s'il souhaitait ou non être présent au moment où ses ruches partiraient en fumée ? Elle n'eut pas à résoudre ce dilemme : le principal intéressé arrivait.

Sa démarche avait quelque chose de joyeux qui n'était pas loin de paraître déplacé : il avançait comme sous un ciel bleu immaculé. Pourquoi diable était-il donc toujours si vif et serein ? On aurait dit un de ces poussahs d'antan. Rien au monde ne réussissait à les renverser. Il demeurait imperturbable, comme il l'avait toujours été, tandis qu'il marchait parmi les décombres de son rêve.

— Beatrijs est là ! lui cria-t-il.

Elle s'inquiéta.

— Comment ça ? Elle n'est sortie de la clinique que ce matin et elle est venue directement ici ?

— Je ne lui ai pas demandé le pourquoi de sa visite.

Timo regarda autour de lui. Vous avez bien avancé, dites donc. Mais, qu'en penserais-tu si nous mettions au fond à gauche quelques parterres de bruyère erica pour varier ? Si on achète les plantes maintenant qu'elles sont petites, elles nous coûteront trois fois rien.

Gwen était beaucoup trop alarmée pour l'écouter. Bea avait-elle déjà eu vent de la situation, venait-elle exiger des explications ? Que pouvait-elle lui dire ? Ah, ma chérie, ce sont des choses qui arrivent, quelle importance alors que nous avons eu toute notre vie une confiance aveugle l'une envers l'autre, et ce dès l'époque où tu étais Betsy Boule et moi Daisy Duck ? Quelle importance si un jour chacune de nous a écrit dans l'album de l'autre : « La rose la plus belle ne dure qu'un instant, mais l'amitié fidèle dure éternellement. » Cela pèsera-t-il dans la balance que, encore gamines, nous ayons échangé dans un élan de tendresse nos bonnets et porté avec fierté nos gants respectifs, et, plus tard, fidèlement recopié nos devoirs, que nous ayons fumé ensemble notre première cigarette et acheté ensemble les premiers préservatifs, que nous nous soyons mutuellement défendues vis-à-vis d'adultes soupçonneux, que nous n'ayons pas eu une larme ou un rire sans les partager ? Mais qui cela intéresse-t-il ? Notre amitié remonte à une époque où le mal de ce monde n'avait encore aucune prise sur nous, mais les temps ont changé, ma fille, nous sommes entrées dans l'ère où les bébés sont volés en plein jour puis replacés quelques mois plus tard, comme si de rien n'était, au même endroit, sans que l'on soit supposé ressentir la moindre inquiétude ; bref, une ère où tout ce qu'on a toujours cru impossible tient à présent le haut du pavé. Mieux vaut ne plus avoir confiance en rien. Car maintenant c'est chacun pour soi.

Avec un sursaut, elle pensa : Je refuse d'être quelqu'un comme ça.

— Tu ne veux pas les rejoindre, Mop ? demanda Timo. Je me charge de finir ici avec les enfants.

La tête lui tournait légèrement pendant qu'elle s'éloignait des massifs dépeuplés où les skimmias, les verges d'or et les milliers d'asters avaient fait travailler année après année les abeilles. Prête au pire, elle mobilisa son énergie et entra dans la cuisine.

Beatrijs et Bobbie discutaient, installées à la table encore encombrée par les papiers de Timo. Leander buvait son café près de l'évier. Elle n'avait pas réfléchi au fait qu'il serait également présent puisque Beatrijs n'était évidemment pas en état de conduire. Il posa sa tasse et lui fit un signe de la tête distant, la laissant imaginer, durant un moment bref et plein d'espoir, que rien ne s'était produit entre eux ; immédiatement après, pourtant, elle se sentit vide et déçue.

— Gwen ! s'écria Beatrijs.

Elle tenta avec maladresse de se lever, heureuse de la revoir de toute évidence.

— Ne bouge pas ! Gwen fit de grands gestes avec les bras, oscillant entre le soulagement et la culpabilité : Mais qu'est-ce que tu fais ici, tu es folle ? Tu ne crois pas que tu devrais te trouver chez toi, allongée sur un canapé avec une théière près de toi ?

— Leander est venu chercher Yaja. J'ai pensé que ce serait plus gentil de l'accompagner.

— Ah bon ? Mais je pensais que Yaja allait passer tout le week-end ici.

— Elle est en haut ? intervint Leander d'une voix atone. Si c'est le cas, je vais tout de suite la prévenir.

Il devait être dans ses petits souliers, lui aussi. La tête rentrée dans les épaules, il quitta la cuisine.

353

Beatrijs se pencha immédiatement en avant.

— Je ne sais pas comment aborder la question sans te mettre dans l'embarras, Gwen. Son regard exprimait autant le souci, qu'une certaine nervosité : Où en sont réellement vos finances ? Tu sais bien que vous pouvez toujours faire appel à moi, hein ? Si vous avez besoin d'une avance, n'hésite pas à m'en parler.

Elle manqua se sentir mal devant l'expression franche et loyale de ses yeux bruns. Pour se donner une contenance, elle réajusta sa queue-de-cheval.

— Tu dis ça maintenant, mais il nous faut beaucoup d'argent, tu peux me croire, dit Bobbie en secouant la tête. Il y a tout plein de monde ici.

Ces paroles augmentèrent encore les tourments inté-rieurs de Gwen. Beatrijs n'avait que Leander. D'une voix étouffée, elle répondit :

— C'est vraiment adorable de ta part, Bea, de faire une telle proposition alors que c'est à cause de nos petites crapules que tu es restée estropiée pendant des mois.

— Mais c'est Yaja qui avait tout manigancé. Ne t'y trompe pas, cette petite peste ne recule devant rien. Attends un peu que je m'occupe de son cas. J'ai décidé qu'elle ne me ferait plus tourner en bourrique.

— Évidemment, non ! dit Bobbie étonnée. Tu donnes la main, on te bouffe le bras. Il n'y a qu'à voir Gwen. Elle aussi est beaucoup trop bonne pour ce monde.

— Mais Gwen n'est pas une godiche, contraire-ment à moi ; moi, je me laisse mener en bateau par ma propre fille en location.

Soudain, elle se fendit d'un large sourire qui chassa d'un coup toute la nervosité de ses traits. Ah, c'était merveilleux de pouvoir soulager son cœur.

— Viens nous parler tout de suite alors ! Bobbie tapota la main de Beatrijs : Moi et Gwen, nous ne sommes pas des arriérées, je t'assure.

Beatrijs parut marquer une hésitation.

— Honnêtement, vous me le diriez si vous pensez que je commets une erreur ?

Trois femmes autour d'une table dans la cuisine : la situation donna à Gwen l'impression qu'une pièce du puzzle retombait en place, tout à coup. À tout bien considérer, il existait réellement une forme de permanence, pourvu que l'on sache où regarder. Pour éviter de devoir répondre à Beatrijs, elle se leva comme si le souvenir d'un travail à accomplir lui était brusquement revenu. Elle se heurta presque à Leander de retour dans la cuisine.

Il avait l'air plus pâle que d'habitude. Tandis qu'il se tordait les mains, il lança :

— Il y a un problème avec le petit de Laurens. Il est couché par terre dans la nursery et ne réagit pas.

Sans une seconde d'hésitation, Gwen planta là Leander et s'engouffra dans le couloir. « Toby ! » cria-t-elle en montant l'escalier quatre à quatre. Arrivée en haut, elle s'élança dans la chambre du bébé.

Toby gisait sur le parquet jaune, face contre terre dans une flaque de vomi.

La gorge asséchée par la peur, elle s'accroupit près de lui. Et dire que dans sa maison pourtant tellement sûre, un accident arrivait à un enfant ! Mais peut-être l'endroit n'était-il plus sûr du tout. À cause de ses agissements, le mensonge habitait désormais sous ce toit. Outre le mal arbitraire qui frappait sans prendre quiconque en considération, il existait aussi le malheur que l'on provoquait soi-même. Dont on portait la responsabilité.

Elle s'exhorta au calme. Agir. Ne pas perdre une seule seconde. Tourner Toby doucement sur le flanc, voilà ce qu'il fallait faire, afin que le vomi puisse s'écouler. Les mains tremblantes, elle fit basculer l'enfant sur le côté gauche. Mêmes les narines étaient obstruées par une bouillie brune avec de petits morceaux blancs dedans. Elle insinua ses doigts entre les lèvres molles et écarta celles-ci. Un flot de vomissure jaillit. S'il te plaît, mon Dieu, s'il te plaît, ne fais pas ça à Laurens et Niels. Maintenant, commencer sans attendre le bouche-à-bouche, donc le mettre sur le dos. S'efforcer de stabiliser au mieux la position de la tête. Attends, d'abord voir si le cœur bat. Petit cœur, petit cœur, où es-tu ? Là. Il bat. Il bat encore. Était-il toujours aussi léger, le battement de cœur d'un enfant ?

Il lui apparut soudain que Bobbie était agenouillée à côté d'elle, le visage figé par l'horreur.

— Arrête ce cinéma, Toby, fulmina-t-elle. Tu m'entends ? Ton père n'a qu'un seul crocodile.

— Attends, je vais lui faire le bouche-à-bouche, dit Gwen.

Rassemblant tout son courage, elle inspira profondément et se pencha vers l'enfant.

Toby toussa. Ses cils frémirent. Ses sourcils s'arrondirent. Et soudain il ouvrit les yeux. Il la regarda d'un air atone. Puis, lentement, son regard s'éclaircit. « Beurk ! » s'exclama-t-il avant d'essuyer sa bouche.

Il fallut quelques instants pour que Gwen soit de nouveau capable de parler.

— Nous allons tout de suite te laver, Toby. Mais dis-nous d'abord si tu as mal quelque part.

Il secoua la tête avec une grimace de dégoût. Bientôt, il se mettrait à pleurer, c'était évident.

356

— Tu as l'air affreux, dit Bobbie, impressionnée. Il y en a partout, même dans tes cheveux.

D'un mouvement leste, elle leva Toby du sol.

« Bob-bie », dit-il, encore engourdi, mais ses joues commençaient à reprendre des couleurs.

Gwen se leva également.

— Je vais chercher Laurens.

— Il va s'affoler s'il voit Toby dans cet état.

Sur ce, sa belle-sœur se dirigea sans attendre vers la salle de bains. Elle avait raison bien sûr. Gwen la suivit pour prendre un seau et une serpillière.

Toby eut l'air éberlué lorsque Bobbie le posa tout habillé dans la cabine de douche. Mais dès que le jet l'effleura, il éclata de rire. Si ça, ce n'était pas interdit ! Il se mit à sauter de joie dans l'eau qui jaillissait en gerbes, donnant de nouveau l'image du bonheur de vivre.

Ayant l'impression d'avoir couru un semi-marathon, Gwen observait la scène, tâchant de rassembler son courage pour nettoyer le parquet.

— Tu es devenu malade d'un coup, sans raison ?

— Non, Yaja voulait que je vomisse du vert. C'est pour ça qu'elle me tournait tout le temps la tête.

— Eh bien, elle est belle, celle-là ! C'est quoi, ce jeu où chacun essaie de faire vomir l'autre ?

— De vomir du vert, corrigea Toby. Mais ça n'a pas marché.

— Je n'y comprends rien. Pourquoi fallait-il absolument faire une telle bêtise ?

— C'est Yaja qui a vu ça dans un film. On vomit du vert quand on est possédé par le diable.

— Je croyais que l'ail offrait la solution dans un tel cas. D'où vous vient une idée aussi sotte ? Tu n es pas possédé par le diable, que je sache ?

— Mais si ! s'écria Toby, indigné. Moi aussi ! Tout comme Babette.

Gwen pivota sur elle-même d'un seul mouvement. En trois pas, elle était dans la chambre de Babette, au pied du berceau placé sous la fenêtre. La couette était roulée en boule. Lorsqu'elle la retira, le lit était vide. De frayeur, elle hurla.

— Que se passe-t-il, Gwen ? cria Bobbie.

Mais elle avait déjà dévalé l'escalier. Le cœur battant, elle fit irruption dans la cuisine.

— Où est Yaja ?

— Gwen, tout va bien avec Toby ? demanda avec inquiétude Beatrijs.

— Oui, mais où est Yaja ?

Avec une nuance dure dans la voix, Leander demanda :

— Pourquoi ? Qu'est-ce que tu lui veux ?

Qu'est-ce. Qu'est-ce. Il disait « Qu'est-ce », mais elle entendait « déesse ».

Elle se sentit devenir hystérique. Elle avait eu des rêves et des pensées qui ne ménageaient aucune place à Babette. Voilà le résultat, voilà ce qui arrivait lorsqu'on se détournait de son enfant ! Elle ouvrit la porte à la volée et s'élança dans le jardin. Une douleur lancinante au côté, elle courut vers le rucher. De loin déjà, elle voyait la fumée et la lueur du feu que Timo avait allumé entre-temps.

— Comme tu trouves notre feu, maman ? lui cria Marleen.

Elle sautait d'une jambe sur l'autre, tant elle était excitée. Timo était assis sur une souche, entourant de ses bras Klaar et Karianne, et observait les flammes. Marise et Niels fourgonnaient avec des bâtons dans les braises, faisant pleuvoir des étincelles, comme si des abeilles phosphorescentes tourbillonnaient parmi eux.

Ne pas se montrer paniquée. Elle essuya avec le dos de la main la sueur qui baignait son front.

— Super, réussit-elle à dire. Mais remuez-vous, vous devez m'aider à chercher Yaja. Beatrijs et Leander veulent rentrer.

— Oh non ! s'écrièrent les filles à l'unisson.

— Si, faites ce que maman vous dit. Je vous assure que le feu brûlera encore pendant des heures, déclara Timo en poussant les deux cadettes.

La petite troupe se mit en marche dans un concert de protestations.

Il tendit le bras vers elle.

— Tu viens t'asseoir un instant à côté de moi ?

Elle vit avec une précision inexplicable ses larges épaules et son visage ouvert. La lumière blafarde de l'hiver ne le rendait pas plus beau qu'il n'était. Il ne dégageait pas cette aura vive et blanche qu'elle avait parfois cru apercevoir en regardant Leander. Il était simplement Timo. Sûr et solide.

— Yaja a emmené Babette avec elle, je crois, dit-elle d'une voix vibrante de remords.

Timo prit son élan en poussant des deux mains sur la souche. Durant une fraction de seconde elle s'attendit à ce qu'il se jette sur elle. Mais il n'en fit rien. Pas plus qu'il ne déclara : Je te l'avais bien dit que je ne voulais pas de cette fille chez nous. Il constata simplement :

— Dans ce cas, il faut prendre des mesures rapidement. Je pars à vélo. Elle se trouve peut-être près de l'étang.

Un vol de canards siffleurs apparut, derrière lui, dans le ciel plombé. Ils volaient si bas que l'on entendait leurs cris excités : Viiiuuuv, Viiiuuuv, Viiiuuuv ! Veronica avait toujours prétendu que cela signifiait : « Tout est sûr ? Tout est sûr ? » Juste au-dessus du rucher, ils dévièrent leur trajectoire vers la droite en se désorganisant. Puis le vol se recomposa et s'engagea sans hésiter dans une nouvelle direction.

Tout en suivant la volée des yeux, Gwen balbutia : « Très bien, alors moi, je vais dans l'autre sens. » Elle longea l'alignement des tilleuls au pas de course. Sa trajectoire la mena à travers la haie jusqu'à l'étroit chemin de halage. Maintenant qu'elle ne se trouvait plus sur leur terrain, elle accéléra la cadence. Le monde était si grand.

Les canards volaient loin devant elle, formant un pointillé parfaitement rectiligne au-dessus de la route bordant le canal. Pourquoi ne s'était-elle pas tout simplement contentée d'être reconnaissante du retour de Babette ? Parce qu'elle avait tenu à avoir une explication, à trouver des points de repère, elle avait mis en péril tout ce qui lui était cher.

À force de courir, elle commençait à voir de petits points danser devant ses yeux. Le paysage, réduit à des bandes de forme géométrique, défilait en tressautant. Un carré bleu ciel commençait à poindre dans la grisaille, de la même couleur que le chariot construit par Timo pour Babette, avec, sur les côtés, le nom de leur fille en lettres d'argent.

Le chariot se trouvait sur le bord du canal, près du banc sur lequel était assise Yaja. Celle-ci fixait l'eau avec désœuvrement, et Dieu merci ne s'évertuait pas à dévisser la tête de Babette comme elle l'avait fait avec Toby. Elle ne se rendit compte de la présence de Gwen que lorsque cette dernière se laissa tomber à côté d'elle sur le banc.

— Ça va pas non ! J'ai failli avoir une crise cardiaque ! cria-t-elle d'une voix perçante.

Gwen fut incapable de parler, tant le souffle lui manquait. Tout en haletant de manière incontrôlable, elle se pencha sur le chariot. Les grands yeux de Babette s'éclairèrent. Son visage s'épanouit en un sourire radieux.

Le soulagement était si grand qu'elle se mit à trembler. Elle prit son bébé et le serra contre elle, respirant intensément l'odeur de ses cheveux.

— Si jamais tu me refais un coup pareil, Yaja, je…

— Doucement, dis donc ! J'ai quand même bien le droit de faire un tour avec Babette, si je veux !

— Pas sans ma permission.

Yaja prit un air offusqué.

— Je voulais juste faire quelque chose de chouette avec Babette. Elle était en train de mourir d'ennui dans son berceau.

— Pendant que tu étais occupée à faire vomir Toby, peut-être ? Ça m'étonnerait beaucoup. Soudain, Gwen ne se maîtrisa plus : Espèce de sale petite irresponsable ! Comment est-ce que tu as pu laisser ce môme le nez dans son vomi ? Il aurait pu s'étouffer ! Regarde-moi dans les yeux. Je veux une réponse !

— T'as rien à dire sur moi, vieille peau !

— Tu es allée trop loin, cette fois. Tu le sais parfaitement !

Les joues de Yaja s'empourprèrent. Elle baissa les yeux. Puis elle dit :

— Bordel ! Moi qui pensais que tu serais contente parce que moi, au moins, je suis allée faire un truc amusant avec Babette.

— Tu ne vas pas t'en tirer comme ça.

— Elle arrivera nulle part avec toi. T'es même pas

foutue de lui filer son biberon. Une vraie mère à la con, tu vaux que dalle. Tu t'en fous comme de ta première chemise. Tu sais ce que t'es ? Un crime contre l'humanité, tout simplement.

Les lèvres serrées, Gwen finit par articuler :

— Dégage. Va à la maison, prends tes affaires et dis à ton père de t'emmener. Immédiatement. Je te donne dix minutes.

— Tu ne veux pas entendre la vérité. Va te faire foutre.

Yaja donna un coup de pied contre le banc, rejeta ses cheveux par-dessus son épaule et partit en frappant le sol à grands coups furieux.

Leander allait avoir une mauvaise surprise en découvrant qu'elle avait renvoyé sa fille, mais cette pensée la laissa indifférente. Elle se sentait anesthésiée. Elle compta jusqu'à dix. Elle compta jusqu'à cent. Mais quand bien même elle compterait jusqu'à mille, rien ne changerait le fait que, de toutes les personnes sur terre, ce soit précisément cette petite ordure égoïste qui l'ait si clairement percée à jour. Il ne s'agissait pas de dire qu'elle n'aimait pas Babette, naturellement, mais enfin, autant se l'avouer : elle s'attachait à elle avec une certaine défiance, en étant toujours plus ou moins sur ses gardes.

Que des ados puissent aller et venir à leur guise loin de leurs parents était une chose. Mais un bébé ? Elle souleva sa fille et scruta son expression. Ce serait trop absurde de lui faire le moindre reproche. Mais, à chaque instant, Babette lui rappelait brutalement ce qu'était l'incertitude. Impossible de la regarder dans les yeux sans se pénétrer de l'idée que la vie était beaucoup moins assurée et prévisible qu'il n'était tolérable. Depuis son étrange aventure, sa fille incarnait

cette réalité plus insupportable que toute autre :
l'incertitude.

Elle posa de nouveau le bébé dans le chariot et
remonta la couverture jusqu'à son menton avec un
sentiment d'impuissance. Viiiuuuv, Viiiuuuv, Viiiuuuv !
entendit-elle là-haut. Les canards siffleurs étaient
revenus. Les premiers oiseaux se posèrent dans le
champ de l'autre côté du canal, cependant que le reste
du vol décrivait des cercles inquiets. Tout est sûr ? Tout
est sûr ?

Gwen les observa. Elle songea avec émotion qu'il
n'était pas plus donné aux oiseaux qu'aux abeilles de
connaître la sécurité, même sous sa forme la plus
modeste. Ce manque était apparemment un trait
fondamental de l'existence. Elle eut soudain honte. La
seule solution consistait à s'habituer à l'idée que l'on
ne savait jamais ce qui allait vous arriver. Si la nature
tout entière s'en révélait capable, elle devrait pouvoir
s'en accommoder aussi.

Babette gazouillait de contentement, comme si elle
approuvait sa mère. Quelle sagesse déjà, cette petite !
À peine six mois, et pourtant elle avait déjà tout un
pan de sa vie dont sa maman ne saurait jamais rien.
Mais elle-même n'en garderait pas non plus le
souvenir. Étrangement, cette certitude la réconfortait.

— Nous nous en sortirons, toutes les deux, dit-elle
à voix basse. En tout cas, nous essayerons, qu'en
penses-tu ?

Sans cesser de marmonner des paroles incompréhensibles, Bobbie entra dans la cuisine, tenant Toby
par la main. Ses cheveux étaient mouillés et il portait
un kimono de judo, emprunté à l'une des Anges ;
l'ourlet cachait presque entièrement ses pieds nus.

— Tante Chipolata ! s'écria-t-il, surpris.

— Ça alors ! s'exclama Beatrijs en ouvrant les bras. Comme tu as l'air costaud.

Elle l'attrapa au vol et le posa sur ses genoux, ignorant l'onde de douleur qui lui parcourut la jambe.

— Je n'ai rien trouvé d'autre sur le moment, expliqua Bobbie. Tous ses vêtements sont dans le sèche-linge, y compris les baskets.

Elle avait l'air très remontée.

Beatrijs farfouilla dans les interminables manches pour trouver les mains fines de Toby et les serra.

— Qu'est-ce qui s'est passé, bonhomme ?

— Vas-y, Toby, dit Bobbie, raconte donc ce que Yaja t'a fait.

Beatrijs sursauta et lança un regard en direction de Leander. Elle n'était pas loin de sentir en elle comme un goût de victoire. Une certaine personne allait-elle enfin payer pour ses méfaits ?

— En tout cas, le petit bout n'en a pas gardé de séquelles. Il fit un signe de tête à Toby, arborant un sourire contraint : Voilà ce qui est le plus important. Je n'ai pas raison ?

La porte s'ouvrit avec fracas et Yaja entra comme une furie, blanche de rage.

— Ben voyons ! cria-t-elle en jeta un regard à la ronde. Alors les commères, on parle de moi ? C'est encore moi la méchante ? Vous avez accordé vos violons ? Parfait, vous pouvez y aller, et mettez-vous en jusque-là ! Cette connasse m'a foutue dehors ! J'ai jamais vu...

— Ne nous fais pas ton cinéma, dit Beatrijs. C'est toi qui voulais partir.

Yaja la fusilla d'un regard où se concentrait une haine glacée.

— Tu peux pas lui dire de la fermer à cette bonne femme, 'pa ? Et pendant qu'on y est : toi, tu devais me couvrir ! Et maintenant, c'est quand même sur moi que ça retombe ! Tu m'as dit toi-même : Pars vite avec Babette…

— Je suis tout de suite allé chercher du secours en bas, dit Leander.

Sa voix était très basse, comme si une crise de migraine se préparait.

— Et toi, tu devais dire à Gwen que j'étais partie depuis longtemps promener la petite ! Crétin ! Pour commencer, il fallait absolument que je vienne ici parce que tu ne veux pas de moi chez toi et, après, je n'ai plus qu'à me casser parce que l'autre peut pas me blairer. Je suis pas un sac de patates que vous trimballez où ça vous arrange.

Sans transition, elle éclata en sanglots.

Le silence dura.

Beatrijs regardait fixement la chevelure humide de Toby. Elle n'était pas sûre d'avoir compris le détail des récriminations de Yaja, mais, à vrai dire, elle n'en avait pas envie. Une petite voix en elle soufflait que cela risquait de la rendre très malheureuse.

Leander tira un mouchoir de sa poche et avança vers sa fille.

— Personne ne te rend coupable de quoi que ce soit et personne ne te fait le moindre reproche. Après tout, il ne s'est rien passé.

— Ah non ? demanda Bobbie d'une voix forte en direction de la cuisinière. Je dirais que c'est le monde à l'envers ! C'est vraiment le comble !

Leander s'immobilisa. Il porta la main a son front. Avec une infinie patience, il dit :

— Il ne s'est rien passé d'irréparable, Bobbie. Ou

365

voudrais-tu prétendre le contraire ? Dans ce cas, tu seras toute seule à l'affirmer. Mais ce que je soupçonne, à la vérité, c'est que tu ne comprends pas tout à fait ce qui se passe. Et ce n'est pas la première fois, je me trompe ?

Le cœur de Beatrijs se serra lorsqu'elle vit la manière dont les yeux de Bobbie parurent s'enfoncer dans leurs orbites. « Sais-tu ce que j'aimerais un jour, Beatrijs ? En savoir beaucoup, moi aussi, sur un sujet. »

— Leander ! s'écria-t-elle choquée.

Il ne lui accorda aucune attention.

— Tiens, Yaja, sèche tes larmes.

Sans dire un mot, Yaja lui arracha le mouchoir des mains et le jeta par terre. Les larmes avaient tracé des sillons noirs sur ses joues, donnant l'impression que son visage s'était creusé, et qu'il n'avait même que la peau sur les os.

Après un temps, Leander se baissa et ramassa le mouchoir. Blessé, il dit :

— Mais je voulais te consoler.

— Et alors ? Je n'ai aucune envie d'être consolée par toi, bon à rien !

— Non, bien sûr que non !

Ayant visiblement rassemblé tout son courage, Bobbie s'approcha d'eux.

— Tu devrais recevoir une bonne correction ! Cela fait des années que tu cours après, je crois. Quelqu'un devrait avoir le cran de t'éduquer un peu. Un tour de vis te ferait le plus grand bien.

Yaja lui fit un doigt d'honneur. Puis elle quitta la cuisine en traînant des talons. Le bruit de ses pas dans l'escalier retentit dans toute la maison.

Leander s'humecta les lèvres.

— Qu'as-tu à me fixer ainsi, Beatrijs ?

Une brusque suée la prit : elle était entièrement d'accord avec Bobbie.

— Je ne sais pas, commença-t-elle. Mais ses propres mots lui inspirèrent immédiatement du dégoût. Elle se ressaisit : Yaja doit en effet être reprise en main. C'est dans son propre intérêt. Tu seras sûrement d'accord pour...

— Très impressionnant. Il sautillait d'un pied sur l'autre : Puis-je demander d'où te vient cette science toute neuve ? Tu as eu des enfants peut-être ? Ah, voilà Yaja.

Traînant son sac de voyage usé par les week-ends, l'adolescente entra sans leur accorder la moindre attention. Leander voulut porter le sac, mais elle s'y accrocha, le plaquant contre sa poitrine, comme si ce machin noir informe représentait la seule chose sur laquelle elle pouvait compter. La main de Leander resta suspendue dans le vide. Il toussota.

— Nous partons. Tu viens, Beatrijs ?

Encore sous le choc, elle vit Yaja se diriger lentement vers la porte. Elle avait pensé que Leander aurait dû la défendre contre cette gamine, mais elle aurait mieux fait de protéger cette dernière contre son père.

— Je préfère rester encore un peu ici, répondit-elle, surprise de sa propre réaction.

Stupéfait, il écarquilla les yeux.

— Pardon ?

Elle se tut. Elle avait besoin de temps pour réfléchir, voilà tout.

— Depuis ce matin, tu n'es pas toi-même.

— Je reste ici, dit-elle d'un ton calme. Je t'appellerai.

Elle vit ses lèvres blêmir.

— Je ne te reconnais pas. Tu n'es pas femme à oser…, sans prévenir, sans donner d'explications…

— La grosse vache t'envoie paître, 'pa, constata Yaja. Allez, on se taille. Mais ne va pas te mettre en tête que je passerai le reste du week-end à jouer au Rummikup avec toi.

— Une seconde, Yaja !

Enfin, Leander parut se rendre compte de toutes les conséquences. Beatrijs ne lui vint pas en aide. La vérité était sans doute que le père et la fille se méritaient l'un l'autre.

— Je t'appellerai, répéta-t-elle, cette fois avec un peu plus de chaleur.

Il tourna les talons.

Elle vit sa longue silhouette franchir la porte de Gwen. Étrangement, son cœur eut un bref élan vers lui. Elle n'était pas la femme qu'il croyait. Mais peut-être avait-elle quelque peu oublié aussi, ces derniers temps, qui elle était réellement.

— Et voilà, dit Bobbie.

On lisait nettement sur son visage qu'elle faisait de gros efforts pour ravaler un commentaire ravi.

— Vas-y, dis-le, fit Beatrijs d'une voix amère.

— Rien. Rien, se hâta de répondre Bobbie. Tu ne veux pas que j'aille chercher une tarte aux fruits ? Janna, qui habite en face, en fait de merveilleuses.

La journée avait été longue pour ses deux fils : lorsqu'ils prirent enfin la voiture pour rentrer, les enfants s'endormirent presque immédiatement. De temps à autre, il les observait dans le rétroviseur. La tête de Toby reposait affectueusement sur l'épaule de son grand frère où elle oscillait doucement d'avant en arrière. Niels, dont les joues mal débarbouillées portaient encore des traces de suie, avait passé son bras autour de lui.

À l'avant, sur le siège passager, le pot de miel de thym acheté au magasin de Bobbie roulait lentement de gauche à droite. Ce miel était sûrement produit par des abeilles qui avaient entendu Veronica rire et parler avec insouciance dans le jardin de Gwen. Maintenant ces abeilles étaient aussi mortes qu'elle. À l'occasion, il devrait demander à Bobbie s'il existait un paradis pour les abeilles, cela lui vaudrait sans aucun doute un récit formidable.

Il comprenait mal les raisons de la paix intérieure qu'il ressentait. À sa connaissance, il n'avait rien accompli qui puisse être à l'origine de cette sérénité. Jadis, les trois amies l'auraient soumis à un interrogatoire serré pour creuser le phénomène, alors que Timo, Frank et lui-même auraient rempli à nouveau les verres et goûté la tapenade. « Laurens, ballot ! Va donc t'interroger toi-même ! » Mais fallait-il vraiment chercher à tout comprendre de A à Z ?

Il passa la vitesse supérieure et jeta un coup d'œil machinal dans le rétroviseur. Il sourit : la bouille de Niels avait une expression bienheureuse, respirant l'amour. Il n'était pas difficile de deviner vers qui le portait son rêve.

Le cœur léger, Laurens s'imagina que devoir partager son premier amour avec vingt-deux camarades de classe donnait certainement des bases solides. Son Superman serait un jour un adulte, avec des sentiments et des dilemmes d'adulte. Il fallait espérer qu'il s'en sorte mieux que son père, le moment venu.

N'oublie pas, Niels, de toujours donner le bon exemple à Toby.

Si Toby apprenait que son grand frère avait pour

projet d'aller avec Nicky sur la tombe de Veronica, il demanderait sur-le-champ à venir avec eux. Cela n'avait pas d'importance, il l'accompagnerait lui-même. Le moment était venu de se rendre enfin au cimetière.

Regarde Toby, voilà où se trouve maman, dans sa boîte.

Il n'était pas certain de pouvoir localiser l'endroit, après tout ce temps. Il serait probablement obligé d'interroger le gardien. Voyez-vous, il m'a fallu un certain temps avant de comprendre que ma femme était réellement morte. Comme vous dites, oui, c'est très étrange. Peut-être y a-t-il des phénomènes bien plus étranges encore. Ainsi, par exemple, le cœur trouve-t-il toujours, malgré tout, de quoi lui redonner espoir, même si c'est l'humble espoir que nos enfants seront une version améliorée de nous-même. Et le plus étrange de tout, c'est que ce souhait se réalise, la plupart du temps.

Mû par une impulsion qu'il ne comprit pas, il quitta l'autoroute et s'engagea sur une aire de repos. Il s'arrêta au milieu du parking désert. Afin de ne pas réveiller ses fils, il laissa le moteur tourner avant de sortir de la voiture. Le cri pénétrant d'un hibou retentit au loin, rauque et mélancolique. La nuit était froide et sombre. Si noire que l'on voyait chaque étoile dans le ciel. Les mains dans les poches, il se tint à côté de la voiture qui ronronnait doucement. Il renversa la tête en arrière et leva les yeux.

Eh bien, Laurens. À quoi penses-tu ?

J'ai acheté du miel de thym pour toi.

Il était sûr de la voir, pourvu qu'il regarde assez longtemps.

COLLECTION « LES ÉTRANGÈRES »
DIRIGÉE PAR FRANÇOISE TRIFFAUX

Le Poids de l'eau, Anita Shreve, 1997
Mauvaise mère, A. M. Homes, 1997
Appelle-moi, Delia Ephron, 1997
Un été vénéneux, Helen Dunmore, 1998
De l'autre côté du paradis, Dawn Turner Trice, 1998
Les Consolatrices, Nora Okja Keller, 1998
Le Don de Charlotte, Victoria Glendinning, 1999
L'Africaine, Francesca Marciano, 1999
La Femme perdue, Nicole Mones, 1999
Ils iraient jusqu'à la mer, Helen Dunmore, 2000
Céleste et la chambre close, Kaylie Jones, 2000
Cafard, vertiges et vodkas glace, Kate Christensen, 2000
Un seul amour, Anita Shreve, 2000
Le torchon brûle, A. M. Homes, 2001
Malgré la douleur, Helen Dunmore, 2001
Oublier Cuba, Ivonne Lamazares, 2001
Nostalgie d'amour, Anita Shreve, 1994, rééd. 2001
Pénélope prend un bain, Gohar Marcossian, 2002
Fuji nostalgie, Sara Backer, 2002
Ultime Rencontre, Anita Shreve, 2002
Je ne suis pas là, Slavenka Drakulić, 2002
La Faim, Helen Dunmore, 2003
L'Envers du miroir, Jennifer Egan, 2003
Casa Rossa, Francesca Marciano, 2003
Petite Musique des adieux, Jennifer Johnston, 2003
La Maison du bord de mer, Anita Shreve, 2003
Les Insatiables, Diane McKinney, 2003
L'Égale des autres, Laura Moriarty, 2004
Imani mon amour, Connie Porter, 2004

Composition : FACOMPO, LISIEUX

Achevé d'imprimer sur les presses de

BUSSIÈRE

GROUPE CPI

à Saint-Amand-Montrond (Cher)
en septembre 2007